D0378602

LE DERNIER JOUR D'UN CONDAMNÉ

Paru dans Le Livre de Poche :

Les Misérables *(3 tomes).*
Les Châtiments.
Les Contemplations.
Notre-Dame de Paris.
Hernani.
Ruy Blas.

VICTOR HUGO

Le Dernier Jour d'un condamné

suivi de

Claude Gueux

et de

L'Affaire Tapner

PRÉFACE DE ROBERT BADINTER
COMMENTAIRES ET NOTES
DE GUY ROSA

LE LIVRE DE POCHE
Classique

Le texte reproduit est celui de l'édition dite « de l'Imprimerie Nationale (I.N.) » : Victor Hugo, *Œuvres complètes, Romans — I* (1910) pour *Le Dernier Jour d'un condamné* et *Claude Gueux ; Actes et Paroles — II, Pendant l'exil 1852-1870* (1938) pour *Aux habitants de Guernesey* et *A lord Palmerston ; Choses vues — II*, (1913) pour *Sur Tapner*.

Guy Rosa, ancien élève de l'E.N.S., agrégé de l'Université, docteur ès lettres, est maître de conférences à l'Université Paris VII. Il a publié, dans les organes spécialisés, plusieurs travaux sur Victor Hugo et participé à la direction de l'édition des *Œuvres complètes* de Hugo chez Robert Laffont, collection « Bouquins ». Au Livre de Poche, il a contribué aux éditions des *Châtiments*, des *Misérables* et de *Ruy Blas*.

© Librairie Générale Française, 1989, pour la Préface, les Commentaires et les Notes.

Préface

Voici un livre phare, un maître livre. L'auteur a vingt-six ans lorsqu'il l'écrit. Il est beau, il est heureux, il est poète. Sa vie est un chant d'amour à Adèle, au génie qui l'habite, à la gloire qui déjà l'a distingué. Il est le prince de sa génération, en attendant d'en être le roi. Il est le souverain des mots, des images, des passions. Il porte un prénom symbolique : Victor, le victorieux, un nom sonore fait pour résonner d'écho en écho, au long des siècles : Hugo.

Pourquoi dès lors se lève entre tous ce jeune homme rayonnant pour clamer son refus, de tout son être, de cette barbarie, de cette négation de l'homme que les juristes singulièrement dénomment la peine capitale. Il commence d'écrire ce livre le 14 octobre 1828, un an après l'exécution d'Ulbach, un jeune homme comme lui, qui a poignardé une fille de dix-huit ans par désespoir d'amour. Sans doute aurait-il vu le bourreau dresser place de Grève la machine, la vérifier, l'essayer. Il avait, enfant, en Espagne, regardé passer des condamnés à mort en route pour le garrot, le rite de la guillotine lui était connu, et résonnait toujours en lui le cri épouvantable d'une suppliciée qu'il avait à seize ans vu marquer au fer rouge sur la place du Palais de Justice. Ces hasards-là, ces rencontres d'un instant avec la barbarie judiciaire peuvent décider d'un engagement de toute une vie. De la lutte de Hugo contre la peine de mort, ce « dernier jour d'un condamné » que Dostoïevski relisait dans la Maison des morts est comme le manifeste.

Œuvre étonnante, unique, malgré sa rhétorique, ses facilités, ses « trucs » littéraires à la mode du temps. Certes, depuis plus d'un demi-siècle, la question de l'abolition était posée, et parfois même dans certains États, comme la Toscane, la peine de mort avait disparu pour un temps. Les hommes de liberté, continuateurs des hommes des Lumières, s'étaient interrogés aux premiers temps de la Révolution, sur la nécessité d'abolir la peine de mort contraire en son essence aux droits de l'homme dont le premier est celui de vivre. Mais ils avaient reculé, et la guillotine s'inscrivait dans la mémoire collective comme le signe d'une Révolution emportée par la Terreur, même si les Républicains avaient proclamé que la peine de mort disparaîtrait aussitôt la paix revenue dans la République triomphante. La machine avait survécu aux pères qu'elle avait tués. D'instrument, elle était devenue symbole, et sa présence dans la nuit qui précédait les exécutions hantait le jeune homme, faisait sourdre en ce visionnaire l'angoisse du supplice imminent. Le poète vivait la passion du misérable. Il était devenu le condamné à mort, c'était son supplice qui se préparait, et dont il imaginait déjà, comme l'autre dans sa cellule, tous les moments, jusqu'à l'indicible ultime instant.

D'où la force incomparable de cette œuvre. Pour la première fois, dans l'histoire de l'abolition, l'homme, le condamné lui-même fait irruption sur la scène. Il ne s'agit plus de plaider, de débattre, de dénoncer la cruauté, l'inutilité de la peine de mort, d'évoquer l'erreur judiciaire toujours à l'affût. La discussion s'évanouit devant cet être de chair et de sang qui attend le supplice. Et puisque c'est un homme, le criminel, et non un concept, le crime, que l'on va tuer, Hugo les cite tous à comparaître devant lui : juges qui condamnent, bourreaux qui exécutent, peuple qui applaudit. Qu'ils écoutent au moins cette voix terrible qui s'élève dans la nuit et crie : je suis jeune, je suis fort, j'aime la vie et demain je serai mort parce que vous l'aurez voulu.

Là réside le génie de Hugo. Il a le premier compris qu'à l'atrocité du crime il faut opposer la barbarie du supplice, et qu'il ne sert à rien de dénoncer la peine de mort si elle n'est pas incarnée, non par le juge et le bourreau, mais par le supplicié. Hugo a senti qu'il fallait passer de l'humanité à l'homme, non pas notion abstraite, sujet de droits et de codes, mais être unique, misérable créature de chair et de sang, haletant d'angoisse, suant de peur, qu'on garde jour et nuit dans sa cellule, qu'on dévêt, qu'on garrotte, qu'on jette sur la planche et qui sait, à tout moment, ce qui va lui advenir, et sent peser sur sa nuque, imperceptible pour tous sauf pour lui, le souffle de la bête immonde qui l'escorte, jusqu'à l'échafaud, et l'attend derrière la machine, assise à côté du panier que fixera son dernier regard. Les obtus et les raisonnables peuvent railler et dire que tout cela n'est que littérature. Hugo sait que seuls les mots du poète peuvent révéler la réalité de l'autre et nous faire vivre ce qu'il éprouve.

A cette intuition du génie, Hugo ajoute l'invention de l'artiste : son héros pour devenir vous, moi, n'importe qui, doit être le condamné à mort à l'état pur, c'est-à-dire libéré de son crime, un être qui n'est plus qu'angoisse, qu'attente de l'exécution. Les critiques lui ont reproché cette abstraction, ils lui ont imputé comme une habileté trop commode l'escamotage du crime, l'ignorance où le lecteur se trouve des actes, peut-être atroces, qui ont motivé la condamnation. Trait formidable : ce condamné jamais ne se déclare innocent. Ce n'est point Dreyfus dans sa cellule réclamant la vérité, la justice. C'est un misérable qui de toutes ses forces demande la pitié, la vie. Nous ne savons de lui que ce qui le confond avec l'auteur lui-même, pour que l'identification se fasse plus forte encore : qu'il est jeune, qu'il a une femme, une petite fille, tout ce qui fait la bonté d'une vie, tout ce qui lui donne son prix d'amour et de douceur. Et aussi qu'il a reçu une bonne éducation, qu'il a les mains fines et porte chemise de batiste. Mais Lacenaire également cultivait les belles-lettres et jouait les dandys. L'équivoque, ou plutôt l'ombre nécessaire demeure entière. Meurtrier sans doute, mais de qui ? D'une maîtresse ou d'un rival, d'un gendarme ou d'une vieille femme ? Est-ce Sorel ou Raskolnikoff ? Pour vivre l'angoisse du condamné, il faut que disparaisse la réalité du crime. L'artifice est certain, mais pourquoi l'imputerait-on à charge à l'écrivain qui se réclame de cette suprême vérité de l'art : l'imaginaire.

De cet effacement du passé procède l'intensité du présent. Ce condamné, terré dans son cachot, n'est plus que cette angoisse. Pour lui le passé est déjà mort. La scène où sa petite fille ne le reconnaît plus symbolise le plus cruellement cet effacement de tout ce qui fut sa vie. Le condamné en instance d'exécution ne compte déjà plus parmi les vivants. Il se meut, il flotte dans un monde intermédiaire où demeurent les automatismes mais d'où la vie, qui n'est qu'avenir et espérance, s'est retirée ; sauf en ces brefs instants où explose, comme un trait de feu, l'espoir fou de la grâce royale : « Je veux bien des galères... Mais grâce de la vie... Un forçat, cela marche encore, cela va et vient, cela voit le soleil... »

Grâce de la vie... Tout au long de la sienne, Hugo la demandera, aux rois, aux présidents, aux ministres. Lutteur infatigable, il se battra contre la peine de mort au Parlement comme dans les cours d'assises, par l'écrit comme par la parole. Dans la longue chaîne des combattants de la lutte de l'abolition, il se dresse, comme un Hercule appuyé sur la masse de son génie. Si son cheminement politique fut longtemps incertain, avant de découvrir la République et de s'y ancrer comme au rocher de Guernesey, s'agissant de la justice et de l'humanité, jamais Hugo n'hésita, ne recula ni ne fléchit. Guerre à la guillotine qui tue, au bagne qui détruit, à la prison qui corrompt. De l'adolescent qui découvre l'échafaud jusqu'au vieillard qui réclame l'amnistie des communards, la ligne est droite. Le député qui, le 15 septembre 1848, déclarait à la tribune de l'Assemblée constituante : « Je vote l'abolition pure et simple et définitive de la peine de mort », ne faisait que poursuivre le combat de l'écrivain du *Dernier Jour d'un condamné*. Certes, il faudra largement plus d'un siècle pour que s'accomplisse en France la prophétie de Hugo. « L'abolition de la peine de mort est désormais certaine dans les pays civilisés. » Mais, sans lui, sans ce livre et tant d'autres écrits, l'exigence de l'abolition se serait-elle enracinée dans tant de sensibilités et de consciences ? Les batailles de l'humanité ne se gagnent en définitive que dans les esprits et les cœurs. A cette victoire-là, ce livre et son génial auteur ont plus que tout autre sans doute contribué. Qu'ils en soient aujourd'hui remerciés.

Robert BADINTER.

LE DERNIER JOUR D'UN CONDAMNÉ

18..

Les notes appelées par un astérisque appartiennent au texte de Victor Hugo.

Dans les nôtres, nous employons les abréviations et les références indiquées p. 270 et nous n'annotons que les noms qui ne figurent pas au dictionnaire *Robert* des noms propres.

Il n'y avait en tête des premières éditions de cet ouvrage [1], publié d'abord sans nom d'auteur, que les quelques lignes qu'on va lire :

« Il y a deux manières de se rendre compte de l'existence de ce livre. Ou il y a eu, en effet, une liasse de papiers jaunes et inégaux sur lesquels on a trouvé, enregistrées une à une, les dernières pensées d'un misérable ; ou il s'est rencontré un homme, un rêveur occupé à observer la nature au profit de l'art, un philosophe, un poëte, que sais-je ? dont cette idée a été la fantaisie, qui l'a prise ou plutôt s'est laissé prendre par elle, et n'a pu s'en débarrasser qu'en la jetant dans un livre.

» De ces deux explications, le lecteur choisira celle qu'il voudra. »

Comme on le voit, à l'époque où ce livre fut publié, l'auteur ne jugea pas à propos de dire dès lors toute sa pensée. Il aima mieux attendre qu'elle fût comprise et voir si elle le serait. Elle l'a été. L'auteur aujourd'hui peut démasquer l'idée politique, l'idée

1. Sur la genèse et l'histoire du texte, voir aux « Commentaires » et à la « Chronologie », pp. 267 et suiv. et pp. 274 et suiv.

sociale, qu'il avait voulu populariser sous cette innocente et candide forme littéraire. Il déclare donc, ou plutôt il avoue hautement que *Le Dernier Jour d'un condamné* n'est autre chose qu'un plaidoyer, direct ou indirect, comme on voudra, pour l'abolition de la peine de mort. Ce qu'il a eu dessein de faire, ce qu'il voudrait que la postérité vît dans son œuvre, si jamais elle s'occupe de si peu, ce n'est pas la défense spéciale, et toujours facile, et toujours transitoire, de tel ou tel criminel choisi, de tel ou tel accusé d'élection ; c'est la plaidoirie générale et permanente pour tous les accusés présents et à venir ; c'est le grand point de droit de l'humanité allégué et plaidé à toute voix devant la société, qui est la grande cour de cassation ; c'est cette suprême fin de non-recevoir, *abhorrescere a sanguine* [1], construite à tout jamais en avant de tous les procès criminels ; c'est la sombre et fatale question qui palpite obscurément au fond de toutes les causes capitales sous les triples épaisseurs de pathos dont l'enveloppe la rhétorique sanglante des gens du roi ; c'est la question de vie et de mort, dis-je, déshabillée, dénudée, dépouillée des entortillages sonores du parquet, brutalement mise au jour, et posée où il faut qu'on la voie, où il faut qu'elle soit, où elle est réellement, dans son vrai milieu, dans son milieu horrible, non au tribunal, mais à l'échafaud, non chez le juge, mais chez le bourreau.

Voilà ce qu'il a voulu faire. Si l'avenir lui décernait un jour la gloire de l'avoir fait, ce qu'il n'ose espérer, il ne voudrait pas d'autre couronne.

Il le déclare donc, et il le répète, il occupe, au nom de tous les accusés possibles, innocents ou coupables, devant toutes les cours, tous les prétoires, tous les jurys, toutes les justices. Ce livre est adressé à quiconque juge. Et pour que le plaidoyer soit aussi vaste que la cause, il a dû, et c'est pour cela que

1. « Avoir horreur du sang. »

Le Dernier Jour d'un condamné est ainsi fait, élaguer de toutes parts dans son sujet le contingent, l'accident, le particulier, le spécial, le relatif, le modifiable, l'épisode, l'anecdote, l'événement, le nom propre, et se borner (si c'est là se borner) à plaider la cause d'un condamné quelconque, exécuté un jour quelconque, pour un crime quelconque. Heureux si, sans autre outil que sa pensée, il a fouillé assez avant pour faire saigner un cœur sous l'*œs triplex*[1] du magistrat ! heureux s'il a rendu pitoyables ceux qui se croient justes ! heureux si, à force de creuser dans le juge, il a réussi quelquefois à y retrouver un homme !

Il y a trois ans, quand ce livre parut, quelques personnes imaginèrent que cela valait la peine d'en contester l'idée à l'auteur. Les uns supposèrent un livre anglais, les autres un livre américain[2]. Singulière manie de chercher à mille lieues les origines des choses, et de faire couler des sources du Nil le ruisseau qui lave votre rue ! Hélas ! il n'y a en ceci ni livre anglais, ni livre américain, ni livre chinois. L'auteur a pris l'idée du *Dernier Jour d'un condamné*, non dans un livre, il n'a pas l'habitude d'aller chercher ses idées si loin, mais là où vous pouviez tous la prendre, où vous l'avez prise peut-être (car qui n'a fait ou rêvé dans son esprit *Le Dernier Jour d'un condamné* ?), tout bonnement sur la place publique, sur la place de Grève. C'est là qu'un jour en passant il a ramassé cette idée fatale, gisante dans une mare de sang sous les rouges moignons de la guillotine.

Depuis, chaque fois qu'au gré des funèbres jeudis de la cour de cassation, il arrivait un de ces jours où le cri d'un arrêt de mort se fait dans Paris, chaque

1. « La triple armure », mais aussi, à la rigueur : « la triple solde ».

2. Sur cette question qui est loin d'être tranchée et mériterait de nouveaux travaux, voir G. Charlier, « Comment fut écrit *Le Dernier Jour d'un condamné* » dans *R.H.L.F.*, 1915.

fois que l'auteur entendait passer sous ses fenêtres ces hurlements enroués qui ameutent des spectateurs pour la Grève, chaque fois, la douloureuse idée lui revenait, s'emparait de lui, lui emplissait la tête de gendarmes, de bourreaux et de foule, lui expliquait heure par heure les dernières souffrances du misérable agonisant, — en ce moment on le confesse, en ce moment on lui coupe les cheveux, en ce moment on lui lie les mains, — le sommait, lui pauvre poëte, de dire tout cela à la société, qui fait ses affaires pendant que cette chose monstrueuse s'accomplit, le pressait, le poussait, le secouait, lui arrachait ses vers de l'esprit, s'il était en train d'en faire, et les tuait à peine ébauchés, barrait tous ses travaux, se mettait en travers de tout, l'investissait, l'obsédait, l'assiégeait. C'était un supplice, un supplice qui commençait avec le jour, et qui durait, comme celui du misérable qu'on torturait au même moment, jusqu'à *quatre heures*. Alors seulement, une fois le *ponens caput expiravit* [1] crié par la voix sinistre de l'horloge, l'auteur respirait et retrouvait quelque liberté d'esprit. Un jour enfin, c'était, à ce qu'il croit, le lendemain de l'exécution d'Ulbach [2], il se mit à écrire ce livre. Depuis lors il a été soulagé. Quand un de ces crimes publics, qu'on nomme exécutions judiciaires, a été commis, sa conscience lui a dit qu'il n'en était plus solidaire ; et il n'a plus senti à son front cette goutte de sang qui rejaillit de la Grève sur la tête de tous les membres de la communauté sociale.

Toutefois, cela ne suffit pas. Se laver les mains est bien, empêcher le sang de couler serait mieux.

1. Les Évangiles disent du Christ : « Inclinant la tête, il expira. » La citation truquée « (dé)posant la tête » [dans l'absolu et sur la « lunette » de la guillotine] assimile la mort du condamné à celle de Jésus — et les distingue pourtant.
2. Voir la *Chronologie* à la date du 10 septembre 1827.

Aussi ne connaîtrait-il pas de but plus élevé, plus saint, plus auguste que celui-là : concourir à l'abolition de la peine de mort. Aussi est-ce du fond du cœur qu'il adhère aux vœux et aux efforts des hommes généreux de toutes les nations qui travaillent depuis plusieurs années à jeter bas l'arbre patibulaire, le seul arbre que les révolutions ne déracinent pas. C'est avec joie qu'il vient à son tour, lui chétif, donner son coup de cognée, et élargir de son mieux l'entaille que Beccaria [1] a faite, il y a soixante-six ans, au vieux gibet dressé depuis tant de siècles sur la chrétienté [2].

Nous venons de dire que l'échafaud est le seul édifice que les révolutions ne démolissent pas. Il est rare, en effet, que les révolutions soient sobres de sang humain, et, venues qu'elles sont pour émonder, pour ébrancher, pour étêter la société, la peine de mort est une des serpes dont elles se dessaisissent le plus malaisément.

Nous l'avouerons cependant, si jamais révolution nous parut digne et capable d'abolir la peine de mort, c'est la révolution de Juillet. Il semble, en effet, qu'il appartenait au mouvement populaire le plus clément des temps modernes de raturer la pénalité barbare de Louis XI, de Richelieu et de Robespierre, et d'inscrire au front de la loi l'inviolabilité de la vie humaine. 1830 méritait de briser le couperet de 93.

Nous l'avons espéré un moment. En août 1830, il y

1. Cesare Bonesana, marquis de Beccaria, fut, avec Bentham, le plus célèbre théoricien d'une réforme de la justice dont le livre de M. Foucault, *Surveiller et punir*, expose parfaitement les enjeux et les principes. Son *Traité des délits et des peines*, de 1766, fut connu et admiré, en France, par les « philosophes » dont il prolongeait l'inspiration.

2. Ici s'achève, sur le manuscrit, un premier texte. Ce qui suit réemploie un texte antérieur, qui n'était pas originellement destiné au *Dernier Jour* et portait un titre autonome : *Fragment sur la peine de mort*.

avait tant de générosité et de pitié dans l'air, un tel esprit de douceur et de civilisation flottait dans les masses, on se sentait le cœur si bien épanoui par l'approche d'un bel avenir, qu'il nous sembla que la peine de mort était abolie de droit, d'emblée, d'un consentement tacite et unanime, comme le reste des choses mauvaises qui nous avaient gênés. Le peuple venait de faire un feu de joie des guenilles de l'ancien régime. Celle-là était la guenille sanglante. Nous la crûmes dans le tas. Nous la crûmes brûlée comme les autres. Et pendant quelques semaines, confiant et crédule, nous eûmes foi pour l'avenir à l'inviolabilité de la vie comme à l'inviolabilité de la liberté.

Et en effet deux mois s'étaient à peine écoulés qu'une tentative fut faite pour résoudre en réalité légale l'utopie sublime de César Bonesana.

Malheureusement, cette tentative fut gauche, maladroite, presque hypocrite, et faite dans un autre intérêt que l'intérêt général.

Au mois d'octobre 1830, on se le rappelle, quelques jours après avoir écarté par l'ordre du jour la proposition d'ensevelir Napoléon sous la colonne, la Chambre tout entière se mit à pleurer et à bramer. La question de la peine de mort fut mise sur le tapis, nous allons dire quelques lignes plus bas à quelle occasion ; et alors il sembla que toutes ces entrailles de législateurs étaient prises d'une subite et merveilleuse miséricorde. Ce fut à qui parlerait, à qui gémirait, à qui lèverait les mains au ciel. La peine de mort, grand Dieu ! quelle horreur ! Tel vieux procureur général, blanchi dans la robe rouge, qui avait mangé toute sa vie le pain trempé de sang des réquisitoires, se composa tout à coup un air piteux et attesta les dieux qu'il était indigné de la guillotine. Pendant deux jours la tribune ne désemplit pas de harangueurs en pleureuses. Ce fut une lamentation, une myriologie, un concert de psaumes lugubres, un

Super flumina Babylonis, un *Stabat mater dolorosa* [1], une grande symphonie en *ut*, avec chœurs, exécutée par tout cet orchestre d'orateurs qui garnit les premiers bancs de la Chambre, et rend de si beaux sons dans les grands jours. Tel vint avec sa basse, tel avec son fausset. Rien n'y manqua. La chose fut on ne peut plus pathétique et pitoyable. La séance de nuit surtout fut tendre, paterne et déchirante comme un cinquième acte de Lachaussée. Le bon public, qui n'y comprenait rien, avait les larmes aux yeux*.

De quoi s'agissait-il donc ? d'abolir la peine de mort ?

Oui et non.

Voici le fait :

Quatre hommes du monde, quatre hommes comme il faut, de ces hommes qu'on a pu rencontrer dans un salon, et avec qui peut-être on a échangé quelques paroles polies ; quatre de ces hommes, dis-je, avaient tenté, dans les hautes régions politiques, un de ces coups hardis que Bacon appelle *crimes*, et que Machiavel appelle *entreprises* [2]. Or,

1. Le *Super flumina*, psaume 136, chante les souffrances du peuple élu en exil à Babylone. Le *Stabat mater* est un texte de la liturgie catholique : « La mère du Christ, navrée, se tenait debout à côté de la Croix, tout en pleurs... » « Myriologie », un peu plus bas, désigne le rituel funèbre de la Grèce.

* Nous ne prétendons pas envelopper dans le même dédain *tout* ce qui a été dit à cette occasion à la Chambre. Il s'est bien prononcé çà et là quelques belles et dignes paroles. Nous avons applaudi, comme tout le monde, au discours grave et simple de M. de Lafayette et, dans une autre nuance, à la remarquable improvisation de M. Villemain.

2. Polignac, Peyronnet, Chantelauze et Guernon-Ranville : ministres de Charles X, tenus pour responsables des ordonnances du 25 juillet 1830 (sorte de coup d'État légal qui avait déterminé la révolution de Juillet), sont mis en accusation par la Chambre en septembre 1831. Pour les sauver, la droite propose la suppression de la peine de mort en matière politique. Ils seront condamnés à la prison perpétuelle, au grand mécontentement des Parisiens. Le chef désigné plus loin est Polignac ; la date du 8 août 1829 est celle de la nomination, par Charles X, du ministère ultra où dominait Polignac, responsable des Affaires étrangères.

crime ou entreprise, la loi, brutale pour tous, punit cela de mort. Et les quatre malheureux étaient là, prisonniers, captifs de la loi, gardés par trois cents cocardes tricolores sous les belles ogives de Vincennes. Que faire et comment faire ? Vous comprenez qu'il est impossible d'envoyer à la Grève, dans une charrette, ignoblement liés avec de grosses cordes, dos à dos avec ce fonctionnaire qu'il ne faut pas seulement nommer, quatre hommes comme vous et moi, quatre *hommes du monde* ? Encore s'il y avait une guillotine en acajou !

Hé ! il n'y a qu'à abolir la peine de mort !

Et là-dessus, la Chambre se met en besogne.

Remarquez, messieurs, qu'hier encore vous traitiez cette abolition d'utopie, de théorie, de rêve, de folie, de poésie. Remarquez que ce n'est pas la première fois qu'on cherche à appeler votre attention sur la charrette, sur les grosses cordes et sur l'horrible machine écarlate, et qu'il est étrange que ce hideux attirail vous saute ainsi aux yeux tout à coup.

Bah ! c'est bien de cela qu'il s'agit ! Ce n'est pas à cause de vous, peuple, que nous abolissons la peine de mort, mais à cause de nous, députés qui pouvons être ministres. Nous ne voulons pas que la mécanique de Guillotin morde les hautes classes. Nous la brisons. Tant mieux si cela arrange tout le monde, mais nous n'avons songé qu'à nous. Ucalégon brûle [1]. Éteignons le feu. Vite, supprimons le bourreau, biffons le code.

Et c'est ainsi qu'un alliage d'égoïsme altère et dénature les plus belles combinaisons sociales. C'est la veine noire dans le marbre blanc ; elle circule partout, et apparaît à tout moment à l'improviste sous le ciseau. Votre statue est à refaire.

1. Référence virgilienne : « *Jam proximus ardet Ucalegon* » (*Énéide*, II, 311) : « Déjà brûle la maison la plus proche, celle d'Ucalégon » dans l'incendie de Troie.

Certes, il n'est pas besoin que nous le déclarions ici, nous ne sommes pas de ceux qui réclamaient les têtes des quatre ministres. Une fois ces infortunés arrêtés, la colère indignée que nous avait inspirée leur attentat s'est changée, chez nous comme chez tout le monde, en une profonde pitié. Nous avons songé aux préjugés d'éducation de quelques-uns d'entre eux, au cerveau peu développé de leur chef, relaps fanatique et obstiné des conspirations de 1804, blanchi avant l'âge sous l'ombre humide des prisons d'état, aux nécessités fatales de leur position commune, à l'impossibilité d'enrayer sur cette pente rapide où la monarchie s'était lancée elle-même à toute bride le 8 août 1829, à l'influence trop peu calculée par nous jusqu'alors de la personne royale, surtout à la dignité que l'un d'entre eux répandait comme un manteau de pourpre sur leur malheur. Nous sommes de ceux qui leur souhaitaient bien sincèrement la vie sauve, et qui étaient prêts à se dévouer pour cela. Si jamais, par impossible, leur échafaud eût été dressé un jour en Grève, nous ne doutons pas, et si c'est une illusion nous voulons la conserver, nous ne doutons pas qu'il n'y eût eu une émeute pour le renverser, et celui qui écrit ces lignes eût été de cette sainte émeute. Car, il faut bien le dire aussi, dans les crises sociales, de tous les échafauds, l'échafaud politique est le plus abominable, le plus funeste, le plus vénéneux, le plus nécessaire à extirper. Cette espèce de guillotine-là prend racine dans le pavé, et en peu de temps repousse de bouture sur tous les points du sol.

En temps de révolution, prenez garde à la première tête qui tombe. Elle met le peuple en appétit.

Nous étions donc personnellement d'accord avec ceux qui voulaient épargner les quatre ministres, et d'accord de toutes manières, par les raisons sentimentales comme par les raisons politiques. Seulement, nous eussions mieux aimé que la Chambre choisît une autre occasion pour proposer l'abolition de la peine de mort.

Si on l'avait proposée, cette souhaitable abolition, non à propos de quatre ministres tombés des Tuileries à Vincennes, mais à propos du premier voleur de grands chemins venu, à propos d'un de ces misérables que vous regardez à peine quand ils passent près de vous dans la rue, auxquels vous ne parlez pas, dont vous évitez instinctivement le coudoiement poudreux ; malheureux dont l'enfance déguenillée a couru pieds nus dans la boue des carrefours, grelottant l'hiver au rebord des quais, se chauffant au soupirail des cuisines de M. Véfour chez qui vous dînez, déterrant çà et là une croûte de pain dans un tas d'ordures et l'essuyant avant de la manger, grattant tout le jour le ruisseau avec un clou pour y trouver un liard, n'ayant d'autre amusement que le spectacle gratis de la fête du roi et les exécutions en Grève, cet autre spectacle gratis ; pauvres diables, que la faim pousse au vol, et le vol au reste ; enfants déshérités d'une société marâtre, que la maison de force prend à douze ans, le bagne à dix-huit, l'échafaud à quarante ; infortunés qu'avec une école et un atelier vous auriez pu rendre bons, moraux, utiles, et dont vous ne savez que faire, les versant, comme un fardeau inutile, tantôt dans la rouge fourmilière de Toulon, tantôt dans le muet enclos de Clamart [1], leur retranchant la vie après leur avoir volé la liberté ; si c'eût été à propos d'un de ces hommes que vous eussiez proposé d'abolir la peine de mort, oh ! alors, votre séance eût été vraiment digne, grande, sainte, majestueuse, vénérable. Depuis les augustes pères de Trente, invitant les hérétiques au concile au nom des entrailles de Dieu, *per viscera Dei*, parce qu'on espère leur conversion, *quoniam sancta synodus sperat*

1. Toulon pour son bagne et Clamart pour son cimetière où étaient enterrés les corps des condamnés exécutés.

hœreticorum conversionem, jamais assemblée d'hommes n'aurait présenté au monde spectacle plus sublime, plus illustre et plus miséricordieux. Il a toujours appartenu à ceux qui sont vraiment forts et vraiment grands d'avoir souci du faible et du petit. Un conseil de brahmines serait beau prenant en main la cause du paria. Et ici, la cause du paria, c'était la cause du peuple. En abolissant la peine de mort, à cause de lui et sans attendre que vous fussiez intéressés dans la question, vous faisiez plus qu'une œuvre politique, vous faisiez une œuvre sociale.

Tandis que vous n'avez pas même fait une œuvre politique en essayant de l'abolir, non pour l'abolir, mais pour sauver quatre malheureux ministres pris la main dans le sac des coups d'état !

Qu'est-il arrivé ? c'est que, comme vous n'étiez pas sincères, on a été défiant. Quand le peuple a vu qu'on voulait lui donner le change, il s'est fâché contre toute la question en masse, et, chose remarquable ! il a pris fait et cause pour cette peine de mort dont il supporte pourtant tout le poids. C'est votre maladresse qui l'a amené là. En abordant la question de biais et sans franchise, vous l'avez compromise pour longtemps. Vous jouiez une comédie. On l'a sifflée.

Cette farce pourtant, quelques esprits avaient eu la bonté de la prendre au sérieux. Immédiatement après la fameuse séance, ordre avait été donné aux procureurs généraux, par un garde des sceaux honnête homme, de suspendre indéfiniment toutes exécutions capitales. C'était en apparence un grand pas. Les adversaires de la peine de mort respirèrent. Mais leur illusion fut de courte durée.

Le procès des ministres fut mené à sa fin. Je ne sais quel arrêt fut rendu. Les quatre vies furent épargnées. Ham fut choisi comme juste milieu entre la mort et la liberté. Ces divers arrangements une fois faits, toute peur s'évanouit dans l'esprit des hommes d'état dirigeants, et, avec la peur, l'humanité s'en alla. Il ne fut plus question d'abolir le supplice capital ; et une fois qu'on n'eut plus besoin d'elle, l'utopie redevint utopie, la théorie, théorie, la poésie, poésie.

Il y avait pourtant toujours dans les prisons quelques malheureux condamnés vulgaires qui se promenaient dans les préaux depuis cinq ou six mois, respirant l'air, tranquilles désormais, sûrs de vivre, prenant leur sursis pour leur grâce. Mais attendez.

Le bourreau, à vrai dire, avait eu grand'peur. Le jour où il avait entendu les faiseurs de lois parler humanité, philanthropie, progrès, il s'était cru perdu. Il s'était caché, le misérable, il s'était blotti sous sa guillotine, mal à l'aise au soleil de juillet comme un oiseau de nuit en plein jour, tâchant de se faire oublier, se bouchant les oreilles et n'osant souffler. On ne le voyait plus depuis six mois. Il ne donnait plus signe de vie. Peu à peu cependant il s'était rassuré dans ses ténèbres. Il avait écouté du côté des Chambres et n'avait plus entendu prononcer son nom. Plus de ces grands mots sonores dont il avait eu si grande frayeur. Plus de commentaires déclamatoires du *Traité des délits et des peines* [1]. On s'occupait de toute autre chose, de quelque grave intérêt social, d'un chemin vicinal, d'une subvention pour l'Opéra-Comique, ou d'une saignée de cent mille francs sur un budget apoplectique de quinze cents millions. Personne ne songeait plus à lui, coupe-tête. Ce que voyant, l'homme se tranquillise, il met sa tête hors de son trou, et regarde de tous côtés ; il fait un pas, puis deux, comme je ne sais plus quelle souris de La Fontaine [2], puis il se hasarde à sortir tout à fait de dessous son échafaudage, puis il saute dessus, le raccommode, le restaure, le fourbit, le caresse, le fait jouer, le fait reluire, se remet à suifer la vieille mécanique rouillée que l'oisiveté détraquait ; tout à coup il se retourne, saisit au

1. Voir la note 1, p. 19.
2. Voir « Le Chat et un vieux Rat », *Fables*, III, 18.

hasard par les cheveux dans la première prison venue un de ces infortunés qui comptaient sur la vie, le tire à lui, le dépouille, l'attache, le boucle, et voilà les exécutions qui recommencent.

Tout cela est affreux, mais c'est de l'histoire.

Oui, il y a eu un sursis de six mois accordé à de malheureux captifs, dont on a gratuitement aggravé la peine de cette façon en les faisant reprendre à la vie ; puis, sans raison, sans nécessité, sans trop savoir pourquoi, *pour le plaisir*, on a un beau matin révoqué le sursis, et l'on a remis froidement toutes ces créatures humaines en coupe réglée. Eh ! mon Dieu ! je vous le demande, qu'est-ce que cela nous faisait à tous que ces hommes vécussent ? Est-ce qu'il n'y a pas en France assez d'air à respirer pour tout le monde ?

Pour qu'un jour un misérable commis de la chancellerie, à qui cela était égal, se soit levé de sa chaise en disant : — Allons ! personne ne songe plus à l'abolition de la peine de mort. Il est temps de se remettre à guillotiner ! — il faut qu'il se soit passé dans le cœur de cet homme-là quelque chose de bien monstrueux.

Du reste, disons-le, jamais les exécutions n'ont été accompagnées de circonstances plus atroces que depuis cette révocation du sursis de juillet, jamais l'anecdote de la Grève n'a été plus révoltante et n'a mieux prouvé l'exécration de la peine de mort. Ce redoublement d'horreur est le juste châtiment des hommes qui ont remis le code du sang en vigueur. Qu'ils soient punis par leur œuvre. C'est bien fait.

Il faut citer ici deux ou trois exemples de ce que certaines exécutions ont eu d'épouvantable et d'impie. Il faut donner mal aux nerfs aux femmes des procureurs du roi. Une femme, c'est quelquefois une conscience.

Dans le midi, vers la fin du mois de septembre

dernier, nous n'avons pas bien présents à l'esprit le lieu, le jour, ni le nom du condamné, mais nous les retrouverons si l'on conteste le fait, et nous croyons que c'est à Pamiers [1] ; vers la fin de septembre donc, on vient trouver un homme dans sa prison, où il jouait tranquillement aux cartes ; on lui signifie qu'il faut mourir dans deux heures, ce qui le fait trembler de tous ses membres, car, depuis six mois qu'on l'oubliait, il ne comptait plus sur la mort ; on le rase, on le tond, on le garrotte, on le confesse ; puis on le brouette entre quatre gendarmes, et à travers la foule, au lieu de l'exécution. Jusqu'ici rien que de simple. C'est comme cela que cela se fait. Arrivé à l'échafaud, le bourreau le prend au prêtre, l'emporte, le ficelle sur la bascule, *l'enfourne,* je me sers ici du mot d'argot, puis il lâche le couperet. Le lourd triangle de fer se détache avec peine, tombe en cahotant dans ses rainures, et, voici l'horrible qui commence, entaille l'homme sans le tuer. L'homme pousse un cri affreux. Le bourreau, déconcerté, relève le couperet et le laisse retomber. Le couperet mord le cou du patient une seconde fois, mais ne le tranche pas. Le patient hurle, la foule aussi. Le bourreau rehisse encore le couperet, espérant mieux du troisième coup. Point. Le troisième coup fait jaillir un troisième ruisseau de sang de la nuque du condamné, mais ne fait pas tomber la tête. Abrégeons. Le couteau remonta et retomba cinq fois, cinq fois il entama le condamné, cinq fois le condamné hurla sous le coup et secoua sa tête vivante en criant grâce ! Le peuple indigné prit des pierres et se mit dans sa justice à lapider le misérable bourreau. Le bourreau s'enfuit sous la guillotine et s'y tapit derrière les chevaux des gendarmes. Mais vous n'êtes pas au bout. Le supplicié, se voyant

1. En réalité à Albi. Il s'agissait de Pierre Hébrard, dont l'exécution, le 12 septembre 1831, avait été rapportée par la *Gazette des tribunaux* à laquelle Hugo emprunte tous les détails.

seul sur l'échafaud, s'était redressé sur la planche, et là, debout, effroyable, ruisselant de sang, soutenant sa tête à demi coupée qui pendait sur son épaule, il demandait avec de faibles cris qu'on vînt le détacher. La foule, pleine de pitié, était sur le point de forcer les gendarmes et de venir à l'aide du malheureux qui avait subi cinq fois son arrêt de mort. C'est en ce moment-là qu'un valet du bourreau, jeune homme de vingt ans, monte sur l'échafaud, dit au patient de se tourner pour qu'il le délie, et, profitant de la posture du mourant qui se livrait à lui sans défiance, saute sur son dos et se met à lui couper péniblement ce qui lui restait de cou avec je ne sais quel couteau de boucher. Cela s'est fait. Cela s'est vu. Oui.

Aux termes de la loi, un juge a dû assister à cette exécution. D'un signe il pouvait tout arrêter. Que faisait-il donc au fond de sa voiture, cet homme, pendant qu'on massacrait un homme ? Que faisait ce punisseur d'assassins, pendant qu'on assassinait en plein jour, sous ses yeux, sous le souffle de ses chevaux, sous la vitre de sa portière ?

Et le juge n'a pas été mis en jugement ! et le bourreau n'a pas été mis en jugement ! Et aucun tribunal ne s'est enquis de cette monstrueuse extermination de toutes les lois sur la personne sacrée d'une créature de Dieu !

Au dix-septième siècle, à l'époque de barbarie du code criminel, sous Richelieu, sous Christophe Fouquet, quand M. de Chalais fut mis à mort devant le Bouffay de Nantes par un soldat maladroit qui, au lieu d'un coup d'épée, lui donna trente-quatre coups* d'une doloire de tonnelier[1], du moins cela

* La Porte dit vingt-deux, mais Aubery dit trente-quatre. M. de Chalais cria jusqu'au vingtième.

1. En 1626 à Nantes, Henri de Talleyrand, comte de Chalais, fut très malproprement décapité, puis lardé des coups de cet instrument de tonnelier à lame large. Il n'était pas parvenu à concilier les exigences de sa triple qualité d'espion de Richelieu, de « favori » du roi Louis XIII et d'amant de la grande ennemie de Richelieu, la duchesse de Chevreuse.

parut-il irrégulier au parlement de Paris ; il y eut enquête et procès, et si Richelieu ne fut pas puni, si Christophe Fouquet ne fut pas puni, le soldat le fut. Injustice sans doute, mais au fond de laquelle il y avait de la justice.

Ici, rien. La chose a eu lieu après juillet, dans un temps de douces mœurs et de progrès, un an après la célèbre lamentation de la Chambre sur la peine de mort. Eh bien ! le fait a passé absolument inaperçu. Les journaux de Paris l'ont publié comme une anecdote. Personne n'a été inquiété. On a su seulement que la guillotine avait été disloquée exprès par quelqu'un *qui voulait nuire à l'exécuteur des hautes œuvres*. C'était un valet du bourreau, chassé par son maître, qui, pour se venger, lui avait fait cette malice.

Ce n'était qu'une espièglerie. Continuons.

A Dijon, il y a trois mois, on a mené au supplice une femme. (Une femme !) Cette fois encore, le couteau du docteur Guillotin a mal fait son service. La tête n'a pas été tout à fait coupée. Alors les valets de l'exécuteur se sont attelés aux pieds de la femme, et à travers les hurlements de la malheureuse, et à force de tiraillements et de soubresauts, ils lui ont séparé la tête du corps par arrachement.

A Paris, nous revenons au temps des exécutions secrètes. Comme on n'ose plus décapiter en Grève depuis juillet, comme on a peur, comme on est lâche, voici ce qu'on fait. On a pris dernièrement à Bicêtre un homme, un condamné à mort, un nommé Désandrieux, je crois ; on l'a mis dans une espèce de panier traîné sur deux roues, clos de toutes parts, cadenassé et verrouillé ; puis, un gendarme en tête, un gendarme en queue, à petit bruit et sans foule, on a été déposer le paquet à la barrière déserte de Saint-Jacques. Arrivés là, il était huit heures du matin, à peine jour, il y avait une guillotine toute fraîche dressée et pour public quelque douzaine de petits garçons groupés sur les tas de pierres voisins autour de la machine inattendue ; vite, on a tiré l'homme du panier, et, sans lui donner le temps de respirer, furtivement, sournoisement, honteusement, on lui a escamoté sa tête. Cela s'appelle un acte public et solennel de haute justice. Infâme dérision !

Comment donc les gens du roi comprennent-ils le mot civilisation ? Où en sommes-nous ? La justice ravalée aux stratagèmes et aux supercheries ! la loi aux expédients ! monstrueux !

C'est donc une chose bien redoutable qu'un condamné à mort, pour que la société le prenne en traître de cette façon !

Soyons juste pourtant, l'exécution n'a pas été tout à fait secrète. Le matin on a crié et vendu comme de coutume l'arrêt de mort dans les carrefours de Paris. Il paraît qu'il y a des gens qui vivent de cette vente. Vous entendez ? du crime d'un infortuné, de son châtiment, de ses tortures, de son agonie, on fait une denrée, un papier qu'on vend un sou. Concevez-vous rien de plus hideux que ce sou, vertdegrisé dans le sang ? Qui est-ce donc qui le ramasse ?

Voilà assez de faits. En voilà trop. Est-ce que tout cela n'est pas horrible ? Qu'avez-vous à alléguer pour la peine de mort ?

Nous faisons cette question sérieusement ; nous la faisons pour qu'on y réponde ; nous la faisons aux criminalistes, et non aux lettrés bavards. Nous savons qu'il y a des gens qui prennent l'excellence de la peine de mort pour texte à paradoxe comme tout autre thème. Il y en a d'autres qui n'aiment la peine de mort que parce qu'ils haïssent tel ou tel qui l'attaque. C'est pour eux une question quasi littéraire, une question de personnes, une question de noms propres. Ceux-là sont les envieux, qui ne font pas plus faute aux bons jurisconsultes qu'aux grands artistes. Les Joseph Grippa ne manquent pas plus aux Filangieri que les Torregiani aux Michel-Ange [1] et les Scudéry aux Corneille.

Ce n'est pas à eux que nous nous adressons, mais aux hommes de loi proprement dits, aux dialecticiens, aux raisonneurs, à ceux qui aiment la peine de mort pour la peine de mort, pour sa beauté, pour sa bonté, pour sa grâce.

Voyons, qu'ils donnent leurs raisons.

Ceux qui jugent et qui condamnent disent la peine de mort nécessaire. D'abord, — parce qu'il importe de retrancher de la communauté sociale un membre qui lui a déjà nui et qui pourrait lui nuire encore. — S'il ne s'agissait que de cela, la prison perpétuelle suffirait. A quoi bon la mort ? Vous objectez qu'on peut s'échapper d'une prison ? faites mieux votre ronde. Si vous ne croyez pas à la solidité des barreaux de fer, comment osez-vous avoir des ménageries ?

Pas de bourreau où le geôlier suffit.

Mais, reprend-on, — il faut que la société se venge, que la société punisse. — Ni l'un, ni l'autre. Se venger est de l'individu, punir est de Dieu.

La société est entre deux. Le châtiment est au-dessus d'elle, la vengeance au-dessous. Rien de si grand et de si petit ne lui sied. Elle ne doit pas « punir pour se venger » ; elle doit *corriger pour améliorer*. Transformez de cette façon la formule des criminalistes, nous la comprenons et nous y adhérons.

Reste la troisième et dernière raison, la théorie de

1. Gaetano Filangieri (1752-1788), grand jurisconsulte, développa dans sa *Science de la législation* une pensée comparable à celle de Beccaria, mais assise sur une meilleure connaissance du droit et de la philosophie du droit. A la célébrité du sculpteur de talent qu'était Pietro Torrigiano, contribua beaucoup le coup de poing qu'il donna à Michel-Ange dont le profil en fut définitivement redessiné.

l'exemple. — Il faut faire des exemples ! il faut épouvanter par le spectacle du sort réservé aux criminels ceux qui seraient tentés de les imiter ! — Voilà bien à peu près textuellement la phrase éternelle dont tous les réquisitoires des cinq cents parquets de France ne sont que des variations plus ou moins sonores. Eh bien ! nous nions d'abord qu'il y ait exemple. Nous nions que le spectacle des supplices produise l'effet qu'on en attend. Loin d'édifier le peuple, il le démoralise, et ruine en lui toute sensibilité, partant toute vertu. Les preuves abondent, et encombreraient notre raisonnement si nous voulions en citer. Nous signalerons pourtant un fait entre mille, parce qu'il est le plus récent. Au moment où nous écrivons, il n'a que dix jours de date. Il est du 5 mars, dernier jour du carnaval. A Saint-Pol, immédiatement après l'exécution d'un incendiaire nommé Louis Camus, une troupe de masques est venue danser autour de l'échafaud encore fumant. Faites donc des exemples ! le mardi gras vous rit au nez.

Que si, malgré l'expérience, vous tenez à votre théorie routinière de l'exemple, alors rendez-nous le seizième siècle, soyez vraiment formidables, rendez-nous la variété des supplices, rendez-nous Farinacci [1], rendez-nous les tourmenteurs-jurés, rendez-nous le gibet, la roue, le bûcher, l'estrapade, l'essorillement, l'écartèlement, la fosse à enfouir vif, la cuve à bouillir vif ; rendez-nous, dans tous les carrefours de Paris, comme une boutique de plus ouverte parmi les autres, le hideux étal du bourreau, sans cesse garni de chair fraîche. Rendez-nous Montfau-

1. Juge et jurisconsulte romain de la seconde moitié du XVIe siècle. « Comme magistrat, il montra autant d'activité dans la recherche des coupables que de sévérité dans l'application des peines ; cependant, ajoute Pierre Larousse (*Grand Dictionnaire...*), il était loin d'être lui-même exempt de tout reproche. Accusé d'un crime odieux contre les mœurs, il fallut l'intervention du cardinal Salviati pour lui faire obtenir sa grâce de Clément VIII. »

con, ses seize piliers de pierre, ses brutes assises, ses caves à ossements, ses poutres, ses crocs, ses chaînes, ses brochettes de squelettes, son éminence de plâtre tachetée de corbeaux, ses potences succursales, et l'odeur de cadavre que par le vent du nord-est il répand à larges bouffées sur tout le faubourg du Temple. Rendez-nous dans sa permanence et dans sa puissance ce gigantesque appentis du bourreau de Paris. A la bonne heure ! Voilà de l'exemple en grand. Voilà de la peine de mort bien comprise. Voilà un système de supplices qui a quelque proportion. Voilà qui est horrible, mais qui est terrible.

Ou bien faites comme en Angleterre. En Angleterre, pays de commerce, on prend un contrebandier sur la côte de Douvres, on le pend *pour l'exemple, pour l'exemple* on le laisse accroché au gibet ; mais, comme les intempéries de l'air pourraient détériorer le cadavre, on l'enveloppe soigneusement d'une toile enduite de goudron, afin d'avoir à le renouveler moins souvent. Ô terre d'économie ! goudronner les pendus !

Cela pourtant a encore quelque logique. C'est la façon la plus humaine de comprendre la théorie de l'exemple.

Mais vous, est-ce bien sérieusement que vous croyez faire un exemple quand vous égorgillez misérablement un pauvre homme dans le recoin le plus désert des boulevards extérieurs ? En Grève, en plein jour, passe encore ; mais à la barrière Saint-Jacques ! mais à huit heures du matin ! Qui est-ce qui passe là ? Qui est-ce qui va là ? Qui est-ce qui sait que vous tuez un homme là ? Qui est-ce qui se doute que vous faites un exemple là ? Un exemple pour qui ? Pour les arbres du boulevard, apparemment.

Ne voyez-vous donc pas que vos exécutions publiques se font en tapinois ? Ne voyez-vous donc pas que vous vous cachez ? Que vous avez peur et honte de votre œuvre ? Que vous balbutiez ridiculement votre *discite justitiam moniti* [1] ? Qu'au fond vous êtes ébranlés, interdits, inquiets, peu certains d'avoir raison, gagnés par le doute général, coupant des têtes par routine et sans trop savoir ce que vous faites ? Ne sentez-vous pas au fond du cœur que vous avez tout au moins perdu le sentiment moral et social de la mission de sang que vos prédécesseurs, les vieux parlementaires, accomplissaient avec une conscience si tranquille ? La nuit, ne retournez-vous pas plus souvent qu'eux la tête sur votre oreiller ? D'autres avant vous ont ordonné des exécutions capitales, mais ils s'estimaient dans le droit, dans le juste, dans le bien. Jouvenel des Ursins se croyait un juge ; Élie de Thorrette se croyait un juge ; Laubardemont, La Reynie et Laffemas [2] eux-mêmes se croyaient des juges ; vous, dans votre for intérieur, vous n'êtes pas bien sûrs de ne pas être des assassins !

Vous quittez la Grève pour la barrière Saint-Jacques, la foule pour la solitude, le jour pour le crépuscule. Vous ne faites plus fermement ce que vous faites. Vous vous cachez, vous dis-je !

Toutes les raisons pour la peine de mort, les voilà donc démolies. Voilà tous les syllogismes de parquets mis à néant. Tous ces copeaux de réquisitoires, les voilà balayés et réduits en cendres. Le moindre attouchement de la logique dissout tous les mauvais raisonnements.

Que les gens du roi ne viennent donc plus nous demander des têtes, à nous jurés, à nous hommes, en nous adjurant d'une voix caressante au nom de la

1. « Apprenez par mon exemple ce qu'est la justice », dit, aux Enfers, Phlégyas, puni d'une sorte de supplice de Tantale. (Virgile, *Énéide*, VI, 620.)

2. Ce magistrat impitoyable au service de Richelieu figurait dans *Marion de Lorme* (1829).

société à protéger, de la vindicte publique à assurer, des exemples à faire. Rhétorique, ampoule, et néant que tout cela ! un coup d'épingle dans ces hyperboles, et vous les désenflez. Au fond de ce doucereux verbiage, vous ne trouvez que dureté de cœur, cruauté, barbarie, envie de prouver son zèle, nécessité de gagner ses honoraires. Taisez-vous, mandarins ! Sous la patte de velours du juge on sent les ongles du bourreau.

Il est difficile de songer de sang-froid à ce que c'est qu'un procureur royal criminel. C'est un homme qui gagne sa vie à envoyer les autres à l'échafaud. C'est le pourvoyeur titulaire des places de Grève. Du reste, c'est un monsieur qui a des prétentions au style et aux lettres, qui est beau parleur ou croit l'être, qui récite au besoin un vers latin ou deux avant de conclure à la mort, qui cherche à faire de l'effet, qui intéresse son amour-propre, ô misère ! là où d'autres ont leur vie engagée, qui a ses modèles à lui, ses types désespérants à atteindre, ses classiques, son Bellart, son Marchangy [1], comme tel poëte a Racine et tel autre Boileau. Dans le débat, il tire du côté de la guillotine, c'est son rôle, c'est son état. Son réquisitoire, c'est son œuvre littéraire, il le fleurit de métaphores, il le parfume de citations, il faut que cela soit beau à l'audience, que cela plaise aux dames. Il a son bagage de lieux communs encore très neufs pour la province, ses élégances d'élocution, ses recherches, ses raffinements d'écrivain. Il hait le mot propre presque autant que nos poëtes tragiques de l'école de Delille. N'ayez pas peur qu'il appelle les choses par leur nom. Fi donc ! Il a pour toute idée dont la

1. « L'ignoble Bellart qui avait requis contre Ney, contre Louvel, et qui mourut en 1826 couvert de plus de sang que les assassins qu'il avait fait envoyer à l'échafaud. » (Y. Gohin, *cf.* « Bibliographie »). Marchangy, homme de lettres et avocat général, avait, entre autres, requis contre les « quatre sergents de La Rochelle » — voir la « Chronologie », 21 septembre 1822.

nudité vous révolterait des déguisements complets d'épithètes et d'adjectifs. Il rend M. Samson[1] présentable. Il gaze le couperet. Il estompe la bascule. Il entortille le panier rouge dans une périphrase. On ne sait plus ce que c'est. C'est douceâtre et décent. Vous le représentez-vous, la nuit, dans son cabinet, élaborant à loisir et de son mieux cette harangue qui fera dresser un échafaud dans six semaines ? Le voyez-vous suant sang et eau pour emboîter la tête d'un accusé dans le plus fatal article du code ? Le voyez-vous scier avec une loi mal faite le cou d'un misérable ? Remarquez-vous comme il fait infuser dans un gâchis de tropes et de synecdoches deux ou trois textes vénéneux pour en exprimer et en extraire à grand'peine la mort d'un homme ? N'est-il pas vrai que, tandis qu'il écrit, sous sa table, dans l'ombre, il a probablement le bourreau accroupi à ses pieds, et qu'il arrête de temps en temps sa plume pour lui dire, comme le maître à son chien : — Paix là ! paix là ! tu vas avoir ton os !

Du reste, dans la vie privée, cet homme du roi peut être un honnête homme, bon père, bon fils, bon mari, bon ami, comme disent toutes les épitaphes du Père-Lachaise.

Espérons que le jour est prochain où la loi abolira ces fonctions funèbres. L'air seul de notre civilisation doit dans un temps donné user la peine de mort.

On est parfois tenté de croire que les défenseurs de

1. Charles-Henri Sanson et son fils Henri se succédèrent dans la charge d'exécuteur des hautes œuvres de Paris. Le premier avait guillotiné Louis XVI, le second Marie-Antoinette. La famille était célèbre. Joseph de Maistre, pris à partie par Hugo dès *Han d'Islande*, avait contribué, en fondant la monarchie sur les deux figures du roi et du bourreau, à étendre aux hautes sphères une mythologie du bourreau immémorialement présente dans le peuple. Voir aussi *Les Misérables*, I, 3, 7 ; IV, 6, 2 et *Choses vues*, 923.

la peine de mort n'ont pas bien réfléchi à ce que c'est. Mais pesez donc un peu à la balance de quelque crime que ce soit ce droit exorbitant que la société s'arroge d'ôter ce qu'elle n'a pas donné, cette peine, la plus irréparable des peines irréparables !

De deux choses l'une :

Ou l'homme que vous frappez est sans famille, sans parents, sans adhérents dans ce monde. Et dans ce cas, il n'a reçu ni éducation, ni instruction, ni soins pour son esprit, ni soins pour son cœur ; et alors de quel droit tuez-vous ce misérable orphelin ? Vous le punissez de ce que son enfance a rampé sur le sol sans tige et sans tuteur ! Vous lui imputez à forfait l'isolement où vous l'avez laissé ! De son malheur vous faites son crime ! Personne ne lui a appris à savoir ce qu'il faisait. Cet homme ignore. Sa faute est à sa destinée, non à lui. Vous frappez un innocent.

Ou cet homme a une famille ; et alors croyez-vous que le coup dont vous l'égorgez ne blesse que lui seul ? que son père, que sa mère, que ses enfants, n'en saigneront pas ? Non. En le tuant, vous décapitez toute sa famille. Et ici encore vous frappez des innocents.

Gauche et aveugle pénalité, qui, de quelque côté qu'elle se tourne, frappe l'innocent !

Cet homme, ce coupable qui a une famille, séquestrez-le. Dans sa prison, il pourra travailler encore pour les siens. Mais comment les fera-t-il vivre du fond de son tombeau ? Et songez-vous sans frissonner à ce que deviendront ces petits garçons, ces petites filles, auxquelles vous ôtez leur père, c'est-à-dire leur pain ? Est-ce que vous comptez sur cette famille pour approvisionner dans quinze ans, eux le bagne, elles le musico [1] ? Oh ! les pauvres innocents !

Aux colonies, quand un arrêt de mort tue un

1. Café chantant de bas étage ; de nos jours : « bastringue ».

esclave, il y a mille francs d'indemnité pour le propriétaire de l'homme. Quoi ! vous dédommagez le maître, et vous n'indemnisez pas la famille ! Ici aussi ne prenez-vous pas un homme à ceux qui le possèdent ? N'est-il pas, à un titre bien autrement sacré que l'esclave vis-à-vis du maître, la propriété de son père, le bien de sa femme, la chose de ses enfants ?

Nous avons déjà convaincu votre loi d'assassinat. La voici convaincue de vol.

Autre chose encore. L'âme de cet homme, y songez-vous ? Savez-vous dans quel état elle se trouve ? Osez-vous bien l'expédier si lestement ? Autrefois du moins, quelque foi circulait dans le peuple ; au moment suprême, le souffle religieux qui était dans l'air pouvait amollir le plus endurci ; un patient était en même temps un pénitent ; la religion lui ouvrait un monde au moment où la société lui en fermait un autre ; toute âme avait conscience de Dieu ; l'échafaud n'était qu'une frontière du ciel. Mais quelle espérance mettez-vous sur l'échafaud maintenant que la grosse foule ne croit plus ? maintenant que toutes les religions sont attaquées du dry-rot, comme ces vieux vaisseaux qui pourrissent dans nos ports, et qui jadis peut-être ont découvert des mondes ? maintenant que les petits enfants se moquent de Dieu ? De quel droit lancez-vous dans quelque chose dont vous doutez vous-mêmes les âmes obscures de vos condamnés, ces âmes telles que Voltaire et M. Pigault-Lebrun les ont faites ? Vous les livrez à votre aumônier de prison, excellent vieillard sans doute ; mais croit-il et fait-il croire ? Ne grossoie-t-il pas comme une corvée son œuvre sublime ? Est-ce que vous le prenez pour un prêtre, ce bonhomme qui coudoie le bourreau dans la charrette ? Un écrivain plein d'âme et de talent l'a dit avant nous : *C'est une horrible chose de conserver le bourreau après avoir ôté le confesseur !*

Ce ne sont là, sans doute, que des « raisons sentimentales », comme disent quelques dédaigneux qui ne prennent leur logique que dans leur tête. A nos yeux, ce sont les meilleures. Nous préférons souvent les raisons du sentiment aux raisons de la raison. D'ailleurs les deux séries se tiennent toujours, ne l'oublions pas. Le *Traité des délits* est greffé sur *L'Esprit des lois*. Montesquieu a engendré Beccaria.

La raison est pour nous, le sentiment est pour nous, l'expérience est aussi pour nous. Dans les Etats modèles, où la peine de mort est abolie, la masse des crimes capitaux suit d'année en année une baisse progressive. Pesez ceci.

Nous ne demandons cependant pas pour le moment une brusque et complète abolition de la peine de mort, comme celle où s'était si étourdiment engagée la Chambre des députés. Nous désirons, au contraire, tous les essais, toutes les précautions, tous les tâtonnements de la prudence. D'ailleurs, nous ne voulons pas seulement l'abolition de la peine de mort, nous voulons un remaniement complet de la pénalité sous toutes ses formes, du haut en bas, depuis le verrou jusqu'au couperet, et le temps est un des ingrédients qui doivent entrer dans une pareille œuvre pour qu'elle soit bien faite. Nous comptons développer ailleurs, sur cette matière, le système d'idées que nous croyons applicable. Mais, indépendamment des abolitions partielles pour le cas de fausse monnaie, d'incendie, de vols qualifiés, etc., nous demandons que dès à présent, dans toutes les affaires capitales, le président soit tenu de poser au jury cette question : *L'accusé a-t-il agi par passion ou par intérêt ?* et que, dans le cas où le jury répondrait : *L'accusé a agi par passion*, il n'y ait pas condamnation à mort. Ceci nous épargnerait du moins quelques exécutions révoltantes. Ulbach et Debacker seraient sauvés. On ne guillotinerait plus Othello.

Au reste, qu'on ne s'y trompe pas, cette question de la peine de mort mûrit tous les jours. Avant peu, la société entière la résoudra comme nous.

Que les criminalistes les plus entêtés y fassent attention, depuis un siècle la peine de mort va s'amoindrissant. Elle se fait presque douce. Signe de décrépitude. Signe de faiblesse. Signe de mort prochaine. La torture a disparu. La roue a disparu. La potence a disparu. Chose étrange ! la guillotine elle-même est un progrès.

M. Guillotin était un philanthrope.

Oui, l'horrible Thémis dentue et vorace de Farinace et du Vouglans, de Delancre et d'Isaac Loisel, de d'Oppède et de Machault [1], dépérit. Elle maigrit. Elle se meurt.

Voilà déjà la Grève qui n'en veut plus. La Grève se réhabilite. La vieille buveuse de sang s'est bien conduite en juillet. Elle veut mener désormais meilleure vie et rester digne de sa dernière belle action. Elle qui s'était prostituée depuis trois siècles à tous les échafauds, la pudeur la prend. Elle a honte de son ancien métier. Elle veut perdre son vilain nom. Elle répudie le bourreau. Elle lave son pavé.

A l'heure qu'il est, la peine de mort est déjà hors de Paris, Or, disons-le bien ici, sortir de Paris c'est sortir de la civilisation.

Tous les symptômes sont pour nous. Il semble aussi qu'elle se rebute et qu'elle rechigne, cette hideuse machine, ou plutôt ce monstre fait de bois et de fer qui est à Guillotin ce que Galatée est à Pygmalion. Vues d'un certain côté, les effroyables exécutions que nous avons détaillées plus haut sont

1. L'obscurité de leurs noms redouble la férocité de ces juges. Au milieu du XVIe siècle, Oppède, premier président du parlement d'Aix, livra ce qui restait de la secte des Vaudois en Provence « à tous les excès d'une soldatesque en délire » (Larousse). Il en avait tant fait, qu'il fut mis lui-même en accusation. Blanchi par ses collègues, il mourut, en 1558, d'une maladie honteuse. Dans la première moitié du XVIIIe siècle, Louis-Charles Machault d'Arnouville, conseiller d'État et lieutenant de la police royale, « exact et dur, fantasque et bourru », s'était fait une réputation.

d'excellents signes. La guillotine hésite. Elle en est à manquer son coup. Tout le vieil échafaudage de la peine de mort se détraque.

L'infâme machine partira de France, nous y comptons, et, s'il plaît à Dieu, elle partira en boitant, car nous tâcherons de lui porter de rudes coups.

Qu'elle aille demander l'hospitalité ailleurs, à quelque peuple barbare, non à la Turquie, qui se civilise, non aux sauvages, qui ne voudraient pas d'elle* ; mais qu'elle descende quelques échelons encore de l'échelle de la civilisation, qu'elle aille en Espagne ou en Russie.

L'édifice social du passé reposait sur trois colonnes, le prêtre, le roi, le bourreau. Il y a déjà longtemps qu'une voix a dit : *Les dieux s'en vont !* Dernièrement une autre voix s'est élevée et a crié : *Les rois s'en vont !* Il est temps maintenant qu'une troisième voix s'élève et dise : *Le bourreau s'en va !*

Ainsi l'ancienne société sera tombée pierre à pierre ; ainsi la providence aura complété l'écroulement du passé.

A ceux qui ont regretté les dieux, on a pu dire : Dieu reste. A ceux qui regrettent les rois, on peut dire : La patrie reste. A ceux qui regretteraient le bourreau, on n'a rien à dire.

Et l'ordre ne disparaîtra pas avec le bourreau ; ne le croyez point. La voûte de la société future ne croulera pas pour n'avoir point cette clef hideuse. La civilisation n'est autre chose qu'une série de transformations successives. A quoi donc allez-vous assister ? à la transformation de la pénalité. La douce loi du Christ pénétrera enfin le code et rayonnera à travers. On regardera le crime comme une maladie, et cette maladie aura ses médecins qui remplaceront vos juges, ses hôpitaux qui remplaceront vos bagnes. La liberté et la santé se ressembleront. On versera le

* Le « parlement » d'Otahiti vient d'abolir la peine de mort.

baume et l'huile où l'on appliquait le fer et le feu. On traitera par la charité ce mal qu'on traitait par la colère. Ce sera simple et sublime. La croix substituée au gibet. Voilà tout.

15 mars 1832.

Une comédie à propos d'une tragédie*

* Nous avons cru devoir réimprimer ici l'espèce de préface en dialogue qu'on va lire, et qui accompagnait la troisième édition du *Dernier Jour d'un condamné*. Il faut se rappeler, en la lisant, au milieu de quelles objections politiques, morales et littéraires les premières éditions de ce livre furent publiées. [Note de l'édition de 1832.]

Personnages

MADAME DE BLINVAL
LE CHEVALIER
ERGASTE
UN POËTE ÉLÉGIAQUE
UN PHILOSOPHE
UN GROS MONSIEUR
UN MONSIEUR MAIGRE
DES FEMMES
UN LAQUAIS

Un salon

UN POËTE ÉLÉGIAQUE, *lisant.*

....

....

Le lendemain, des pas traversaient la forêt,
Un chien le long du fleuve en aboyant errait ;
Et quand la bachelette en larmes
Revint s'asseoir, le cœur rempli d'alarmes,
Sur la tant vieille tour de l'antique châtel,
Elle entendit les flots gémir, la triste Isaure,
Mais plus n'entendit la mandore
Du gentil ménestrel !

TOUT L'AUDITOIRE.
Bravo ! charmant ! ravissant !

On bat des mains.

MADAME DE BLINVAL
Il y a dans cette fin un mystère indéfinissable qui tire les larmes des yeux.

LE POËTE ÉLÉGIAQUE, *modestement.*
La catastrophe est voilée.

LE CHEVALIER, *hochant la tête.*
Mandore, ménestrel, c'est du romantique, ça !

LE POËTE ÉLÉGIAQUE.
Oui, monsieur, mais du romantique raisonnable, du vrai romantique. Que voulez-vous ? il faut bien faire quelques concessions.

LE CHEVALIER.
Des concessions ! des concessions ! c'est comme cela qu'on perd le goût. Je donnerais tous les vers romantiques seulement pour ce quatrain :

De par le Pinde et par Cythère,
Gentil-Bernard est averti
Que l'Art d'Aimer doit samedi
Venir souper chez l'Art de Plaire.

Voilà la vraie poésie ! L'*Art d'Aimer qui soupe samedi chez l'Art de Plaire !* à la bonne heure ! Mais aujourd'hui c'est *la mandore, le ménestrel*. On ne fait plus de *poésies fugitives*. Si j'étais poëte, je ferais des *poésies fugitives* ; mais je ne suis pas poëte, moi.

LE POËTE ÉLÉGIAQUE.
Cependant, les élégies...

LE CHEVALIER.
Poésies fugitives, monsieur. *(Bas à Mme de Blinval :)* Et puis, *châtel* n'est pas français ; on dit *Castel*.

QUELQU'UN, *au poëte élégiaque.*
Une observation, monsieur. Vous dites l'*antique châtel,* pourquoi pas le *gothique* ?

LE POËTE ÉLÉGIAQUE.
Gothique ne se dit pas en vers.

QUELQU'UN.
Ah ! c'est différent.

LE POËTE ÉLÉGIAQUE, *poursuivant.*
Voyez-vous bien, monsieur, il faut se borner. Je ne suis pas de ceux qui veulent désorganiser le vers

français, et nous ramener à l'époque des Ronsard et des Brébeuf. Je suis romantique, mais modéré. C'est comme pour les émotions. Je les veux douces, rêveuses, mélancoliques, mais jamais de sang, jamais d'horreurs. Voiler les catastrophes. Je sais qu'il y a des gens, des fous, des imaginations en délire qui... Tenez, mesdames, avez-vous lu le nouveau roman ?

LES DAMES.
Quel roman ?

LE POËTE ÉLÉGIAQUE.
Le Dernier Jour...

UN GROS MONSIEUR.
Assez, monsieur ! je sais ce que vous voulez dire. Le titre seul me fait mal aux nerfs.

MADAME DE BLINVAL.
Et à moi aussi. C'est un livre affreux. Je l'ai là.

LES DAMES.
Voyons, voyons.

On se passe le livre de main en main.

QUELQU'UN, *lisant.*
Le Dernier Jour d'un...

LE GROS MONSIEUR.
Grâce, madame !

MADAME DE BLINVAL.
En effet, c'est un livre abominable, un livre qui donne le cauchemar, un livre qui rend malade.

UNE FEMME, *bas.*
Il faudra que je lise cela.

LE GROS MONSIEUR.
Il faut convenir que les mœurs vont se dépravant de jour en jour. Mon Dieu, l'horrible idée ! développer, creuser, analyser, l'une après l'autre et sans en passer une seule, toutes les souffrances physiques, toutes les tortures morales que doit éprouver un

homme condamné à mort, le jour de l'exécution ! Cela n'est-il pas atroce ? Comprenez-vous, mesdames, qu'il se soit trouvé un écrivain pour cette idée, et un public pour cet écrivain ?

LE CHEVALIER.
Voilà en effet qui est souverainement impertinent.

MADAME DE BLINVAL.
Qu'est-ce que c'est que l'auteur ?

LE GROS MONSIEUR.
Il n'y avait pas de nom à la première édition.

LE POËTE ÉLÉGIAQUE.
C'est le même qui a déjà fait deux autres romans... ma foi, j'ai oublié les titres. Le premier commence à la Morgue et finit à la Grève. A chaque chapitre, il y a un ogre qui mange un enfant.

LE GROS MONSIEUR.
Vous avez lu cela, monsieur ?

LE POËTE ÉLÉGIAQUE.
Oui, monsieur ; la scène se passe en Islande.

LE GROS MONSIEUR.
En Islande, c'est épouvantable !

LE POËTE ÉLÉGIAQUE.
Il a fait en outre des odes, des ballades, je ne sais quoi, où il y a des monstres qui ont des *corps bleus*.

LE CHEVALIER, *riant*.
Corbleu ! cela doit faire un furieux vers.

LE POËTE ÉLÉGIAQUE.
Il a publié aussi un drame, — on appelle cela un drame, — où l'on trouve ce beau vers :
Demain vingt-cinq juin mil six cent cinquante sept [1].

1. Premier vers, qui fit scandale, de *Cromwell* ; on aura reconnu, plus haut, *Han d'Islande* (1823) et les *Odes et Ballades* (1826).

QUELQU'UN.
Ah, ce vers !

LE POËTE ÉLÉGIAQUE.
Cela peut s'écrire en chiffres, voyez-vous, mesdames :

Demain, 25 juin 1657.

Il rit. On rit.

LE CHEVALIER.
C'est une chose particulière que la poésie d'à présent.

LE GROS MONSIEUR.
Ah çà ! il ne sait pas versifier, cet homme-là ! Comment donc s'appelle-t-il déjà ?

LE POËTE ÉLÉGIAQUE.
Il a un nom aussi difficile à retenir qu'à prononcer. Il y a du goth, du wisigoth, de l'ostrogoth dedans.

Il rit.

MADAME DE BLINVAL.
C'est un vilain homme.

LE GROS MONSIEUR.
Un abominable homme.

UNE JEUNE FEMME.
Quelqu'un qui le connaît m'a dit...

LE GROS MONSIEUR.
Vous connaissez quelqu'un qui le connaît ?

LA JEUNE FEMME.
Oui, et qui dit que c'est un homme doux, simple, qui vit dans la retraite, et passe ses journées à jouer avec ses enfants.

LE POËTE.
Et ses nuits à rêver des œuvres de ténèbres. — C'est singulier ; voilà un vers que j'ai fait tout naturellement. Mais c'est qu'il y est, le vers :

Et ses nuits à rêver des œuvres de ténèbres.

Avec une bonne césure. Il n'y a plus que l'autre rime à trouver. Pardieu ! *funèbres.*

MADAME DE BLINVAL.

Quidquid tentabat dicere, versus erat [1].

LE GROS MONSIEUR.

Vous disiez donc que l'auteur en question a des petits enfants. Impossible, madame. Quand on a fait cet ouvrage-là ! un roman atroce !

QUELQU'UN.

Mais, ce roman, dans quel but l'a-t-il fait ?

LE POËTE ÉLÉGIAQUE.

Est-ce que je sais, moi ?

UN PHILOSOPHE.

A ce qu'il paraît, dans le but de concourir à l'abolition de la peine de mort.

LE GROS MONSIEUR.

Une horreur, vous dis-je !

LE CHEVALIER.

Ah çà ! c'est donc un duel avec le bourreau ?

LE POËTE ÉLÉGIAQUE.

Il en veut terriblement à la guillotine.

UN MONSIEUR MAIGRE.

Je vois cela d'ici. Des déclamations.

LE GROS MONSIEUR.

Point. Il y a à peine deux pages sur ce texte de la peine de mort. Tout le reste, ce sont des sensations.

LE PHILOSOPHE.

Voilà le tort. Le sujet méritait le raisonnement. Un

1. « Tout ce qu'il essayait de dire sortait en alexandrins » : c'est à peu près ce que disait de lui-même Ovide, dont la facilité était proverbiale (*Tristes*, IV, 10).

drame, un roman ne prouve rien. Et puis, j'ai lu le livre, et il est mauvais.

LE POËTE ÉLÉGIAQUE.

Détestable ! Est-ce que c'est là de l'art ? C'est passer les bornes, c'est casser les vitres. Encore, ce criminel, si je le connaissais ? mais point. Qu'a-t-il fait ? on n'en sait rien. C'est peut-être un fort mauvais drôle. On n'a pas le droit de m'intéresser à quelqu'un que je ne connais pas.

LE GROS MONSIEUR.

On n'a pas le droit de faire éprouver à son lecteur des souffrances physiques. Quand je vois des tragédies, on se tue, eh bien ! cela ne me fait rien. Mais ce roman, il vous fait dresser les cheveux sur la tête, il vous fait venir la chair de poule, il vous donne de mauvais rêves. J'ai été deux jours au lit pour l'avoir lu.

LE PHILOSOPHE.

Ajoutez à cela que c'est un livre froid et compassé.

LE POËTE.

Un livre !... un livre !...

LE PHILOSOPHE.

Oui. — Et comme vous disiez tout à l'heure, monsieur, ce n'est point là de véritable esthétique. Je ne m'intéresse pas à une abstraction, à une entité pure. Je ne vois point là une personnalité qui s'adéquate avec la mienne. Et puis, le style n'est ni simple ni clair. Il sent l'archaïsme. C'est bien là ce que vous disiez, n'est-ce pas ?

LE POËTE.

Sans doute, sans doute. Il ne faut pas de personnalités.

LE PHILOSOPHE.

Le condamné n'est pas intéressant.

LE POËTE.

Comment intéresserait-il ? il a un crime et pas de

remords. J'eusse fait tout le contraire. J'eusse conté l'histoire de mon condamné. Né de parents honnêtes. Une bonne éducation. De l'amour. De la jalousie. Un crime qui n'en soit pas un. Et puis des remords, des remords, beaucoup de remords. Mais les lois humaines sont implacables ; il faut qu'il meure. Et là j'aurais traité ma question de la peine de mort. A la bonne heure !

MADAME DE BLINVAL.
Ah ! ah !

LE PHILOSOPHE.
Pardon. Le livre, comme l'entend monsieur, ne prouverait rien. La particularité ne régit pas la généralité.

LE POËTE.
Eh bien ! mieux encore ; pourquoi n'avoir pas choisi pour héros, par exemple... Malesherbes, le vertueux Malesherbes ? son dernier jour, son supplice ? Oh ! alors, beau et noble spectacle ! J'eusse pleuré, j'eusse frémi, j'eusse voulu monter sur l'échafaud avec lui.

LE PHILOSOPHE.
Pas moi.

LE CHEVALIER.
Ni moi. C'était un révolutionnaire, au fond, que votre M. de Malesherbes.

LE PHILOSOPHE.
L'échafaud de Malesherbes ne prouve rien contre la peine de mort en général.

LE GROS MONSIEUR.
La peine de mort ! à quoi bon s'occuper de cela ? Qu'est-ce que cela vous fait, la peine de mort ? Il faut que cet auteur soit bien mal né de venir nous donner le cauchemar à ce sujet avec son livre !

MADAME DE BLINVAL.
Ah ! oui, un bien mauvais cœur !

LE GROS MONSIEUR.

Il nous force à regarder dans les prisons, dans les bagnes, dans Bicêtre. C'est fort désagréable. On sait bien que ce sont des cloaques. Mais qu'importe à la société ?

MADAME DE BLINVAL.

Ceux qui ont fait les lois n'étaient pas des enfants.

LE PHILOSOPHE.

Ah cependant ! en présentant les choses avec vérité...

LE MONSIEUR MAIGRE.

Eh ! c'est justement ce qui manque, la vérité. Que voulez-vous qu'un poëte sache sur de pareilles matières ? Il faudrait être au moins procureur du roi. Tenez : j'ai lu dans une citation qu'un journal faisait de ce livre, que le condamné ne dit rien quand on lui lit son arrêt de mort ; eh bien, moi, j'ai vu un condamné qui, dans ce moment-là, a poussé un grand cri. — Vous voyez.

LE PHILOSOPHE.

Permettez...

LE MONSIEUR MAIGRE.

Tenez, messieurs, la guillotine, la Grève, c'est de mauvais goût. Et la preuve, c'est qu'il paraît que c'est un livre qui corrompt le goût, et vous rend incapable d'émotions pures, fraîches, naïves. Quand donc se lèveront les défenseurs de la saine littérature ? Je voudrais être, et mes réquisitoires m'en donneraient peut-être le droit, membre de l'Académie française... — Voilà justement monsieur Ergaste, qui en est. Que pense-t-il du *Dernier Jour d'un condamné* ?

ERGASTE.

Ma foi, monsieur, je ne l'ai lu ni ne le lirai. Je dînais hier chez Mme de Sénange, et la marquise de Morival en a parlé au duc de Melcour. On dit qu'il y a des personnalités contre la magistrature, et surtout contre le président d'Alimont. L'abbé de Floricour aussi était indigné. Il paraît qu'il y a un chapitre contre la religion, et un chapitre contre la monarchie. Si j'étais procureur du roi !...

LE CHEVALIER.

Ah bien oui, procureur du roi ! et la charte ! et la liberté de la presse ! Cependant, un poëte qui veut supprimer la peine de mort, vous conviendrez que c'est odieux. Ah ! ah ! dans l'ancien régime, quelqu'un qui se serait permis de publier un roman contre la torture !... — Mais depuis la prise de la Bastille, on peut tout écrire. Les livres font un mal affreux.

LE GROS MONSIEUR.

Affreux. — On était tranquille, on ne pensait à rien. Il se coupait bien de temps en temps en France une tête par-ci par-là, deux tout au plus par semaine. Tout cela sans bruit, sans scandale. Ils ne disaient rien. Personne n'y songeait. Pas du tout, voilà un livre... — un livre qui vous donne un mal de tête horrible !

LE MONSIEUR MAIGRE.

Le moyen qu'un juré condamne après l'avoir lu !

ERGASTE.

Cela trouble les consciences.

MADAME DE BLINVAL.

Ah ! les livres ! les livres ! Qui eût dit cela d'un roman ?

LE POËTE.

Il est certain que les livres sont bien souvent un poison subversif de l'ordre social.

LE MONSIEUR MAIGRE.

Sans compter la langue, que messieurs les romantiques révolutionnent aussi.

LE POËTE.

Distinguons, monsieur ; il y a romantiques et romantiques.

LE MONSIEUR MAIGRE.
Le mauvais goût, le mauvais goût.

ERGASTE.
Vous avez raison. Le mauvais goût.

LE MONSIEUR MAIGRE.
Il n'y a rien à répondre à cela.

LE PHILOSOPHE, *appuyé au fauteuil d'une dame.*
Ils disent là des choses qu'on ne dit même plus rue Mouffetard.

ERGASTE.
Ah ! l'abominable livre !

MADAME DE BLINVAL.
Hé ! ne le jetez pas au feu. Il est à la loueuse.

LE CHEVALIER.
Parlez-moi de notre temps. Comme tout s'est dépravé depuis, le goût et les mœurs ! Vous souvient-il de notre temps, madame de Blinval ?

MADAME DE BLINVAL.
Non, monsieur, il ne m'en souvient pas.

LE CHEVALIER.
Nous étions le peuple le plus doux, le plus gai, le plus spirituel. Toujours de belles fêtes, de jolis vers. C'était charmant. Y a-t-il rien de plus galant que le madrigal de M. de La Harpe sur le grand bal que Mme la maréchale de Mailly donna en mil sept cent... l'année de l'exécution de Damiens [1] ?

1. Auteur, sur la personne de Louis XV, d'une tentative d'assassinat — quoique le petit canif dont il s'était servi ne pouvait tuer personne —, Damiens mourut dans des supplices épouvantables (voir *Surveiller et punir*, déjà cité). Ce « mil sept cent... » qui caractérise tout un siècle par un fait est à rapprocher du « 18.. » qui sous-titre *Le Dernier Jour*. Le vers qui suit n'en est évidemment pas un et n'est pas non plus de Boileau mais de Gilbert qui avait écrit :

Et la chute des arts suit la perte des mœurs.

LE GROS MONSIEUR, *soupirant.*
Heureux temps ! Maintenant les mœurs sont horribles, et les livres aussi. C'est le beau vers de Boileau :

Et la chute des arts suit la décadence des mœurs.

LE PHILOSOPHE, *bas au poëte.*
Soupe-t-on dans cette maison ?

LE POËTE ÉLÉGIAQUE.
Oui, tout à l'heure.

LE MONSIEUR MAIGRE.
Maintenant on veut abolir la peine de mort, et pour cela on fait des romans cruels, immoraux et de mauvais goût, *Le Dernier Jour d'un condamné*, que sais-je ?

LE GROS MONSIEUR.
Tenez, mon cher, ne parlons plus de ce livre atroce ; et, puisque je vous rencontre, dites-moi, que faites-vous de cet homme dont nous avons rejeté le pourvoi depuis trois semaines ?

LE MONSIEUR MAIGRE.
Ah ! un peu de patience ! je suis en congé ici. Laissez-moi respirer. A mon retour. Si cela tarde trop pourtant, j'écrirai à mon substitut...

UN LAQUAIS, *entrant.*
Madame est servie.

Le Dernier Jour d'un condamné

I

Bicêtre.

Condamné à mort !

Voilà cinq semaines que j'habite avec cette pensée, toujours seul avec elle, toujours glacé de sa présence, toujours courbé sous son poids !

Autrefois, car il me semble qu'il y a plutôt des années que des semaines, j'étais un homme comme un autre homme. Chaque jour, chaque heure, chaque minute avait son idée. Mon esprit, jeune et riche, était plein de fantaisies. Il s'amusait à me les dérouler les unes après les autres, sans ordre et sans fin, brodant d'inépuisables arabesques cette rude et mince étoffe de la vie. C'étaient des jeunes filles, de splendides chapes d'évêque, des batailles gagnées, des théâtres pleins de bruit et de lumière, et puis encore des jeunes filles et de sombres promenades la nuit sous les larges bras des marronniers. C'était toujours fête dans mon imagination. Je pouvais penser à ce que je voulais, j'étais libre.

Maintenant je suis captif. Mon corps est aux fers dans un cachot, mon esprit est en prison dans une idée. Une horrible, une sanglante, une implacable idée ! Je n'ai plus qu'une pensée, qu'une conviction, qu'une certitude : condamné à mort !

Quoi que je fasse, elle est toujours là, cette pensée

infernale, comme un spectre de plomb à mes côtés, seule et jalouse, chassant toute distraction, face à face avec moi misérable, et me secouant de ses deux mains de glace quand je veux détourner la tête ou fermer les yeux. Elle se glisse sous toutes les formes où mon esprit voudrait la fuir, se mêle comme un refrain horrible à toutes les paroles qu'on m'adresse, se colle avec moi aux grilles hideuses de mon cachot ; m'obsède éveillé, épie mon sommeil convulsif, et reparaît dans mes rêves sous la forme d'un couteau.

Je viens de m'éveiller en sursaut, poursuivi par elle et me disant : — Ah ! ce n'est qu'un rêve ! — Hé bien ! avant même que mes yeux lourds aient eu le temps de s'entr'ouvrir assez pour voir cette fatale pensée écrite dans l'horrible réalité qui m'entoure, sur la dalle mouillée et suante de ma cellule, dans les rayons pâles de ma lampe de nuit, dans la trame grossière de la toile de mes vêtements, sur la sombre figure du soldat de garde dont la giberne reluit à travers la grille du cachot, il me semble que déjà une voix a murmuré à mon oreille : — Condamné à mort !

II

C'était par une belle matinée d'août.

Il y avait trois jours que mon procès était entamé, trois jours que mon nom et mon crime ralliaient chaque matin une nuée de spectateurs, qui venaient s'abattre sur les bancs de la salle d'audience comme des corbeaux autour d'un cadavre, trois jours que toute cette fantasmagorie des juges, des témoins, des avocats, des procureurs du roi, passait et repassait devant moi, tantôt grotesque, tantôt sanglante, toujours sombre et fatale. Les deux premières nuits, d'inquiétude et de terreur, je n'en avais pu dormir ; la troisième, j'en avais dormi d'ennui et de fatigue. A minuit, j'avais laissé les jurés délibérant. On m'avait ramené sur la paille de mon cachot, et j'étais tombé sur-le-champ dans un sommeil profond, dans un sommeil d'oubli. C'étaient les premières heures de repos depuis bien des jours.

J'étais encore au plus profond de ce profond sommeil lorsqu'on vint me réveiller. Cette fois il ne suffit point du pas lourd et des souliers ferrés du guichetier, du cliquetis de son nœud de clefs, du grincement rauque des verrous ; il fallut pour me tirer de ma léthargie sa rude voix à mon oreille et sa main rude sur mon bras. — Levez-vous donc ! — J'ouvris les yeux, je me dressai effaré sur mon séant. En ce moment, par l'étroite et haute fenêtre de ma cellule, je vis au plafond du corridor voisin, seul ciel qu'il me fût donné d'entrevoir, ce reflet jaune où des yeux habitués aux ténèbres d'une prison savent si bien reconnaître le soleil. J'aime le soleil.

— Il fait beau, dis-je au guichetier.

Il resta un moment sans me répondre, comme ne sachant si cela valait la peine de dépenser une parole ; puis avec quelque effort il murmura brusquement :

— C'est possible.

Je demeurais immobile, l'esprit à demi endormi, la bouche souriante, l'œil fixé sur cette douce réverbération dorée qui diaprait le plafond.

— Voilà une belle journée, répétai-je.

— Oui, me répondit l'homme, on vous attend.

Ce peu de mots, comme le fil qui rompt le vol de l'insecte, me rejeta violemment dans la réalité. Je revis soudain, comme dans la lumière d'un éclair, la sombre salle des assises, le fer à cheval des juges chargé de haillons ensanglantés, les trois rangs de témoins aux faces stupides, les deux gendarmes aux deux bouts de mon banc, et les robes noires s'agiter, et les têtes de la foule fourmiller au fond dans l'ombre, et s'arrêter sur moi le regard fixe de ces douze jurés, qui avaient veillé pendant que je dormais !

Je me levai ; mes dents claquaient, mes mains tremblaient et ne savaient où trouver mes vêtements, mes jambes étaient faibles. Au premier pas que je fis, je trébuchai comme un portefaix trop chargé. Cependant je suivis le geôlier.

Les deux gendarmes m'attendaient au seuil de la cellule. On me remit les menottes. Cela avait une petite serrure compliquée qu'ils fermèrent avec soin. Je laissai faire : c'était une machine sur une machine.

Nous traversâmes une cour intérieure. L'air vif du matin me ranima. Je levai la tête. Le ciel était bleu, et les rayons chauds du soleil, découpés par les longues cheminées, traçaient de grands angles de lumière au faîte des murs hauts et sombres de la prison. Il faisait beau en effet.

Nous montâmes un escalier tournant en vis ; nous passâmes un corridor, puis un autre, puis un troisième ; puis une porte basse s'ouvrit. Un air chaud, mêlé de bruit, vint me frapper au visage ; c'était le souffle de la foule dans la salle des assises. J'entrai.

Il y eut à mon apparition une rumeur d'armes et de voix. Les banquettes se déplacèrent bruyamment. Les cloisons craquèrent ; et, pendant que je traversais la longue salle entre deux masses de peuple murées de soldats, il me semblait que j'étais le centre auquel se rattachaient les fils qui faisaient mouvoir toutes ces faces béantes et penchées.

En cet instant je m'aperçus que j'étais sans fers ; mais je ne pus me rappeler où ni quand on me les avait ôtés.

Alors il se fit un grand silence. J'étais parvenu à ma place. Au moment où le tumulte cessa dans la foule, il cessa aussi dans mes idées. Je compris tout à coup clairement ce que je n'avais fait qu'entrevoir confusément jusqu'alors, que le moment décisif était venu, et que j'étais là pour entendre ma sentence.

L'explique qui pourra, de la manière dont cette idée me vint, elle ne me causa pas de terreur. Les fenêtres étaient ouvertes ; l'air et le bruit de la ville arrivaient librement du dehors ; la salle était claire comme pour une noce ; les gais rayons du soleil traçaient çà et là la figure lumineuse des croisées, tantôt allongée sur le plancher, tantôt développée sur les tables, tantôt brisée à l'angle des murs ; et de ces losanges éclatants aux fenêtres chaque rayon découpait dans l'air un grand prisme de poussière d'or.

Les juges, au fond de la salle, avaient l'air satisfait, probablement de la joie d'avoir bientôt fini. Le visage du président, doucement éclairé par le reflet d'une vitre, avait quelque chose de calme et de bon ; et un jeune assesseur causait presque gaiement en chiffonnant son rabat avec une jolie dame en chapeau rose, placée par faveur derrière lui.

Les jurés seuls paraissaient blêmes et abattus, mais c'était apparemment de fatigue d'avoir veillé toute la nuit. Quelques-uns bâillaient. Rien, dans leur contenance, n'annonçait des hommes qui viennent de porter une sentence de mort ; et sur les figures de ces bons bourgeois je ne devinais qu'une grande envie de dormir.

En face de moi, une fenêtre était toute grande ouverte. J'entendais rire sur le quai des marchandes de fleurs ; et, au bord de la croisée, une jolie petite plante jaune, toute pénétrée d'un rayon de soleil, jouait avec le vent dans une fente de la pierre.

Comment une idée sinistre aurait-elle pu poindre parmi tant de gracieuses sensations ? Inondé d'air et de soleil, il me fut impossible de penser à autre chose qu'à la liberté ; l'espérance vint rayonner en moi comme le jour autour de moi ; et, confiant, j'attendis ma sentence comme on attend la délivrance et la vie.

Cependant mon avocat arriva. On l'attendait. Il venait de déjeuner copieusement et de bon appétit. Parvenu à sa place, il se pencha vers moi avec un sourire.

— J'espère, me dit-il.

— N'est-ce pas ? répondis-je, léger et souriant aussi.

— Oui, reprit-il ; je ne sais rien encore de leur déclaration, mais ils auront sans doute écarté la préméditation, et alors ce ne sera que les travaux forcés à perpétuité.

— Que dites-vous là, monsieur ? répliquai-je indigné ; plutôt cent fois la mort !

Oui, la mort ! — Et d'ailleurs, me répétait je ne sais quelle voix intérieure, qu'est-ce que je risque à dire cela ? A-t-on jamais prononcé sentence de mort autrement qu'à minuit, aux flambeaux, dans une salle sombre et noire, et par une froide nuit de pluie et d'hiver ? Mais au mois d'août, à huit heures du matin, un si beau jour, ces bons jurés, c'est impossible ! Et mes yeux revenaient se fixer sur la jolie fleur jaune au soleil.

Tout à coup le président, qui n'attendait que l'avocat, m'invita à me lever. La troupe porta les armes ; comme par un mouvement électrique, toute l'assemblée fut debout au même instant. Une figure insignifiante et nulle, placée à une table au-dessous du tribunal, c'était, je pense, le greffier, prit la parole, et lut le verdict que les jurés avaient prononcé en mon absence. Une sueur froide sortit de tous mes membres ; je m'appuyai au mur pour ne pas tomber.

— Avocat, avez-vous quelque chose à dire sur l'application de la peine ? demanda le président.

J'aurais eu, moi, tout à dire, mais rien ne me vint. Ma langue resta collée à mon palais.

Le défenseur se leva.

Je compris qu'il cherchait à atténuer la déclaration du jury, et à mettre dessous, au lieu de la peine qu'elle provoquait, l'autre peine, celle que j'avais été si blessé de lui voir espérer.

Il fallut que l'indignation fût bien forte, pour se faire jour à travers les mille émotions qui se disputaient ma pensée. Je voulus répéter à haute voix ce que je lui avais déjà dit : Plutôt cent fois la mort ! Mais l'haleine me manqua, et je ne pus que l'arrêter rudement par le bras, en criant avec une force convulsive : Non !

Le procureur général combattit l'avocat, et je l'écoutai avec une satisfaction stupide. Puis les juges sortirent, puis ils rentrèrent, et le président me lut mon arrêt.

— Condamné à mort ! dit la foule ; et, tandis qu'on m'emmenait, tout ce peuple se rua sur mes pas avec le fracas d'un édifice qui se démolit [1]. Moi, je marchais, ivre et stupéfait. Une révolution venait de se faire en moi. Jusqu'à l'arrêt de mort, je m'étais senti respirer, palpiter, vivre dans le même milieu que les autres hommes ; maintenant je distinguais clairement comme une clôture entre le monde et moi. Rien ne m'apparaissait plus sous le même aspect qu'auparavant. Ces larges fenêtres lumineuses, ce beau soleil, ce ciel pur, cette jolie fleur, tout cela était blanc et pâle, de la couleur d'un linceul [2]. Ces hommes, ces femmes, ces enfants qui se pressaient sur mon passage, je leur trouvais des airs de fantômes.

1. Cet écroulement n'est pas seulement une notation visuelle en même temps qu'auditive d'une étonnante justesse — et qui sera reprise au chapitre XLVIII, 146. Il a aussi une valeur doublement symbolique : ruine du peuple, organisé et construit, en populace dissoute, et transfert sur autrui de l'effondrement intérieur du condamné.

2. Voir aux « Commentaires », p. 264, et noter ce surprenant effet qu'on croirait postérieur au cinéma en couleurs.

Au bas de l'escalier, une noire et sale voiture grillée m'attendait. Au moment d'y monter, je regardai au hasard dans la place. — Un condamné à mort ! criaient les passants en courant vers la voiture. A travers le nuage qui me semblait s'être interposé entre les choses et moi, je distinguai deux jeunes filles qui me suivaient avec des yeux avides. — Bon, dit la plus jeune en battant des mains, ce sera dans six semaines !

III

Condamné à mort !

Eh bien, pourquoi non ? *Les hommes*, je me rappelle l'avoir lu dans je ne sais quel livre où il n'y avait que cela de bon [1], *les hommes sont tous condamnés à mort avec des sursis indéfinis*. Qu'y a-t-il donc de si changé à ma situation ?

Depuis l'heure où mon arrêt m'a été prononcé, combien sont morts qui s'arrangeaient pour une longue vie ! Combien m'ont devancé qui, jeunes, libres et sains, comptaient bien aller voir tel jour tomber ma tête en place de Grève ! Combien d'ici là peut-être qui marchent et respirent au grand air, entrent et sortent à leur gré, et qui me devanceront encore !

Et puis, qu'est-ce que la vie a donc de si regrettable pour moi ? En vérité, le jour sombre et le pain noir du cachot, la portion de bouillon maigre puisée au baquet des galériens, être rudoyé, moi qui suis raffiné par l'éducation, être brutalisé des guichetiers et des gardes-chiourme, ne pas voir un être humain qui

1. *Han d'Islande*, de Victor Hugo lui-même ; voir les « Commentaires », p. 256.

me croie digne d'une parole et à qui je le rende, sans cesse tressaillir et de ce que j'ai fait et de ce qu'on me fera : voilà à peu près les seuls biens que puisse m'enlever le bourreau.

Ah, n'importe, c'est horrible !

IV

La voiture noire me transporta ici, dans ce hideux Bicêtre [1].

Vu de loin, cet édifice a quelque majesté. Il se déroule à l'horizon, au front d'une colline, et à distance garde quelque chose de son ancienne splendeur, un air de château de roi. Mais à mesure que vous approchez, le palais devient masure. Les pignons dégradés blessent l'œil. Je ne sais quoi de honteux et d'appauvri salit ces royales façades ; on dirait que les murs ont une lèpre. Plus de vitres, plus de glaces aux fenêtres ; mais de massifs barreaux de fer entre-croisés, auxquels se colle çà et là quelque hâve figure d'un galérien ou d'un fou.

C'est la vie vue de près.

V

A peine arrivé, des mains de fer s'emparèrent de moi. On multiplia les précautions ; point de couteau, point de fourchette pour mes repas ; la *camisole de*

1. Construit (1632) par Richelieu pour accueillir les soldats infirmes, Bicêtre servit bientôt également d'hospice, de maison de correction, puis de prison et d'asile pour vieillards. Son grand puits (voir chapitre XVII) qui alimentait l'établissement était célèbre pour ses dimensions (60 m de profondeur et 5 m de diamètre) et pour le manège de prisonniers puis d'aliénés qui assurait l'élévation de l'eau avant d'être remplacé par une machine à vapeur — en 1858 !

force, une espèce de sac de toile à voilure, emprisonna mes bras ; on répondait de ma vie. Je m'étais pourvu en cassation. On pouvait avoir pour six ou sept semaines cette affaire onéreuse, et il importait de me conserver sain et sauf à la place de Grève.

Les premiers jours on me traita avec une douceur qui m'était horrible. Les égards d'un guichetier sentent l'échafaud. Par bonheur, au bout de peu de jours, l'habitude reprit le dessus ; ils me confondirent avec les autres prisonniers dans une commune brutalité, et n'eurent plus de ces distinctions inaccoutumées de politesse qui me remettaient sans cesse le bourreau sous les yeux. Ce ne fut pas la seule amélioration. Ma jeunesse, ma docilité, les soins de l'aumônier de la prison, et surtout quelques mots en latin [1] que j'adressai au concierge, qui ne les comprit pas, m'ouvrirent la promenade une fois par semaine avec les autres détenus, et firent disparaître la camisole où j'étais paralysé. Après bien des hésitations, on m'a aussi donné de l'encre, du papier, des plumes, et une lampe de nuit.

Tous les dimanches, après la messe, on me lâche dans le préau, à l'heure de la récréation. Là, je cause avec les détenus : il le faut bien. Ils sont bonnes gens, les misérables. Ils me content leurs *tours*, ce serait à faire horreur, mais je sais qu'ils se vantent. Ils m'apprennent à parler argot, à *rouscailler bigorne*, comme ils disent. C'est toute une langue entée sur la langue générale comme une espèce d'excroissance hideuse, comme une verrue [2]. Quelquefois une éner-

1. Seuls les bourgeois apprennent le latin au XIXe siècle ; leur présence est alors, plus encore qu'aujourd'hui, exceptionnelle dans une prison et la complaisance du concierge n'est pas qu'intéressée. A chacun son argot.

2. *Les Misérables* qui, à bien des égards, sont une reprise, un élargissement et un recadrage, politique en particulier, du *Dernier Jour* développent toute une philosophie de l'argot, ici esquissée. Voir IV, 7 ; t. 3, 7 et suivants. Hugo y revendique la primeur d'un intérêt pour l'argot, ensuite imité par Balzac et Sue.

gie singulière, un pittoresque effrayant : *il y a du raisiné sur le trimar* (du sang sur le chemin), *épouser la veuve* (être pendu), comme si la corde du gibet était veuve de tous les pendus. La tête d'un voleur a deux noms : *la sorbonne*, quand elle médite, raisonne et conseille le crime ; *la tronche*, quand le bourreau la coupe. Quelquefois de l'esprit de vaudeville : un *cachemire d'osier* (une hotte de chiffonnier), *la menteuse* (la langue) ; et puis partout, à chaque instant, des mots bizarres, mystérieux, laids et sordides, venus on ne sait d'où : *le taule* (le bourreau), *la cône* (la mort), *la placarde* (la place des exécutions). On dirait des crapauds et des araignées. Quand on entend parler cette langue, cela fait l'effet de quelque chose de sale et de poudreux, d'une liasse de haillons que l'on secouerait devant vous.

Du moins, ces hommes-là me plaignent, ils sont les seuls. Les geôliers, les guichetiers, les porte-clefs, — je ne leur en veux pas, — causent et rient, et parlent de moi, devant moi, comme d'une chose.

VI

Je me suis dit :

— Puisque j'ai le moyen d'écrire, pourquoi ne le ferais-je pas ? Mais quoi écrire ? Pris entre quatre murailles de pierre nue et froide, sans liberté pour mes pas, sans horizon pour mes yeux, pour unique distraction machinalement occupé tout le jour à suivre la marche lente de ce carré blanchâtre que le judas de ma porte découpe vis-à-vis sur le mur sombre, et, comme je le disais tout à l'heure, seul à seul avec une idée, une idée de crime et de châtiment, de meurtre et de mort ! est-ce que je puis avoir quelque chose à dire, moi qui n'ai plus rien à faire dans ce monde ? Et que trouverai-je dans ce cerveau flétri et vide qui vaille la peine d'être écrit ?

Pourquoi non ? Si tout, autour de moi, est monotone et décoloré, n'y a-t-il pas en moi une tempête, une lutte, une tragédie ? Cette idée fixe qui me possède ne se présente-t-elle pas à moi à chaque heure, à chaque instant, sous une nouvelle forme, toujours plus hideuse et plus ensanglantée à mesure que le terme approche ? Pourquoi n'essaierais-je pas de me dire à moi-même tout ce que j'éprouve de violent et d'inconnu dans la situation abandonnée où me voilà ? Certes, la matière est riche ; et, si abrégée que soit ma vie, il y aura bien encore dans les angoisses, dans les terreurs, dans les tortures qui la rempliront, de cette heure à la dernière, de quoi user cette plume et tarir cet encrier. — D'ailleurs, ces angoisses, le seul moyen d'en moins souffrir, c'est de les observer, et les peindre m'en distraira.

Et puis, ce que j'écrirai ainsi ne sera peut-être pas inutile. Ce journal de mes souffrances, heure par heure, minute par minute, supplice par supplice, si j'ai la force de le mener jusqu'au moment où il me sera *physiquement* impossible de continuer, cette histoire, nécessairement inachevée, mais aussi complète que possible, de mes sensations, ne portera-t-elle point avec elle un grand et profond enseignement ? N'y aura-t-il pas dans ce procès-verbal de la pensée agonisante, dans cette progression toujours croissante de douleurs, dans cette espèce d'autopsie intellectuelle d'un condamné, plus d'une leçon pour ceux qui condamnent ? Peut-être cette lecture leur rendra-t-elle la main moins légère, quand il s'agira quelque autre fois de jeter une tête qui pense, une tête d'homme, dans ce qu'ils appellent la balance de la justice ? Peut-être n'ont-ils jamais réfléchi, les malheureux, à cette lente succession de tortures que renferme la formule expéditive d'un arrêt de mort ? Se sont-ils jamais seulement arrêtés à cette idée poignante que dans l'homme qu'ils retranchent il y a une intelligence ; une intelligence qui avait compté sur la vie, une âme qui ne s'est point disposée pour la mort ? Non. Ils ne voient dans tout cela que la chute verticale d'un couteau triangulaire, et pensent sans doute que pour le condamné il n'y a rien avant, rien après.

Ces feuilles les détromperont. Publiées peut-être un jour, elles arrêteront quelques moments leur esprit sur les souffrances de l'esprit ; car ce sont celles-là qu'ils ne soupçonnent pas. Ils sont triomphants de pouvoir tuer sans presque faire souffrir le corps. Hé ! c'est bien de cela qu'il s'agit ! Qu'est-ce que la douleur physique près de la douleur morale ! Horreur et pitié, des lois faites ainsi ! Un jour viendra, et peut-être ces mémoires, derniers confidents d'un misérable, y auront-ils contribué...

A moins qu'après ma mort le vent ne joue dans le préau avcc ces morceaux de papier souillés de boue, ou qu'ils n'aillent pourrir à la pluie, collés en étoiles à la vitre cassée d'un guichetier [1].

VII

Que ce que j'écris ici puisse être un jour utile à d'autres, que cela arrête le juge prêt à juger, que cela sauve des malheureux, innocents ou coupables, de l'agonie à laquelle je suis condamné, pourquoi ? à quoi bon ? qu'importe ? Quand ma tête aura été coupée, qu'est-ce que cela me fait qu'on en coupe d'autres ? Est-ce que vraiment j'ai pu penser ces folies ? Jeter bas l'échafaud après que j'y aurai monté ! je vous demande un peu ce qui m'en reviendra.

1. Ces deux chapitres remplacent une préface, absente de l'édition originale. Ils disent le statut du livre sans cacher son irréalité : la nécessité que l'art s'en mêle pour donner la parole au condamné qui en est privé, comme tous les misérables.

Quoi ! le soleil, le printemps, les champs pleins de fleurs, les oiseaux qui s'éveillent le matin, les nuages, les arbres, la nature, la liberté, la vie, tout cela n'est plus à moi !

Ah ! c'est moi qu'il faudrait sauver ! — Est-il bien vrai que cela ne se peut, qu'il faudra mourir demain, aujourd'hui peut-être, que cela est ainsi ? Ô Dieu ! l'horrible idée à se briser la tête au mur de son cachot !

VIII

Comptons ce qui me reste :

Trois jours de délai après l'arrêt prononcé pour le pourvoi en cassation.

Huit jours d'oubli au parquet de la cour d'assises, après quoi les *pièces*, comme ils disent, sont envoyées au ministre.

Quinze jours d'attente chez le ministre, qui ne sait seulement pas qu'elles existent, et qui cependant est supposé les transmettre, après examen, à la cour de cassation.

Là, classement, numérotage, enregistrement ; car la guillotine est encombrée, et chacun ne doit passer qu'à son tour.

Quinze jours pour veiller à ce qu'il ne vous soit pas fait de passe-droit.

Enfin la cour s'assemble, d'ordinaire un jeudi, rejette vingt pourvois en masse, et renvoie le tout au ministre, qui renvoie au procureur général, qui renvoie au bourreau. Trois jours.

Le matin du quatrième jour, le substitut du procureur général se dit, en mettant sa cravate : — Il faut pourtant que cette affaire finisse. — Alors, si le substitut du greffier n'a pas quelque déjeuner d'amis qui l'en empêche, l'ordre d'exécution est minuté, rédigé, mis au net, expédié, et le lendemain dès l'aube on entend dans la place de Grève clouer une charpente, et dans les carrefours hurler à pleine voix des crieurs enroués.

En tout six semaines. La petite fille avait raison [1].

Or, voilà cinq semaines au moins, six peut-être, je n'ose compter, que je suis dans ce cabanon de Bicêtre, et il me semble qu'il y a trois jours c'était jeudi.

IX

Je viens de faire mon testament.

A quoi bon ? Je suis condamné aux frais, et tout ce que j'ai y suffira à peine. La guillotine, c'est fort cher.

Je laisse une mère, je laisse une femme, je laisse un enfant.

Une petite fille de trois ans, douce, rose, frêle, avec de grands yeux noirs et de longs cheveux châtains.

Elle avait deux ans et un mois quand je l'ai vue pour la dernière fois.

Ainsi, après ma mort, trois femmes, sans fils, sans mari, sans père ; trois orphelines de différente espèce ; trois veuves du fait de la loi.

J'admets que je sois justement puni ; ces innocentes, qu'ont-elles fait ? N'importe ; on les déshonore, on les ruine. C'est la justice.

Ce n'est pas que ma pauvre vieille mère

1. C'était une jeune fille à la fin du chapitre II mais, de la sorte, s'assimilent toutes les figures féminines gracieuses du texte : ces deux jeunes filles, celle de la chanson du chapitre XVI, la petite Espagnole du chapitre XXXIII, la petite fille du condamné. Le compte qui suit est confirmé au chapitre XVIII (voir note 1, p. 97) : nous sommes dans la nuit ou la soirée qui précède le jour de l'exécution.

m'inquiète ; elle a soixante-quatre ans, elle mourra du coup. Ou si elle va quelques jours encore, pourvu que jusqu'au dernier moment elle ait un peu de cendre chaude dans sa chaufferette, elle ne dira rien.

Ma femme ne m'inquiète pas non plus ; elle est déjà d'une mauvaise santé et d'un esprit faible. Elle mourra aussi.

A moins qu'elle ne devienne folle. On dit que cela fait vivre ; mais du moins, l'intelligence ne souffre pas ; elle dort, elle est comme morte [1].

Mais ma fille, mon enfant, ma pauvre petite Marie, qui rit, qui joue, qui chante à cette heure et ne pense à rien, c'est celle-là qui me fait mal !

X

Voici ce que c'est que mon cachot :

Huit pieds carrés. Quatre murailles de pierre de taille qui s'appuient à angle droit sur un pavé de dalles exhaussé d'un degré au-dessus du corridor extérieur.

A droite de la porte, en entrant, une espèce d'enfoncement qui fait la dérision d'une alcôve. On y jette une botte de paille où le prisonnier est censé reposer et dormir, vêtu d'un pantalon de toile et d'une veste de coutil, hiver comme été.

Au-dessus de ma tête, en guise de ciel, une noire voûte en *ogive* — c'est ainsi que cela s'appelle — à

1. A la date où le livre est écrit, le frère de Victor Hugo, Eugène, était depuis plusieurs années fou et enfermé. Hugo veut-il ignorer la souffrance de ces malades ? Mais le poème *A Eugène vicomte H.* (*Les Voix intérieures*, XXIX) donne au frère perdu ce statut de mort vivant qui l'apparente au condamné. Ici l'indifférence — ou bien, au contraire, la trop grande solidarité — permet de laisser face à face la vieille femme et l'enfant ; elles seront côte à côte aux chapitres XLII et XLIII.

laquelle d'épaisses toiles d'araignée pendent comme des haillons.

Du reste, pas de fenêtres, pas même de soupirail. Une porte où le fer cache le bois.

Je me trompe ; au centre de la porte, vers le haut, une ouverture de neuf pouces carrés, coupée d'une grille en croix, et que le guichetier peut fermer la nuit.

Au-dehors, un assez long corridor, éclairé, aéré au moyen de soupiraux étroits au haut du mur, et divisé en compartiments de maçonnerie qui communiquent entre eux par une série de portes cintrées et basses ; chacun de ces compartiments sert en quelque sorte d'antichambre à un cachot pareil au mien. C'est dans ces cachots que l'on met les forçats condamnés par le directeur de la prison à des peines de discipline. Les trois premiers cabanons sont réservés aux condamnés à mort, parce qu'étant plus voisins de la geôle ils sont plus commodes pour le geôlier.

Ces cachots sont tout ce qui reste de l'ancien château de Bicêtre tel qu'il fut bâti dans le quinzième siècle par le cardinal de Winchester, le même qui fit brûler Jeanne d'Arc. J'ai entendu dire cela à des *curieux* qui sont venus me voir l'autre jour dans ma loge, et qui me regardaient à distance comme une bête de la ménagerie. Le guichetier a eu cent sous.

J'oubliais de dire qu'il y a nuit ct jour un factionnaire de garde à la porte de mon cachot, et que mes yeux ne peuvent se lever vers la lucarne carrée sans rencontrer ses deux yeux fixes toujours ouverts.

Du reste, on suppose qu'il y a de l'air et du jour dans cette boîte de pierre.

XI

Puisque le jour ne paraît pas encore, que faire de la nuit ? Il m'est venu une idée. Je me suis levé et j'ai promené ma lampe sur les quatre murs de ma cellule. Ils sont couverts d'écritures, de dessins, de figures bizarres, de noms qui se mêlent et s'effacent les uns les autres. Il semble que chaque condamné ait voulu laisser trace, ici du moins. C'est du crayon, de la craie, du charbon, des lettres noires, blanches, grises, souvent de profondes entailles dans la pierre, çà et là des caractères rouillés qu'on dirait écrits avec du sang. Certes, si j'avais l'esprit plus libre, je prendrais intérêt à ce livre étrange qui se développe page à page à mes yeux sur chaque pierre de ce cachot. J'aimerais à recomposer un tout de ces fragments de pensée, épars sur la dalle ; à retrouver chaque homme sous chaque nom ; à rendre le sens et la vie à ces inscriptions mutilées, à ces phrases démembrées, à ces mots tronqués, corps sans tête comme ceux qui les ont écrits [1].

A la hauteur de mon chevet, il y a deux cœurs enflammés, percés d'une flèche, et au-dessus : *Amour pour la vie*. Le malheureux ne prenait pas un long engagement.

A côté, une espèce de chapeau à trois cornes avec une petite figure grossièrement dessinée au-dessous, et ces mots : *Vive l'empereur ! 1824* [2].

Encore des cœurs enflammés, avec cette inscription, caractéristique dans une prison : *J'aime et j'adore Mathieu Danvin*. JACQUES.

Sur le mur opposé on lit ce nom : *Papavoine*. Le *P* majuscule est brodé d'arabesques et enjolivé avec soin.

1. Le livre que le condamné écrit n'est lui-même qu'une variante, plus présentable, de ces graffiti qui sont aux écritures réglées — de l'inscription monumentale aux écrits ordinaires — ce que l'argot est à la langue. Pour les comprendre entièrement, il faut savoir que les tombes des condamnés étaient traditionnellement dépouillées de toute inscription — voir *L'Affaire Tapner*, p. 242.

2. En 1824, l'Empereur, qui était mort en 1821, est plus mort encore que le condamné qui lui souhaite vie. Sur Papavoine et Bories, voir la « Chronologie » aux années 1822 et 1825.

Un couplet d'une chanson obscène.

Un bonnet de liberté sculpté assez profondément dans la pierre, avec ceci dessous : — *Bories*. — *La République*. C'était un des quatre sous-officiers de La Rochelle. Pauvre jeune homme ! Que leurs prétendues nécessités politiques sont hideuses ! pour une idée, pour une rêverie, pour une abstraction, cette horrible réalité qu'on appelle la guillotine ! Et moi qui me plaignais, moi, misérable qui ai commis un véritable crime, qui ai versé du sang !

Je n'irai pas plus loin dans ma recherche. — Je viens de voir, crayonnée en blanc au coin du mur, une image épouvantable, la figure de cet échafaud qui, à l'heure qu'il est, se dresse peut-être pour moi. — La lampe a failli me tomber des mains.

XII

Je suis revenu m'asseoir précipitamment sur ma paille, la tête dans les genoux. Puis mon effroi d'enfant s'est dissipé, et une étrange curiosité m'a repris de continuer la lecture de mon mur.

A côté du nom de Papavoine j'ai arraché une énorme toile d'araignée, tout épaissie par la poussière et tendue à l'angle de la muraille. Sous cette toile il y avait quatre ou cinq noms parfaitement lisibles, parmi d'autres dont il ne reste rien qu'une tache sur le mur [1]. — DAUTUN, 1815. — POULAIN, 1818. — JEAN MARTIN, 1821. — CASTAING, 1823. J'ai lu ces noms, et de lugubres souvenirs me sont venus : Dautun, celui qui a coupé son frère en quar-

1. Sur ces noms, voir la « Chronologie ». Quelques-uns reviendront, d'une autre manière, dans la bouche de l'huissier du chapitre XXII, pp. 105-106.

tiers, et qui allait la nuit dans Paris jetant la tête dans une fontaine et le tronc dans un égout ; Poulain, celui qui a assassiné sa femme ; Jean Martin, celui qui a tiré un coup de pistolet à son père au moment où le vieillard ouvrait une fenêtre ; Castaing, ce médecin qui a empoisonné son ami, et qui, le soignant dans cette dernière maladie qu'il lui avait faite, au lieu de remède lui redonnait du poison ; et auprès de ceux-là, Papavoine, l'horrible fou qui tuait les enfants à coups de couteau sur la tête !

Voilà, me disais-je, et un frisson de fièvre me montait dans les reins, voilà quels ont été avant moi les hôtes de cette cellule. C'est ici, sur la même dalle où je suis, qu'ils ont pensé leurs dernières pensées, ces hommes de meurtre et de sang ! c'est autour de ce mur, dans ce carré étroit, que leurs derniers pas ont tourné comme ceux d'une bête fauve. Ils se sont succédé à de courts intervalles ; il paraît que ce cachot ne désemplit pas. Ils ont laissé la place chaude, et c'est à moi qu'ils l'ont laissée. J'irai à mon tour les rejoindre au cimetière de Clamart, où l'herbe pousse si bien !

Je ne suis ni visionnaire, ni superstitieux. Il est probable que ces idées me donnaient un accès de fièvre ; mais pendant que je rêvais ainsi, il m'a semblé tout à coup que ces noms fatals étaient écrits avec du feu sur le mur noir ; un tintement de plus en plus précipité a éclaté dans mes oreilles ; une lueur rousse a rempli mes yeux ; et puis il m'a paru que le cachot était plein d'hommes, d'hommes étranges qui portaient leur tête dans leur main gauche, et la portaient par la bouche, parce qu'il n'y avait pas de chevelure. Tous me montraient le poing, excepté le parricide [1].

J'ai fermé les yeux avec horreur, alors j'ai tout vu plus distinctement.

1. Parce qu'on tranchait le poing droit aux parricides avant leur décapitation.

Rêve, vision ou réalité, je serais devenu fou, si une impression brusque ne m'eût réveillé à temps. J'étais près de tomber à la renverse lorsque j'ai senti se traîner sur mon pied nu un ventre froid et des pattes velues ; c'était l'araignée que j'avais dérangée et qui s'enfuyait.

Cela m'a dépossédé. — O les épouvantables spectres ! — Non, c'était une fumée, une imagination de mon cerveau vide et convulsif. Chimère à la Macbeth ! Les morts sont morts, ceux-là surtout. Ils sont bien cadenassés dans le sépulcre. Ce n'est pas là une prison dont on s'évade. Comment se fait-il donc que j'aie eu peur ainsi ?

La porte du tombeau ne s'ouvre pas en dedans.

XIII

J'ai vu, ces jours passés, une chose hideuse.

Il était à peine jour, et la prison était pleine de bruit. On entendait ouvrir et fermer les lourdes portes, grincer les verrous et les cadenas de fer, carillonner les trousseaux de clefs entre-choqués à la ceinture des geôliers, trembler les escaliers du haut en bas sous des pas précipités, et des voix s'appeler et se répondre des deux bouts des longs corridors. Mes voisins de cachot, les forçats en punition, étaient plus gais qu'à l'ordinaire. Tout Bicêtre semblait rire, chanter, courir, danser.

Moi, seul muet dans ce vacarme, seul immobile dans ce tumulte, étonné et attentif, j'écoutais.

Un geôlier passa.

Je me hasardai à l'appeler et à lui demander si c'était fête dans la prison.

— Fête si l'on veut ! me répondit-il. C'est aujourd'hui qu'on ferre les forçats qui doivent partir demain pour Toulon. Voulez-vous voir, cela vous amusera.

C'était en effet, pour un reclus solitaire, une bonne fortune qu'un spectacle, si odieux qu'il fût. J'acceptai l'amusement.

Le guichetier prit les précautions d'usage pour s'assurer de moi, puis me conduisit dans une petite cellule vide, et absolument démeublée, qui avait une fenêtre grillée, mais une véritable fenêtre à hauteur d'appui, et à travers laquelle on apercevait réellement le ciel.

— Tenez, me dit-il, d'ici vous verrez et vous entendrez. Vous serez seul dans votre loge comme le roi.

Puis il sortit et referma sur moi serrures, cadenas et verrous.

La fenêtre donnait sur une cour carrée assez vaste, et autour de laquelle s'élevait des quatre côtés, comme une muraille, un grand bâtiment de pierre de taille à six étages. Rien de plus dégradé, de plus nu, de plus misérable à l'œil que cette quadruple façade percée d'une multitude de fenêtres grillées auxquelles se tenaient collés, du bas en haut, une foule de visages maigres et blêmes, pressés les uns audessus des autres, comme les pierres d'un mur, et tous pour ainsi dire encadrés dans les entre-croisements des barreaux de fer. C'étaient les prisonniers, spectateurs de la cérémonie en attendant leur jour d'être acteurs. On eût dit des âmes en peine aux soupiraux du purgatoire qui donnent sur l'enfer.

Tous regardaient en silence la cour vide encore. Ils attendaient. Parmi ces figures éteintes et mornes, çà et là brillaient quelques yeux perçants et vifs comme des points de feu.

Le carré de prisons qui enveloppe la cour ne se referme pas sur lui-même. Un des quatre pans de l'édifice (celui qui regarde le levant) est coupé vers son milieu, et ne se rattache au pan voisin que par une grille de fer. Cette grille s'ouvre sur une seconde cour, plus petite que la première, et, comme elle, bloquée de murs et de pignons noirâtres.

Tout autour de la cour principale, des bancs de pierre s'adossent à la muraille. Au milieu se dresse une tige de fer courbée, destinée à porter une lanterne.

Midi sonna. Une grande porte cochère, cachée sous un enfoncement, s'ouvrit brusquement. Une charrette, escortée d'espèces de soldats sales et honteux, en uniformes bleus, à épaulettes rouges et à bandoulières jaunes, entra lourdement dans la cour avec un bruit de ferraille. C'était la chiourme et les chaînes.

Au même instant, comme si ce bruit réveillait tout le bruit de la prison, les spectateurs des fenêtres, jusqu'alors silencieux et immobiles, éclatèrent en cris de joie, en chansons, en menaces, en imprécations mêlées d'éclats de rire poignants à entendre. On eût cru voir des masques de démons. Sur chaque visage parut une grimace, tous les poings sortirent des barreaux, toutes les voix hurlèrent, tous les yeux flamboyèrent, et je fus épouvanté de voir tant d'étincelles reparaître dans cette cendre.

Cependant les argousins, parmi lesquels on distinguait, à leurs vêtements propres et à leur effroi, quelques curieux venus de Paris [1], les argousins se mirent tranquillement à leur besogne. L'un d'eux monta sur la charrette, et jeta à ses camarades les chaînes, les colliers de voyage, et les liasses de pantalons de toile. Alors ils se dépecèrent le travail ; les uns allèrent étendre dans un coin de la cour les longues chaînes qu'ils nommaient dans leur argot *les ficelles* ; les autres déployèrent sur le pavé *les taffetas*, les chemises et les pantalons ; tandis que les plus sagaces examinaient un à un, sous l'œil de leur capitaine, petit vieillard trapu, les carcans de fer, qu'ils

1. Dont Victor Hugo lui-même (voir la « Chronologie » : 1826, 1827, 1828) qui ne met ici aucune complaisance dans sa représentation et moins encore au chapitre X, p. 77.

éprouvaient ensuite en les faisant étinceler sur le pavé. Le tout aux acclamations railleuses des prisonniers, dont la voix n'était dominée que par les rires bruyants des forçats pour qui cela se préparait, et qu'on voyait relégués aux croisées de la vieille prison qui donne sur la petite cour.

Quand ces apprêts furent terminés, un monsieur brodé en argent, qu'on appelait *monsieur l'inspecteur*, donna un ordre au *directeur* de la prison ; et un moment après, voilà que deux ou trois portes basses vomirent presque en même temps, et comme par bouffées, dans la cour, des nuées d'hommes hideux, hurlants et déguenillés. C'étaient les forçats.

A leur entrée, redoublement de joie aux fenêtres. Quelques-uns d'entre eux, les grands noms du bagne, furent salués d'acclamations et d'applaudissements qu'ils recevaient avec une sorte de modestie fière. La plupart avaient des espèces de chapeaux tressés de leurs propres mains avec la paille du cachot, et toujours d'une forme étrange, afin que dans les villes où l'on passerait le chapeau fît remarquer la tête. Ceux-là étaient plus applaudis encore. Un, surtout, excita des transports d'enthousiasme : un jeune homme de dix-sept ans, qui avait un visage de jeune fille. Il sortait du cachot, où il était au secret depuis huit jours ; de sa botte de paille il s'était fait un vêtement qui l'enveloppait de la tête aux pieds, et il entra dans la cour en faisant la roue sur lui-même avec l'agilité d'un serpent. C'était un baladin condamné pour vol. Il y eut une rage de battements de mains et de cris de joie. Les galériens y répondaient, et c'était une chose effrayante que cet échange de gaietés entre les forçats en titre et les forçats aspirants. La société avait beau être là, représentée par les geôliers et les curieux épouvantés, le crime la narguait en face, et de ce châtiment horrible faisait une fête de famille.

A mesure qu'ils arrivaient, on les poussait, entre

deux haies de gardes-chiourme, dans la petite cour grillée, où la visite des médecins les attendait. C'est là que tous tentaient un dernier effort pour éviter le voyage, alléguant quelque excuse de santé, les yeux malades, la jambe boiteuse, la main mutilée. Mais presque toujours on les trouvait bons pour le bagne ; et alors chacun se résignait avec insouciance, oubliant en peu de minutes sa prétendue infirmité de toute la vie.

La grille de la petite cour se rouvrit. Un gardien fit l'appel par ordre alphabétique ; et alors ils sortirent un à un, et chaque forçat s'alla ranger debout dans un coin de la grande cour, près d'un compagnon donné par le hasard de sa lettre initiale. Ainsi chacun se voit réduit à lui-même ; chacun porte sa chaîne pour soi, côte à côte avec un inconnu ; et si par hasard un forçat a un ami, la chaîne l'en sépare. Dernière des misères !

Quand il y en eut à peu près une trentaine de sortis, on referma la grille. Un argousin les aligna avec son bâton, jeta devant chacun d'eux une chemise, une veste et un pantalon de grosse toile, puis fit un signe, et tous commencèrent à se déshabiller. Un incident inattendu vint, comme à point nommé, changer cette humiliation en torture.

Jusqu'alors le temps avait été assez beau, et, si la brise d'octobre refroidissait l'air, de temps en temps aussi elle ouvrait çà et là dans les brumes grises du ciel une crevasse par où tombait un rayon de soleil. Mais à peine les forçats se furent-ils dépouillés de leurs haillons de prison, au moment où ils s'offraient nus et debout à la visite soupçonneuse des gardiens, et aux regards curieux des étrangers qui tournaient autour d'eux pour examiner leurs épaules, le ciel devint noir, une froide averse d'automne éclata brusquement, et se déchargea à torrents dans la cour carrée, sur les têtes découvertes, sur les membres nus des galériens, sur leurs misérables sayons étalés sur le pavé.

En un clin d'œil le préau se vida de tout ce qui n'était pas argousin ou galérien. Les curieux de Paris allèrent s'abriter sous les auvents des portes.

Cependant la pluie tombait à flots. On ne voyait plus dans la cour que les forçats nus et ruisselants sur le pavé noyé. Un silence morne avait succédé à leurs bruyantes bravades. Ils grelottaient, leurs dents claquaient ; leurs jambes maigries, leurs genoux noueux s'entre-choquaient ; et c'était pitié de les voir appliquer sur leurs membres bleus ces chemises trempées, ces vestes, ces pantalons dégouttant de pluie. La nudité eût été meilleure.

Un seul, un vieux, avait conservé quelque gaieté. Il s'écria, en s'essuyant avec sa chemise mouillée, que *cela n'était pas dans le programme* ; puis se prit à rire en montrant le poing au ciel.

Quand ils eurent revêtu les habits de route, on les mena par bandes de vingt ou trente à l'autre coin du préau, où les cordons allongés à terre les attendaient. Ces cordons sont de longues et fortes chaînes coupées transversalement de deux en deux pieds par d'autres chaînes plus courtes, à l'extrémité desquelles se rattache un carcan carré, qui s'ouvre au moyen d'une charnière pratiquée à l'un des angles et se ferme à l'angle opposé par un boulon de fer, rivé pour tout le voyage sur le cou du galérien. Quand ces cordons sont développés à terre, ils figurent assez bien la grande arête d'un poisson.

On fit asseoir les galériens dans la boue, sur les pavés inondés ; on leur essaya les colliers ; puis deux forgerons de la chiourme, armés d'enclumes portatives, les leur rivèrent à froid à grands coups de masses de fer. C'est un moment affreux, où les plus hardis pâlissent. Chaque coup de marteau, assené sur l'enclume appuyée à leur dos, fait rebondir le menton du patient ; le moindre mouvement d'avant en arrière lui ferait sauter le crâne comme une coquille de noix.

Après cette opération, ils devinrent sombres. On n'entendait plus que le grelottement des chaînes, et par intervalles un cri et le bruit sourd du bâton des gardes-chiourme sur les membres des récalcitrants. Il y en eut qui pleurèrent ; les vieux frissonnaient et se mordaient les lèvres. Je regardai avec terreur tous ces profils sinistres dans leurs cadres de fer.

Ainsi, après la visite des médecins, la visite des geôliers ; après la visite des geôliers, le ferrage. Trois actes à ce spectacle.

Un rayon de soleil reparut. On eût dit qu'il mettait le feu à tous ces cerveaux. Les forçats se levèrent à la fois, comme par un mouvement convulsif. Les cinq cordons se rattachèrent par les mains, et tout à coup se formèrent en ronde immense autour de la branche de la lanterne. Ils tournaient à fatiguer les yeux. Ils chantaient une chanson du bagne, une romance d'argot, sur un air tantôt plaintif, tantôt furieux et gai ; on entendait par intervalles des cris grêles, des éclats de rire déchirés et haletants se mêler aux mystérieuses paroles ; puis des acclamations furibondes ; et les chaînes qui s'entre-choquaient en cadence servaient d'orchestre à ce chant plus rauque que leur bruit. Si je cherchais une image du sabbat, je ne la voudrais ni meilleure ni pire.

On apporta dans le préau un large baquet. Les gardes-chiourme rompirent la danse des forçats à coups de bâton, et les conduisirent à ce baquet, dans lequel on voyait nager je ne sais quelles herbes dans je ne sais quel liquide fumant et sale. Ils mangèrent.

Puis, ayant mangé, ils jetèrent sur le pavé ce qui restait de leur soupe et de leur pain bis, et se remirent à danser et à chanter. Il paraît qu'on leur laisse cette liberté le jour du ferrage et la nuit qui le suit.

J'observais ce spectacle étrange avec une curiosité si avide, si palpitante, si attentive, que je m'étais oublié moi-même. Un profond sentiment de pitié me remuait jusqu'aux entrailles, et leurs rires me faisaient pleurer.

Tout à coup, à travers la rêverie profonde où j'étais tombé, je vis la ronde hurlante s'arrêter et se taire. Puis tous les yeux se tournèrent vers la fenêtre que j'occupais. — Le condamné ! le condamné ! crièrent-ils tous en me montrant du doigt ; et les explosions de joie redoublèrent.

Je restai pétrifié.

J'ignore d'où ils me connaissaient et comment ils m'avaient reconnu.

— Bonjour ! bonsoir ! me crièrent-ils avec leur ricanement atroce. Un des plus jeunes, condamné aux galères perpétuelles, face luisante et plombée, me regarda d'un air d'envie en disant : — Il est heureux ! il sera *rogné* ! Adieu, camarade !

Je ne puis dire ce qui se passait en moi. J'étais leur camarade en effet. La Grève est sœur de Toulon. J'étais même placé plus bas qu'eux : ils me faisaient honneur. Je frissonnai.

Oui, leur camarade ! Et quelques jours plus tard, j'aurais pu aussi, moi, être un spectacle pour eux.

J'étais demeuré à la fenêtre, immobile, perclus, paralysé. Mais quand je vis les cinq cordons s'avancer, se ruer vers moi avec des paroles d'une infernale cordialité ; quand j'entendis le tumultueux fracas de leurs chaînes, de leurs clameurs, de leurs pas, au pied du mur, il me sembla que cette nuée de démons escaladait ma misérable cellule ; je poussai un cri, je me jetai sur la porte d'une violence à la briser ; mais pas moyen de fuir. Les verrous étaient tirés en dehors. Je heurtai, j'appelai avec rage. Puis il me sembla entendre de plus près encore les effrayantes voix des forçats. Je crus voir leurs têtes hideuses paraître déjà au bord de ma fenêtre, je poussai un second cri d'angoisse, et je tombai évanoui.

XIV

Quand je revins à moi, il était nuit. J'étais couché dans un grabat ; une lanterne qui vacillait au plafond me fit voir d'autres grabats alignés des deux côtés du mien. Je compris qu'on m'avait transporté à l'infirmerie.

Je restai quelques instants éveillé, mais sans pensée et sans souvenir, tout entier au bonheur d'être dans un lit. Certes, en d'autres temps, ce lit d'hôpital et de prison m'eût fait reculer de dégoût et de pitié ; mais je n'étais plus le même homme. Les draps étaient gris et rudes au toucher, la couverture maigre et trouée ; on sentait la paillasse à travers le matelas ; qu'importe ! mes membres pouvaient se déroidir à l'aise entre ces draps grossiers ; sous cette couverture, si mince qu'elle fût, je sentais se dissiper peu à peu cet horrible froid de la moelle des os dont j'avais pris l'habitude. — Je me rendormis.

Un grand bruit me réveilla ; il faisait petit jour. Ce bruit venait du dehors ; mon lit était à côté de la fenêtre, je me levai sur mon séant pour voir ce que c'était.

La fenêtre donnait sur la grande cour de Bicêtre. Cette cour était pleine de monde ; deux haies de vétérans avaient peine à maintenir libre, au milieu de cette foule, un étroit chemin qui traversait la cour. Entre ce double rang de soldats cheminaient lentement, cahotées à chaque pavé, cinq longues charrettes chargées d'hommes ; c'étaient les forçats qui partaient.

Ces charrettes étaient découvertes. Chaque cordon en occupait une. Les forçats étaient assis de côté sur chacun des bords, adossés les uns aux autres, séparés par la chaîne commune, qui se développait dans la longueur du chariot, et sur l'extrémité de laquelle un argousin debout, fusil chargé, tenait le pied. On entendait bruire leurs fers, et, à chaque secousse de la voiture, on voyait sauter leurs têtes et ballotter leurs jambes pendantes.

Une pluie fine et pénétrante glaçait l'air, et collait sur leurs genoux leurs pantalons de toile, de gris devenus noirs. Leurs longues barbes, leurs cheveux courts, ruisselaient ; leurs visages étaient violets ; on les voyait grelotter, et leurs dents grinçaient de rage et de froid. Du reste, pas de mouvements possibles. Une fois rivé à cette chaîne, on n'est plus qu'une fraction de ce tout hideux qu'on appelle le cordon, et qui se meut comme un seul homme. L'intelligence doit abdiquer, le carcan du bagne la condamne à mort ; et quant à l'animal lui-même, il ne doit plus avoir de besoins et d'appétits qu'à heures fixes. Ainsi, immobiles, la plupart demi-nus, têtes découvertes et pieds pendants, ils commençaient leur voyage de vingt-cinq jours, chargés sur les mêmes charrettes, vêtus des mêmes vêtements pour le soleil à plomb de juillet et pour les froides pluies de novembre. On dirait que les hommes veulent mettre le ciel de moitié dans leur office de bourreaux.

Il s'était établi entre la foule et les charrettes je ne sais quel horrible dialogue : injures d'un côté, bravades de l'autre, imprécations des deux parts ; mais, à un signe du capitaine, je vis les coups de bâton pleuvoir au hasard dans les charrettes, sur les épaules ou sur les têtes, et tout rentra dans cette espèce de calme extérieur qu'on appelle l'*ordre*. Mais les yeux étaient pleins de vengeance, et les poings des misérables se crispaient sur leurs genoux.

Les cinq charrettes, escortées de gendarmes à cheval et d'argousins à pied, disparurent successivement sous la haute porte cintrée de Bicêtre ; une sixième les suivit, dans laquelle ballottaient pêle-mêle les chaudières, les gamelles de cuivre et les chaînes de rechange. Quelques gardes-chiourme qui s'étaient attardés à la cantine sortirent en courant pour rejoindre leur escouade. La foule s'écoula. Tout ce spectacle s'évanouit comme une fantasmagorie. On entendit s'affaiblir par degrés dans l'air le bruit lourd des roues et des pieds des chevaux sur la route pavée de Fontainebleau, le claquement des fouets, le cliquetis des chaînes, et les hurlements du peuple qui souhaitait malheur au voyage des galériens.

Et c'est là pour eux le commencement !

Que me disait-il donc, l'avocat ? Les galères ! Ah ! oui, plutôt mille fois la mort ! plutôt l'échafaud que le bagne, plutôt le néant que l'enfer ; plutôt livrer mon cou au couteau de Guillotin qu'au carcan de la chiourme ! Les galères, juste ciel !

XV

Malheureusement je n'étais pas malade. Le lendemain il fallut sortir de l'infirmerie. Le cachot me reprit.

Pas malade ! en effet, je suis jeune, sain et fort. Le sang coule librement dans mes veines ; tous mes membres obéissent à tous mes caprices ; je suis robuste de corps et d'esprit, constitué pour une longue vie ; oui, tout cela est vrai ; et cependant j'ai une maladie, une maladie mortelle, une maladie faite de la main des hommes.

Depuis que je suis sorti de l'infirmerie, il m'est venu une idée poignante, une idée à me rendre fou, c'est que j'aurais peut-être pu m'évader si l'on m'y avait laissé. Ces médecins, ces sœurs de charité, semblaient prendre intérêt à moi. Mourir si jeune et d'une telle mort ! On eût dit qu'ils me plaignaient, tant ils étaient empressés autour de mon chevet. Bah ! curiosité ! Et puis, ces gens qui guérissent vous guérissent bien d'une fièvre, mais non d'une sentence de mort. Et pourtant cela leur serait si facile ! une porte ouverte ! Qu'est-ce que cela leur ferait ?

Plus de chance maintenant ! mon pourvoi sera rejeté, parce que tout est en règle ; les témoins ont bien témoigné, les plaideurs ont bien plaidé, les juges ont bien jugé. Je n'y compte pas, à moins que... Non, folie ! plus d'espérance ! Le pourvoi, c'est une corde qui vous tient suspendu au-dessus de l'abîme, et qu'on entend craquer à chaque instant, jusqu'à ce qu'elle se casse. C'est comme si le couteau de la guillotine mettait six semaines à tomber.

Si j'avais ma grâce ? — Avoir ma grâce ! Et par qui ? et pourquoi ? et comment ? Il est impossible qu'on me fasse grâce. L'exemple ! comme ils disent.

Je n'ai plus que trois pas à faire : Bicêtre, la Conciergerie, la Grève.

XVI

Pendant le peu d'heures que j'ai passées à l'infirmerie, je m'étais assis près d'une fenêtre, au soleil, — il avait reparu — ou du moins recevant du soleil tout ce que les grilles de la croisée m'en laissaient.

J'étais là, ma tête pesante et embrasée dans mes deux mains, qui en avaient plus qu'elles n'en pouvaient porter, mes coudes sur mes genoux, les pieds sur les barreaux de ma chaise, car l'abattement fait que je me courbe et me replie sur moi-même comme si je n'avais plus ni os dans les membres ni muscles dans la chair.

L'odeur étouffée de la prison me suffoquait plus que jamais, j'avais encore dans l'oreille tout ce bruit de chaînes des galériens, j'éprouvais une grande lassitude de Bicêtre. Il me semblait que le bon Dieu devrait bien avoir pitié de moi et m'envoyer au moins un petit oiseau pour chanter là, en face, au bord du toit.

Je ne sais si ce fut le bon Dieu ou le démon qui

m'exauça ; mais presque au même moment j'entendis s'élever sous ma fenêtre une voix, non celle d'un oiseau, mais bien mieux : la voix pure, fraîche, veloutée d'une jeune fille de quinze ans. Je levai la tête comme en sursaut, j'écoutai avidement la chanson qu'elle chantait. C'était un air lent et langoureux, une espèce de roucoulement triste et lamentable [1] ; voici les paroles :

C'est dans la rue du Mail
Où j'ai été coltigé,
Maluré,
Par trois coquins de railles,
Lirlonfa malurette,
Sur mes sique' ont foncé,
Lirlonfa maluré.

Je ne saurais dire combien fut amer mon désappointement. La voix continua :

Sur mes sique' ont foncé,
Maluré.
Ils m'ont mis la tartouve,
Lirlonfa malurette,
Grand Meudon est aboulé,
Lirlonfa maluré.
Dans mon trimin rencontre
Lirlonfa malurette,
Un peigre du quartier,
Lirlonfa maluré.

Un peigre du quartier.
Maluré.
— Va-t'en dire à ma largue,

1. Sur l'histoire et la valeur des chansons de prison, le meilleur commentaire est celui de Hugo dans *Les Misérables*, IV, 7, 3 ; t. 3, 22 et suivants.

Lirlonfa malurette,
Que je suis enfourraillé,
Lirlonfa maluré.
Ma largue tout en colère,
Lirlonfa malurette,

M'dit : Qu'as-tu donc morfillé ?
Lirlonfa maluré.

M'dit : Qu'as-tu donc morfillé ?
Maluré.
— J'ai fait suer un chêne,
Lirlonfa malurette,
Son auberg j'ai enganté,
Lirlonfa maluré,
Son auberg et sa toquante,
Lirlonfa malurette,
Et ses attach's de cés,
Lirlonfa maluré.

Et ses attach's de cés,
Maluré. —
Ma largu' part pour Versailles,
Lirlonfa malurette,
Aux pieds d'sa majesté,
Lirlonfa maluré.
Elle lui fonce un babillard,
Lirlonfa malurette,
Pour m'faire défourrailler,
Lirlonfa maluré.

Pour m'faire défourrailler,
Maluré.
— Ah ! si j'en défourraille,
Lirlonfa malurette,
Ma largue j'entiferai,
Lirlonfa maluré.
J'li ferai porter fontange,
Lirlonfa malurette,

Et souliers galuchés,
Lirlonfa maluré.

Et souliers galuchés,
Maluré.
Mais grand dabe qui s'fâche,
Lirlonfa malurette,
Dit : — Par mon caloquet,
Lirlonfa maluré,
J'li ferai danser une danse,
Lirlonfa malurette,
Où il n'y a pas de plancher,
Lirlonfa maluré. —

Je n'en ai pas entendu et n'aurais pu en entendre davantage. Le sens à demi compris et à demi caché de cette horrible complainte, cette lutte du brigand avec le guet, ce voleur qu'il rencontre et qu'il dépêche à sa femme, cet épouvantable message : J'ai assassiné un homme et je suis arrêté, *j'ai fait suer un chêne et je suis enfourraillé ;* cette femme qui court à Versailles avec un placet, et cette *Majesté* qui s'indigne et menace le coupable de lui faire danser *la danse où il n'y a pas de plancher ;* et tout cela chanté sur l'air le plus doux et par la plus douce voix qui ait jamais endormi l'oreille humaine !... J'en suis resté navré, glacé, anéanti. C'était une chose repoussante que toutes ces monstrueuses paroles sortant de cette bouche vermeille et fraîche. On eût dit la bave d'une limace sur une rose [1].

Je ne saurais rendre ce que j'éprouvais ; j'étais à la fois blessé et caressé. Le patois de la caverne et du bagne, cette langue ensanglantée et grotesque, ce hideux argot marié à une voix de jeune fille, gracieuse transition de la voix d'enfant à la voix de

1. Ce qui définit à peu près l'effet du fac-similé de la même chanson.

femme ! tous ces mots difformes et mal faits, chantés, cadencés, perlés !

Ah ! qu'une prison est quelque chose d'infâme ! il y a un venin qui y salit tout. Tout s'y flétrit, même la chanson d'une fille de quinze ans ! Vous y trouvez un oiseau, il a de la boue sur son aile ; vous y cueillez une jolie fleur, vous la respirez : elle pue [1].

XVII

Oh ! si je m'évadais, comme je courrais à travers champs !

Non, il ne faudrait pas courir. Cela fait regarder et soupçonner. Au contraire, marcher lentement, tête levée, en chantant. Tâcher d'avoir quelque vieux sarrau bleu à dessins rouges. Cela déguise bien. Tous les maraîchers des environs en portent.

Je sais auprès d'Arcueil un fourré d'arbres à côté d'un marais, où, étant au collège, je venais avec mes camarades pêcher des grenouilles tous les jeudis. C'est là que je me cacherais jusqu'au soir.

La nuit tombée, je reprendrais ma course. J'irais à Vincennes. Non, la rivière m'empêcherait. J'irais à Arpajon. — Il aurait mieux valu prendre du côté de Saint-Germain, et aller au Havre, et m'embarquer pour l'Angleterre. — N'importe ! j'arrive à Longjumeau. Un gendarme passe ; il me demande mon passeport... Je suis perdu !

Ah ! malheureux rêveur, brise donc d'abord le mur épais de trois pieds qui t'emprisonne ! La mort ! la mort [2] !

1. Reprise du motif de la fleur initiale — II, 65 —, réunie en bouquets à l'avant-dernier chapitre, 146. La dénaturation des choses était visuelle en II, 67 ; elle est ici olfactive, gustative en XXX, 121. Et morale lorsque le condamné dit que la mort rend méchant.

2. Ce motif, déjà esquissé en XV, 91, est repris en XXI, 99 et XXXII, 124 et suiv.

Quand je pense que je suis venu tout enfant, ici, à Bicêtre, voir le grand puits et les fous !

XVIII

Pendant que j'écrivais tout ceci [1], ma lampe a pâli, le jour est venu, l'horloge de la chapelle a sonné six heures. —

Qu'est-ce que cela veut dire ? Le guichetier de garde vient d'entrer dans mon cachot, il a ôté sa casquette, m'a salué, s'est excusé de me déranger, et m'a demandé, en adoucissant de son mieux sa rude voix, ce que je désirais à déjeuner ?...

Il m'a pris un frisson. — Est-ce que ce serait pour aujourd'hui ?

XIX

C'est pour aujourd'hui !

Le directeur de la prison lui-même vient de me rendre visite. Il m'a demandé en quoi il pourrait m'être agréable ou utile, a exprimé le désir que je n'eusse pas à me plaindre de lui ou de ses subordonnés, s'est informé avec intérêt de ma santé et de la façon dont j'avais passé la nuit ; en me quittant, il m'a appelé *monsieur !*

C'est pour aujourd'hui !

1. C'est-à-dire au moins tout ce qui précède depuis l'ouverture du chapitre XI : « Puisque le jour ne paraît pas encore, que faire de la nuit ? » Mais, plus probablement tout le texte depuis le début, ainsi que le suggère le chapitre VIII (voir note 1, p. 75). Dans ce cas, la rédaction du livre par le condamné occuperait quelque vingt-quatre heures — dont une nuit blanche, justifiant pleinement son titre.

XX

Il ne croit pas, ce geôlier, que j'aie à me plaindre de lui et de ses sous-geôliers. Il a raison. Ce serait mal à moi de me plaindre ; ils ont fait leur métier, ils m'ont bien gardé ; et puis ils ont été polis à l'arrivée et au départ. Ne dois-je pas être content ?

Ce bon geôlier, avec son sourire bénin, ses paroles caressantes, son œil qui flatte et qui espionne, ses grosses et larges mains, c'est la prison incarnée, c'est Bicêtre qui s'est fait homme. Tout est prison autour de moi ; je retrouve la prison sous toutes les formes, sous la forme humaine comme sous la forme de grille ou de verrou. Ce mur, c'est de la prison en pierre ; cette porte, c'est de la prison en bois ; ces guichetiers, c'est de la prison en chair et en os. La prison est une espèce d'être horrible, complet, indivisible, moitié maison, moitié homme. Je suis sa proie ; elle me couve, elle m'enlace de tous ses replis. Elle m'enferme dans ses murailles de granit, me cadenasse sous ses serrures de fer, et me surveille avec ses yeux de geôlier.

Ah ! misérable ! que vais-je devenir ? qu'est-ce qu'ils vont faire de moi ?

XXI

Je suis calme maintenant. Tout est fini, bien fini. Je suis sorti de l'horrible anxiété où m'avait jeté la visite du directeur. Car, je l'avoue, j'espérais encore. — Maintenant, Dieu merci, je n'espère plus.

Voici ce qui vient de se passer :

Au moment où six heures et demie sonnaient, — non, c'était l'avant-quart, — la porte de mon cachot s'est rouverte. Un vieillard à tête blanche, vêtu d'une redingote brune, est entré. Il a entr'ouvert sa redingote. J'ai vu une soutane, un rabat. C'était un prêtre.

Ce prêtre n'était pas l'aumônier de la prison. Cela était sinistre.

Il s'est assis en face de moi avec un sourire bienveillant ; puis a secoué la tête et levé les yeux au ciel, c'est-à-dire à la voûte du cachot. Je l'ai compris.

— Mon fils, m'a-t-il dit, êtes-vous préparé ?

Je lui ai répondu d'une voix faible :

— Je ne suis pas préparé, mais je suis prêt.

Cependant ma vue s'est troublée, une sueur glacée est sortie à la fois de tous mes membres, j'ai senti mes tempes se gonfler, et j'avais les oreilles pleines de bourdonnements.

Pendant que je vacillais sur ma chaise comme endormi, le bon vieillard parlait. C'est du moins ce qu'il m'a semblé, et je crois me souvenir que j'ai vu ses lèvres remuer, ses mains s'agiter, ses yeux reluire.

La porte s'est rouverte une seconde fois. Le bruit des verrous nous a arrachés, moi à ma stupeur, lui à son discours. Une espèce de monsieur en habit noir, accompagné du directeur de la prison, s'est présenté, et m'a salué profondément. Cet homme avait sur le visage quelque chose de la tristesse officielle des employés des pompes funèbres. Il tenait un rouleau de papier à la main.

— Monsieur, m'a-t-il dit avec un sourire de courtoisie, je suis huissier près la cour royale de Paris. J'ai l'honneur de vous apporter un message de la part de monsieur le procureur général.

La première secousse était passée. Toute ma présence d'esprit m'était revenue.

— C'est monsieur le procureur général, lui ai-je

répondu, qui a demandé si instamment ma tête ? Bien de l'honneur pour moi qu'il m'écrive. J'espère que ma mort lui va faire grand plaisir ? car il me serait dur de penser qu'il l'a sollicitée avec tant d'ardeur et qu'elle lui était indifférente.

J'ai dit tout cela, et j'ai repris d'une voix ferme :

— Lisez, monsieur !

Il s'est mis à me lire un long texte, en chantant à la fin de chaque ligne et en hésitant au milieu de chaque mot. C'était le rejet de mon pourvoi.

— L'arrêt sera exécuté aujourd'hui en place de Grève, a-t-il ajouté quand il a eu terminé, sans lever les yeux de dessus son papier timbré. Nous partons à sept heures et demie précises pour la Conciergerie. Mon cher monsieur, aurez-vous l'extrême bonté de me suivre ?

Depuis quelques instants je ne l'écoutais plus. Le directeur causait avec le prêtre ; lui, avait l'œil fixé sur son papier ; je regardais la porte, qui était restée entr'ouverte... — Ah ! misérable ! quatre fusiliers dans le corridor !

L'huissier a répété sa question, en me regardant cette fois.

— Quand vous voudrez, lui ai-je répondu. A votre aise !

Il m'a salué en disant :

— J'aurai l'honneur de venir vous chercher dans une demi-heure.

Alors ils m'ont laissé seul.

Un moyen de fuir, mon Dieu ! un moyen quelconque ! Il faut que je m'évade ! il le faut ! sur-le-champ ! par les portes, par les fenêtres, par la charpente du toit ! quand même je devrais laisser de ma chair après les poutres !

Ô rage ! démons ! malédiction ! Il faudrait des mois pour percer ce mur avec de bons outils, et je n'ai ni un clou, ni une heure !

XXII

De la Conciergerie.

Me voici *transféré*, comme dit le procès-verbal.

Mais le voyage vaut la peine d'être conté.

Sept heures et demie sonnaient lorsque l'huissier s'est présenté de nouveau au seuil de mon cachot. — Monsieur, m'a-t-il dit, je vous attends. — Hélas ! lui et d'autres !

Je me suis levé, j'ai fait un pas ; il m'a semblé que je n'en pourrais faire un second, tant ma tête était lourde et mes jambes faibles. Cependant je me suis remis et j'ai continué d'une allure assez ferme. Avant de sortir du cabanon, j'y ai promené un dernier coup d'œil. — Je l'aimais, mon cachot. — Puis, je l'ai laissé vide et ouvert ; ce qui donne à un cachot un air singulier.

Au reste, il ne le sera pas longtemps. Ce soir on y attend quelqu'un, disaient les porte-clefs, un condamné que la cour d'assises est en train de faire à l'heure qu'il est [1].

Au détour du corridor, l'aumônier nous a rejoints. Il venait de déjeuner.

Au sortir de la geôle, le directeur m'a pris affectueusement la main, et a renforcé mon escorte de quatre vétérans.

Devant la porte de l'infirmerie, un vieillard moribond m'a crié : Au revoir !

Nous sommes arrivés dans la cour. J'ai respiré ; cela m'a fait du bien.

Nous n'avons pas marché longtemps à l'air. Une voiture attelée de chevaux de poste stationnait dans la première cour ; c'est la même voiture qui m'avait amené ; une espèce de cabriolet oblong, divisé en deux sections par une grille transversale de fil de fer

1. Il sera là au chapitre suivant.

si épaisse qu'on la dirait tricotée. Les deux sections ont chacune une porte, l'une devant, l'autre derrière la carriole. Le tout si sale, si noir, si poudreux, que le corbillard des pauvres est un carrosse du sacre en comparaison.

Avant de m'ensevelir dans cette tombe à deux roues, j'ai jeté un regard dans la cour, un de ces regards désespérés devant lesquels il semble que les murs devraient crouler. La cour, espèce de petite place plantée d'arbres, était plus encombrée encore de spectateurs que pour les galériens. Déjà la foule !

Comme le jour du départ de la chaîne, il tombait une pluie de la saison, une pluie fine et glacée qui tombe encore à l'heure où j'écris, qui tombera sans doute toute la journée, qui durera plus que moi [1].

Les chemins étaient effondrés, la cour pleine de fange et d'eau. J'ai eu plaisir à voir cette foule dans cette boue.

Nous sommes montés, l'huissier et un gendarme, dans le compartiment de devant ; le prêtre, moi et un gendarme dans l'autre. Quatre gendarmes à cheval autour de la voiture. Ainsi, sans le postillon, huit hommes pour un homme.

Pendant que je montais, il y avait une vieille aux yeux gris qui disait : — J'aime encore mieux cela que la chaîne.

Je conçois. C'est un spectacle qu'on embrasse plus aisément d'un coup d'œil, c'est plus tôt vu. C'est tout aussi beau et plus commode. Rien ne vous distrait. Il n'y a qu'un homme, et sur cet homme seul autant de misère que sur tous les forçats à la fois. Seulement cela est moins éparpillé ; c'est une liqueur concentrée, bien plus savoureuse.

La voiture s'est ébranlée. Elle a fait un bruit sourd en passant sous la voûte de la grande porte, puis a débouché dans l'avenue, et les lourds battants de

1. Effectivement : voir XLVIII, 146 et XLIX, 149.

Bicêtre se sont refermés derrière elle. Je me sentais emporter avec stupeur, comme un homme tombé en léthargie qui ne peut ni remuer ni crier et qui entend qu'on l'enterre. J'écoutais vaguement les paquets de sonnettes pendus au cou des chevaux de poste sonner en cadence et comme par hoquets, les roues ferrées bruire sur le pavé ou cogner la caisse en changeant d'ornière, le galop sonore des gendarmes autour de la carriole, le fouet claquant du postillon. Tout cela me semblait comme un tourbillon qui m'emportait.

A travers le grillage d'un judas percé en face de moi, mes yeux s'étaient fixés machinalement sur l'inscription gravée en grosses lettres au-dessus de la grande porte de Bicêtre : HOSPICE DE LA VIEILLESSE.

— Tiens, me disais-je, il paraît qu'il y a des gens qui vieillissent, là.

Et, comme on fait entre la veille et le sommeil, je retournais cette idée en tous sens dans mon esprit engourdi de douleur. Tout à coup la carriole, en passant de l'avenue dans la grande route, a changé le point de vue de la lucarne. Les tours de Notre-Dame sont venues s'y encadrer, bleues et à demi effacées dans la brume de Paris. Sur-le-champ le point de vue de mon esprit a changé aussi. J'étais devenu machine comme la voiture. A l'idée de Bicêtre a succédé l'idée des tours de Notre-Dame. — Ceux qui seront sur la tour où est le drapeau verront bien, me suis-je dit en souriant stupidement [1].

Je crois que c'est à ce moment-là que le prêtre s'est remis à me parler. Je l'ai laissé dire patiemment. J'avais déjà dans l'oreille le bruit des roues, le galop

1. Ainsi la peine de mort fait-elle de l'édifice religieux et national — Napoléon y a été sacré — un point de vue commode sur le blasphème et la régression du peuple en foule. A cette notation répond celle du chapitre XLVIII, 148 et tout le chapitre XXXVI. Au moment où il écrit *Le Dernier Jour*, Hugo a déjà commencé son travail pour *Notre-Dame de Paris*.

des chevaux, le fouet du postillon. C'était un bruit de plus.

J'écoutais en silence cette chute de paroles monotones qui assoupissaient ma pensée comme le murmure d'une fontaine, et qui passaient devant moi, toujours diverses et toujours les mêmes, comme les ormeaux tortus de la grande route, lorsque la voix brève et saccadée de l'huissier, placé sur le devant, est venue subitement me secouer.

— Eh bien ! monsieur l'abbé, disait-il avec un accent presque gai, qu'est-ce que vous savez de nouveau ?

C'est vers le prêtre qu'il se retournait en parlant ainsi.

L'aumônier, qui me parlait sans relâche, et que la voiture assourdissait, n'a pas répondu.

— Hé ! hé ! a repris l'huissier en haussant la voix pour avoir le dessus sur le bruit des roues ; infernale voiture !

Infernale ! En effet.

Il a continué :

— Sans doute, c'est le cahot ; on ne s'entend pas. Qu'est-ce que je voulais donc dire ? Faites-moi le plaisir de m'apprendre ce que je voulais dire, monsieur l'abbé ? — Ah ! savez-vous la grande nouvelle de Paris, aujourd'hui ?

J'ai tressailli, comme s'il parlait de moi.

— Non, a dit le prêtre, qui avait enfin entendu, je n'ai pas eu le temps de lire les journaux ce matin. Je verrai cela ce soir. Quand je suis occupé comme cela toute la journée, je recommande au portier de me garder mes journaux, et je les lis en rentrant.

— Bah ! a repris l'huissier, il est impossible que vous ne sachiez pas cela. La nouvelle de Paris ! la nouvelle de ce matin !

J'ai pris la parole : — Je crois la savoir.

L'huissier m'a regardé.

— Vous ! vraiment ! En ce cas, qu'en dites-vous ?

— Vous êtes curieux ! lui ai-je dit.

— Pourquoi, monsieur ? a répliqué l'huissier. Chacun a son opinion politique. Je vous estime trop pour croire que vous n'avez pas la vôtre. Quant à moi, je suis tout à fait d'avis du rétablissement de la garde nationale [1]. J'étais sergent de ma compagnie, et, ma foi, c'était fort agréable.

Je l'ai interrompu.

— Je ne croyais pas que ce fût de cela qu'il s'agissait.

— Et de quoi donc ? vous disiez savoir la nouvelle...

— Je parlais d'une autre, dont Paris s'occupe aussi aujourd'hui.

L'imbécile n'a pas compris ; sa curiosité s'est éveillée.

— Une autre nouvelle ? Où diable avez-vous pu apprendre des nouvelles ? Laquelle, de grâce, mon cher monsieur ? Savez-vous ce que c'est, monsieur l'abbé ? êtes-vous plus au courant que moi ? Mettez-moi au fait, je vous prie. De quoi s'agit-il ? — Voyez-vous, j'aime les nouvelles. Je les conte à monsieur le président, et cela l'amuse.

Et mille billevesées. Il se tournait tour à tour vers le prêtre et vers moi, et je ne répondais qu'en haussant les épaules.

— Eh bien ! m'a-t-il dit, à quoi pensez-vous donc ?

— Je pense, ai-je répondu, que je ne penserai plus ce soir.

— Ah ! c'est cela ! a-t-il répliqué. Allons, vous êtes trop triste ! M. Castaing causait.

Puis, après un silence :

— J'ai conduit M. Papavoine ; il avait sa casquette

1. Sur cette nouvelle, voir les « Commentaires », p. 268. La garde nationale, milice bourgeoise, avait été dissoute en avril 1827 ; son rétablissement est discuté par la Chambre le 14 juillet 1828.

de loutre et fumait son cigare. Quant aux jeunes gens de La Rochelle, ils ne parlaient qu'entre eux. Mais ils parlaient.

Il a fait encore une pause, et a poursuivi :

— Des fous ! des enthousiastes ! Ils avaient l'air de mépriser tout le monde. Pour ce qui est de vous, je vous trouve vraiment bien pensif, jeune homme.

— Jeune homme ! lui ai-je dit, je suis plus vieux que vous ; chaque quart d'heure qui s'écoule me vieillit d'une année.

Il s'est retourné, m'a regardé quelques minutes avec un étonnement inepte, puis s'est mis à ricaner lourdement.

— Allons, vous voulez rire, plus vieux que moi ! je serais votre grand-père.

— Je ne veux pas rire, lui ai-je répondu gravement.

Il a ouvert sa tabatière.

— Tenez, cher monsieur, ne vous fâchez pas ; une prise de tabac, et ne me gardez pas rancune.

— N'ayez pas peur ; je n'aurai pas longtemps à vous la garder.

En ce moment sa tabatière, qu'il me tendait, a rencontré le grillage qui nous séparait. Un cahot a fait qu'elle l'a heurté assez violemment et est tombée toute ouverte sous les pieds du gendarme.

— Maudit grillage ! s'est écrié l'huissier.

Il s'est tourné vers moi.

— Eh bien ! ne suis-je pas malheureux ? tout mon tabac est perdu !

— Je perds plus que vous, ai-je répondu en souriant.

Il a essayé de ramasser son tabac, en grommelant entre ses dents :

— Plus que moi ! cela est facile à dire. Pas de tabac jusqu'à Paris ! c'est terrible !

L'aumônier alors lui a adressé quelques paroles de consolation, et je ne sais si j'étais préoccupé, mais il m'a semblé que c'était la suite de l'exhortation dont j'avais eu le commencement. Peu à peu la conversation s'est engagée entre le prêtre et l'huissier ; je les ai laissés parler de leur côté, et je me suis mis à penser du mien.

En abordant la barrière, j'étais toujours préoccupé sans doute, mais Paris m'a paru faire un plus grand bruit qu'à l'ordinaire.

La voiture s'est arrêtée un moment devant l'octroi. Les douaniers de ville l'ont inspectée. Si c'eût été un mouton ou un bœuf qu'on eût mené à la boucherie, il aurait fallu leur jeter une bourse d'argent ; mais une tête humaine ne paie pas de droit. Nous avons passé.

Le boulevard franchi, la carriole s'est enfoncée au grand trot dans ces vieilles rues tortueuses du faubourg Saint-Marceau et de la Cité, qui serpentent et s'entrecoupent comme les mille chemins d'une fourmilière. Sur le pavé de ces rues étroites le roulement de la voiture est devenu si bruyant et si rapide, que je n'entendais plus rien du bruit extérieur. Quand je jetais les yeux par la petite lucarne carrée, il me semblait que le flot des passants s'arrêtait pour regarder la voiture, et que des bandes d'enfants couraient sur sa trace. Il m'a semblé aussi voir de temps en temps dans les carrefours çà et là un homme ou une vieille en haillons, quelquefois les deux ensemble, tenant en main une liasse de feuilles imprimées que les passants se disputaient, en ouvrant la bouche comme pour un grand cri [1].

Huit heures et demie sonnaient à l'horloge du Palais au moment où nous sommes arrivés dans la cour de la Conciergerie. La vue de ce grand escalier, de cette noire chapelle, de ces guichets sinistres, m'a

1. Ce sont les feuilles annonçant l'exécution qui se vendaient ainsi. Au chapitre XLIII, la petite fille du condamné en lira une, sans un cri.

glacé. Quand la voiture s'est arrêtée, j'ai cru que les battements de mon cœur allaient s'arrêter aussi.

J'ai recueilli mes forces ; la porte s'est ouverte avec la rapidité de l'éclair ; j'ai sauté à bas du cachot roulant, et je me suis enfoncé à grands pas sous la voûte entre deux haies de soldats. Il s'était déjà formé une foule sur mon passage.

XXIII

Tant que j'ai marché dans les galeries publiques du Palais de Justice, je me suis senti presque libre et à l'aise ; mais toute ma résolution m'a abandonné quand on a ouvert devant moi des portes basses, des escaliers secrets, des couloirs intérieurs, de longs corridors étouffés et sourds, où il n'entre que ceux qui condamnent ou ceux qui sont condamnés.

L'huissier m'accompagnait toujours. Le prêtre m'avait quitté pour revenir dans deux heures : il avait ses affaires.

On m'a conduit au cabinet du directeur, entre les mains duquel l'huissier m'a remis. C'était un échange. Le directeur l'a prié d'attendre un instant, lui annonçant qu'il allait avoir du *gibier* à lui remettre, afin qu'il le conduisît sur-le-champ à Bicêtre par le retour de la carriole. Sans doute le condamné d'aujourd'hui, celui qui doit coucher ce soir sur la botte de paille que je n'ai pas eu le temps d'user.

— C'est bon, a dit l'huissier au directeur, je vais attendre un moment ; nous ferons les deux procès-verbaux à la fois, cela s'arrange bien.

En attendant, on m'a déposé dans un petit cabinet attenant à celui du directeur. Là, on m'a laissé seul, bien verrouillé.

Je ne sais à quoi je pensais, ni depuis combien de

temps j'étais là, quand un brusque et violent éclat de rire à mon oreille m'a réveillé de ma rêverie.

J'ai levé les yeux en tressaillant. Je n'étais plus seul dans la cellule. Un homme s'y trouvait avec moi, un homme d'environ cinquante-cinq ans, de moyenne taille ; ridé, voûté, grisonnant ; à membres trapus ; avec un regard louche dans des yeux gris, un rire amer sur le visage ; sale, en guenilles, demi-nu, repoussant à voir [1].

Il paraît que la porte s'était ouverte, l'avait vomi, puis s'était refermée sans que je m'en fusse aperçu. Si la mort pouvait venir ainsi !

Nous nous sommes regardés quelques secondes fixement, l'homme et moi ; lui, prolongeant son rire qui ressemblait à un râle ; moi, demi-étonné, demi-effrayé.

— Qui êtes-vous ? lui ai-je dit enfin.

— Drôle de demande ! a-t-il répondu. Un friauche.

— Un friauche ! Qu'est-ce que cela veut dire ?

Cette question a redoublé sa gaieté.

— Cela veut dire, s'est-il écrié au milieu d'un éclat de rire, que le taule jouera au panier avec ma sorbonne dans six semaines, comme il va faire avec ta tronche dans six heures. — Ha ! ha ! il paraît que tu comprends maintenant.

En effet, j'étais pâle, et mes cheveux se dressaient. C'était l'autre condamné, le condamné du jour, celui qu'on attendait à Bicêtre, mon héritier.

Il a continué :

— Que veux-tu ? voilà mon histoire à moi. Je suis

1. On comparera, vol de pain compris, le destin de ce personnage à celui du Jean Valjean des *Misérables* bien sûr, mais aussi à ceux de Champmathieu, de Gavroche et de Montparnasse. Il individualise, autant qu'ils peuvent l'être, les forçats des chapitres XIII et XIV. Sur sa valeur, voir les « Commentaires », pp. 262-263. L'annotation du texte (pages suivantes) authentifie celle de la chanson et manifeste l'irréductibilité de cet autre monde à celui du condamné — et de la littérature.

fils d'un bon peigre ; c'est dommage que Charlot*[a] ait pris la peine un jour de lui attacher sa cravate. C'était quand régnait la potence, par la grâce de Dieu. A six ans, je n'avais plus ni père ni mère ; l'été, je faisais la roue dans la poussière au bord des routes, pour qu'on me jetât un sou par la portière des chaises de poste ; l'hiver, j'allais pieds nus dans la boue en soufflant dans mes doigts tout rouges ; on voyait mes cuisses à travers mon pantalon. A neuf ans, j'ai commencé à me servir de mes louches*[b], de temps en temps je vidais une fouillouse*[c], je filais une pelure*[d] ; à dix ans, j'étais un marlou*[e]. Puis j'ai fait des connaissances ; à dix-sept, j'étais un grinche*[f]. Je forçais une boutanche, je faussais une tournante*[g]. On m'a pris. J'avais l'âge, on m'a envoyé ramer dans la petite marine**[a]. Le bagne, c'est dur ; coucher sur une planche, boire de l'eau claire, manger du pain noir, traîner un imbécile de boulet qui ne sert à rien ; des coups de bâton et des coups de soleil. Avec cela on est tondu, et moi qui avais de beaux cheveux châtains ! N'importe !... j'ai fait mon temps. Quinze ans, cela s'arrache ! J'avais trente-deux ans. Un beau matin on me donna une feuille de route et soixante-six francs que je m'étais amassés dans mes quinze ans de galères, en travaillant seize heures par jour, trente jours par mois, et douze mois par année. C'est égal, je voulais être honnête homme avec mes soixante-six francs, et j'avais de plus beaux sentiments sous mes guenilles qu'il n'y en a sous une serpillière de ratichon**[b]. Mais que les diables soient avec le passeport ! il était jaune, et on avait écrit dessus *forçat libéré*. Il fallait montrer cela partout où je passais et le présenter tous les huit jours au maire du village où l'on me forçait de tapiquer**[c]. La belle

* a Le bourreau. b Mes mains. c Une poche. d Je volais un manteau. e Un filou. f Un voleur. g Je forçais une boutique, je faussais une clef.

** a Aux galères. b Une soutane d'abbé. c Habiter.

recommandation ! un galérien ! Je faisais peur, et les petits enfants se sauvaient, et l'on fermait les portes. Personne ne voulait me donner d'ouvrage. Je mangeai mes soixante-six francs. Et puis, il fallut vivre. Je montrai mes bras bons au travail, on ferma les portes. J'offris ma journée pour quinze sous, pour dix sous, pour cinq sous. Point. Que faire ? Un jour, j'avais faim. Je donnai un coup de coude dans le carreau d'un boulanger ; j'empoignai un pain, et le boulanger m'empoigna ; je ne mangeai pas le pain, et j'eus les galères à perpétuité, avec trois lettres de feu sur l'épaule. — Je te montrerai, si tu veux. — On appelle cette justice-là *la récidive*. Me voilà donc cheval de retour*[a]. On me remit à Toulon ; cette fois avec les bonnets verts*[b]. Il fallait m'évader. Pour cela, je n'avais que trois murs à percer, deux chaînes à couper, et j'avais un clou. Je m'évadai. On tira le canon d'alerte ; car, nous autres, nous sommes, comme les cardinaux de Rome, habillés de rouge, et on tire le canon quand nous partons. Leur poudre alla aux moineaux. Cette fois, pas de passeport jaune, mais pas d'argent non plus. Je rencontrai des camarades qui avaient aussi fait leur temps ou cassé leur ficelle. Leur coire*[c] me proposa d'être des leurs, on faisait la grande soulasse sur le trimar*[d]. J'acceptai, et je me mis à tuer pour vivre. C'était tantôt une diligence, tantôt une chaise de poste, tantôt un marchand de bœufs à cheval. On prenait l'argent, on laissait aller au hasard la bête ou la voiture, et l'on enterrait l'homme sous un arbre, en ayant soin que les pieds ne sortissent pas ; et puis on dansait sur la fosse, pour que la terre ne parût pas fraîchement remuée. J'ai vieilli comme cela, gîtant dans les broussailles, dormant aux belles étoiles, traqué de

* a Ramené au bagne. b Les condamnés à perpétuité. c Leur chef. d On assassinait sur les grands chemins.

bois en bois, mais du moins libre et à moi. Tout a une fin, et autant celle-là qu'une autre. Les marchands de lacets*[a], une belle nuit, nous ont pris au collet. Mes fanandels*[b] se sont sauvés ; mais moi, le plus vieux, je suis resté sous la griffe de ces chats à chapeaux galonnés. On m'a amené ici. J'avais déjà passé par tous les échelons de l'échelle, excepté un. Avoir volé un mouchoir ou tué un homme, c'était tout un pour moi désormais ; il y avait encore une récidive à m'appliquer. Je n'avais plus qu'à passer par le faucheur**[a]. Mon affaire a été courte. Ma foi, je commençais à vieillir et à n'être plus bon à rien. Mon père a épousé la veuve**[b], moi je me retire à l'abbaye de Mont'-à-Regret**[c]. — Voilà, camarade.

J'étais resté stupide en l'écoutant. Il s'est remis à rire plus haut encore qu'en commençant, et a voulu me prendre la main. J'ai reculé avec horreur.

— L'ami, m'a-t-il dit, tu n'as pas l'air brave. Ne va pas faire le sinvre devant la carline**[d]. Vois-tu, il y a un mauvais moment à passer sur la placarde**[e] ; mais cela est sitôt fait ! Je voudrais être là pour te montrer la culbute. Mille dieux ! j'ai envie de ne pas me pourvoir, si l'on veut me faucher aujourd'hui avec toi. Le même prêtre nous servira à tous deux ; ça m'est égal d'avoir tes restes. Tu vois que je suis un bon garçon. Hein ! dis, veux-tu ? d'amitié !

Il a encore fait un pas pour s'approcher de moi.

— Monsieur, lui ai-je répondu en le repoussant, je vous remercie.

Nouveaux éclats de rire à ma réponse.

— Ah ! ah ! monsieur, vousailles**[f] êtes un marquis ! c'est un marquis !

Je l'ai interrompu :

* a Les gendarmes. b Camarades.

** a Le bourreau. b A été pendu. c La guillotine. d Le poltron devant la mort. e Place de Grève. f Vous.

— Mon ami, j'ai besoin de me recueillir, laissez-moi.

La gravité de ma parole l'a rendu pensif tout à coup. Il a remué sa tête grise et presque chauve ; puis, creusant avec ses ongles sa poitrine velue, qui s'offrait nue sous sa chemise ouverte :

— Je comprends, a-t-il murmuré entre ses dents ; au fait, le sanglier*[a] !...

Puis, après quelques minutes de silence :

— Tenez, m'a-t-il dit presque timidement, vous êtes un marquis, c'est fort bien ; mais vous avez là une belle redingote qui ne vous servira plus à grand'chose ! le taule la prendra. Donnez-la-moi, je la vendrai pour avoir du tabac.

J'ai ôté ma redingote et je la lui ai donnée. Il s'est mis à battre des mains avec une joie d'enfant. Puis, voyant que j'étais en chemise et que je grelottais :

— Vous avez froid, monsieur, mettez ceci ; il pleut, et vous seriez mouillé ; et puis il faut être décemment sur la charrette.

En parlant ainsi, il ôtait sa grosse veste de laine grise et la passait dans mes bras. Je le laissais faire.

Alors j'ai été m'appuyer contre le mur, et je ne saurais dire quel effet me faisait cet homme. Il s'était mis à examiner la redingote que je lui avais donnée, et poussait à chaque instant des cris de joie.

— Les poches sont toutes neuves ! le collet n'est pas usé ! — j'en aurai au moins quinze francs [1]. — Quel bonheur ! du tabac pour mes six semaines !

La porte s'est rouverte. On venait nous chercher tous deux ; moi, pour me conduire à la chambre où

* a Le prêtre.

1. Le salaire d'un ouvrier est alors de 1 à 5 F par jour. Durant tout le XIXe siècle, la redingote est le vêtement des bourgeois, par opposition aux blouses du peuple. Cet échange aboutit à mettre sur la charrette un condamné « normalement » vêtu. Il s'apprécie par comparaison avec celui offert au gendarme du chapitre XXXII.

les condamnés attendent l'heure ; lui, pour le mener à Bicêtre. Il s'est placé en riant au milieu du piquet qui devait l'emmener, et il disait aux gendarmes :

— Ah çà ! ne vous trompez pas ; nous avons changé de pelure, monsieur et moi ; mais ne me prenez pas à sa place. Diable ! cela ne m'arrangerait pas, maintenant que j'ai de quoi avoir du tabac !

XXIV

Ce vieux scélérat, il m'a pris ma redingote, car je ne la lui ai pas donnée, et puis il m'a laissé cette guenille, sa veste infâme. De qui vais-je avoir l'air ?

Je ne lui ai pas laissé prendre ma redingote par insouciance ou par charité. Non ; mais parce qu'il était plus fort que moi. Si j'avais refusé, il m'aurait battu avec ses gros poings.

Ah bien oui, charité ! j'étais plein de mauvais sentiments. J'aurais voulu pouvoir l'étrangler de mes mains, le vieux voleur ! pouvoir le piler sous mes pieds !

Je me sens le cœur plein de rage et d'amertume. Je crois que la poche au fiel a crevé. La mort rend méchant.

XXV

Ils m'ont amené dans une cellule où il n'y a que les quatre murs, avec beaucoup de barreaux à la fenêtre et beaucoup de verrous à la porte, cela va sans dire.

J'ai demandé une table, une chaise, et ce qu'il faut pour écrire. On m'a apporté tout cela.

Puis j'ai demandé un lit. Le guichetier m'a regardé de ce regard étonné qui semble dire : — A quoi bon ?

Cependant ils ont dressé un lit de sangle dans le coin. Mais en même temps un gendarme est venu s'installer dans ce qu'ils appellent *ma chambre*. Est-ce qu'ils ont peur que je ne m'étrangle avec le matelas ?

XXVI

Il est dix heures.

Ô ma pauvre petite fille [1] ! encore six heures, et je serai mort ! je serai quelque chose d'immonde qui traînera sur la table froide des amphithéâtres ; une tête qu'on moulera d'un côté, un tronc qu'on disséquera de l'autre ; puis de ce qui restera, on en mettra plein une bière, et le tout ira à Clamart.

Voilà ce qu'ils vont faire de ton père, ces hommes dont aucun ne me hait, qui tous me plaignent et tous pourraient me sauver. Ils vont me tuer. Comprends-tu cela, Marie ? me tuer de sang-froid, en cérémonie, pour le bien de la chose ! Ah ! grand Dieu !

Pauvre petite ! ton père qui t'aimait tant, ton père qui baisait ton petit cou blanc et parfumé, qui passait la main sans cesse dans les boucles de tes cheveux comme sur de la soie, qui prenait ton joli visage rond dans sa main, qui te faisait sauter sur ses genoux, et le soir joignait tes deux petites mains pour prier Dieu !

Qui est-ce qui te fera tout cela maintenant ? Qui est-ce qui t'aimera ? Tous les enfants de ton âge auront des pères, excepté toi. Comment te déshabi-

1. Ce chapitre est le seul où le condamné s'adresse à quelqu'un ; il fonctionne avec les chapitres XLIII et XLVII selon un schéma analysé aux « Commentaires », p. 264.

tueras-tu, mon enfant, du jour de l'an, des étrennes, des beaux joujoux, des bonbons et des baisers ? — Comment te déshabitueras-tu, malheureuse orpheline, de boire et de manger ?

Oh ! si ces jurés l'avaient vue, au moins, ma jolie petite Marie ! ils auraient compris qu'il ne faut pas tuer le père d'un enfant de trois ans.

Et quand elle sera grande, si elle va jusque-là, que deviendra-t-elle ? Son père sera un des souvenirs du peuple de Paris. Elle rougira de moi et de mon nom ; elle sera méprisée, repoussée, vile à cause de moi, de moi qui l'aime de toutes les tendresses de mon cœur. O ma petite Marie bien-aimée ! Est-il bien vrai que tu auras honte et horreur de moi ?

Misérable ! quel crime j'ai commis, et quel crime je fais commettre à la société !

Oh ! est-il bien vrai que je vais mourir avant la fin du jour ? Est-il bien vrai que c'est moi ? Ce bruit sourd de cris que j'entends au-dehors, ce flot de peuple joyeux qui déjà se hâte sur les quais, ces gendarmes qui s'apprêtent dans leurs casernes, ce prêtre en robe noire, cet autre homme aux mains rouges, c'est pour moi ! c'est moi qui vais mourir ! moi, le même qui est ici, qui vit, qui se meut, qui respire, qui est assis à cette table, laquelle ressemble à une autre table, et pourrait aussi bien être ailleurs ; moi, enfin, ce moi que je touche et que je sens, et dont le vêtement fait les plis que voilà !

XXVII

Encore si je savais comment cela est fait, et de quelle façon on meurt là-dessus ! mais c'est horrible, je ne le sais pas.

Le nom de la chose est effroyable, et je ne comprends point comment j'ai pu jusqu'à présent l'écrire et le prononcer.

La combinaison de ces dix lettres, leur aspect, leur

physionomie est bien faite pour réveiller une idée épouvantable, et le médecin de malheur qui a inventé la chose avait un nom prédestiné.

L'image que j'y attache, à ce mot hideux, est vague, indéterminée, et d'autant plus sinistre. Chaque syllabe est comme une pièce de la machine. J'en construis et j'en démolis sans cesse dans mon esprit la monstrueuse charpente.

Je n'ose faire une question là-dessus, mais il est affreux de ne savoir ce que c'est, ni comment s'y prendre. Il paraît qu'il y a une bascule et qu'on vous couche sur le ventre... — Ah ! mes cheveux blanchiront avant que ma tête ne tombe !

XXVIII

Je l'ai cependant entrevue une fois.

Je passais sur la place de Grève, en voiture, un jour, vers onze heures du matin. Tout à coup la voiture s'arrêta.

Il y avait foule sur la place. Je mis la tête à la portière. Une populace encombrait la Grève et le quai, et des femmes, des hommes, des enfants étaient debout sur le parapet. Au-dessus des têtes, on voyait une espèce d'estrade en bois rouge que trois hommes échafaudaient.

Un condamné devait être exécuté le jour même, et l'on bâtissait la machine.

Je détournai la tête avant d'avoir vu. A côté de la voiture, il y avait une femme qui disait à un enfant :

— Tiens, regarde ! le couteau coule mal, ils vont graisser la rainure avec un bout de chandelle.

C'est probablement là qu'ils en sont aujourd'hui. Onze heures viennent de sonner. Ils graissent sans doute la rainure [1].

1. C'est la scène décrite par Adèle comme ayant déterminé Hugo à écrire *Le Dernier Jour*. Mais la présence d'une femme avec son enfant amalgame à cette expérience de l'adulte tous les souvenirs de l'enfant.

Ah ! cette fois, malheureux, je ne détournerai pas la tête.

XXIX

Ô ma grâce ! ma grâce ! on me fera peut-être grâce. Le roi ne m'en veut pas. Qu'on aille chercher mon avocat ! vite l'avocat ! Je veux bien des galères. Cinq ans de galères, et que tout soit dit, — ou vingt ans, — ou à perpétuité avec le fer rouge. Mais grâce de la vie [1] !

Un forçat, cela marche encore, cela va et vient, cela voit le soleil.

XXX

Le prêtre est revenu.

Il a des cheveux blancs, l'air très doux, une bonne et respectable figure ; c'est en effet un homme excellent et charitable. Ce matin, je l'ai vu vider sa bourse dans les mains des prisonniers. D'où vient que sa voix n'a rien qui émeuve et qui soit ému ? D'où vient qu'il ne m'a rien dit encore qui m'ait pris par l'intelligence ou par le cœur ?

Ce matin, j'étais égaré. J'ai à peine entendu ce qu'il m'a dit. Cependant ses paroles m'ont semblé inutiles, et je suis resté indifférent ; elles ont glissé comme cette pluie froide sur cette vitre glacée.

Cependant, quand il est rentré tout à l'heure près de moi, sa vue m'a fait du bien. C'est parmi tous ces

1. Ce motif — voir déjà en XV, 91 — trouve son aboutissement au dernier chapitre.

hommes le seul qui soit encore homme pour moi, me suis-je dit. Et il m'a pris une ardente soif de bonnes et consolantes paroles.

Nous nous sommes assis, lui sur la chaise, moi sur le lit. Il m'a dit : — Mon fils... — Ce mot m'a ouvert le cœur. Il a continué :

— Mon fils, croyez-vous en Dieu ?

— Oui, mon père, lui ai-je répondu.

— Croyez-vous en la sainte église catholique, apostolique et romaine ?

— Volontiers, lui ai-je dit.

— Mon fils, a-t-il repris, vous avez l'air de douter.

Alors il s'est mis à parler. Il a parlé longtemps ; il a dit beaucoup de paroles ; puis, quand il a cru avoir fini, il s'est levé et m'a regardé pour la première fois depuis le commencement de son discours, en m'interrogeant :

— Eh bien ?

Je proteste que je l'avais écouté avec avidité d'abord, puis avec attention, puis avec dévouement.

Je me suis levé aussi.

— Monsieur, lui ai-je répondu, laissez-moi seul, je vous prie.

Il m'a demandé :

— Quand reviendrai-je ?

— Je vous le ferai savoir.

Alors il est sorti sans colère, mais en hochant la tête, comme se disant à lui-même :

— Un impie !

Non, si bas que je sois tombé, je ne suis pas un impie, et Dieu m'est témoin que je crois en lui. Mais que m'a-t-il dit, ce vieillard ? rien de senti, rien d'attendri, rien de pleuré, rien d'arraché de l'âme, rien qui vînt de son cœur pour aller au mien, rien qui fût de lui à moi. Au contraire, je ne sais quoi de vague, d'inaccentué, d'applicable à tout et à tous ; emphatique où il eût été besoin de profondeur, plat où il eût fallu être simple ; une espèce de sermon sentimental et d'élégie théologique. Çà et là, une citation latine en latin. Saint Augustin, saint Grégoire, que sais-je ? Et puis, il avait l'air de réciter une leçon déjà vingt fois récitée, de repasser un thème, oblitéré dans sa mémoire à force d'être su. Pas un regard dans l'œil, pas un accent dans la voix, pas un geste dans les mains.

Et comment en serait-il autrement ? Ce prêtre est l'aumônier en titre de la prison. Son état est de consoler et d'exhorter, et il vit de cela. Les forçats, les patients sont du ressort de son éloquence. Il les confesse et les assiste, parce qu'il a sa place à faire. Il a vieilli à mener des hommes mourir. Depuis longtemps il est habitué à ce qui fait frissonner les autres ; ses cheveux, bien poudrés à blanc, ne se dressent plus ; le bagne et l'échafaud sont de tous les jours pour lui. Il est blasé. Probablement il a son cahier ; telle page les galériens, telle page les condamnés à mort. On l'avertit la veille qu'il y aura quelqu'un à consoler le lendemain à telle heure ; il demande ce que c'est, galérien ou supplicié ? en relit la page ; et puis il vient. De cette façon, il advient que ceux qui vont à Toulon et ceux qui vont à la Grève sont un lieu commun pour lui, et qu'il est un lieu commun pour eux.

Oh ! qu'on m'aille donc, au lieu de cela, chercher quelque jeune vicaire, quelque vieux curé, au hasard, dans la première paroisse venue ; qu'on le prenne au coin de son feu, lisant son livre et ne s'attendant à rien, et qu'on lui dise :

— Il y a un homme qui va mourir, et il faut que ce soit vous qui le consoliez. Il faut que vous soyez là quand on lui liera les mains, là quand on lui coupera les cheveux ; que vous montiez dans sa charrette avec votre crucifix pour lui cacher le bourreau ; que vous soyez cahoté avec lui par le pavé jusqu'à la Grève ; que vous traversiez avec lui l'horrible foule buveuse de sang ; que vous l'embrassiez au pied de l'échafaud, et que vous restiez jusqu'à ce que la tête soit ici et le corps là.

Alors, qu'on me l'amène, tout palpitant, tout frissonnant de la tête aux pieds ; qu'on me jette entre ses bras, à ses genoux ; et il pleurera, et nous pleurerons, et il sera éloquent, et je serai consolé, et mon cœur se dégonflera dans le sien, et il prendra mon âme, et je prendrai son Dieu.

Mais ce bon vieillard, qu'est-il pour moi ? que suis-je pour lui ? un individu de l'espèce malheureuse, une ombre comme il en a déjà tant vu, une unité à ajouter au chiffre des exécutions [1].

J'ai peut-être tort de le repousser ainsi ; c'est lui qui est bon et moi qui suis mauvais. Hélas ! ce n'est pas ma faute. C'est mon souffle de condamné qui gâte et flétrit tout.

On vient de m'apporter de la nourriture ; ils ont cru que je devais avoir besoin. Une table délicate et recherchée, un poulet, il me semble, et autre chose encore. Eh bien ! j'ai essayé de manger ; mais, à la première bouchée, tout est tombé de ma bouche, tant cela m'a paru amer et fétide !

XXXI

Il vient d'entrer un monsieur, le chapeau sur la tête, qui m'a à peine regardé, puis a ouvert un pied-de-roi et s'est mis à mesurer de bas en haut les

1. Pour un autre supplicié, qui ressemble un peu à celui-ci, Mgr Myriel exauce le vœu du condamné. La distance entre lui et ce prêtre-ci est la même qu'entre le friauche et Jean Valjean. Après la rhétorique judiciaire dans la *Préface*, le bavardage mondain dans *Une comédie*... et l'argot ci-dessus, voici un autre discours dont l'accointance profonde avec la guillotine, comme déni d'individualité, est maintenant clairement dite. Et répétée, car le chapitre qui suit recommence, autrement, celui-ci.

pierres du mur, parlant d'une voix très haute pour dire tantôt : *C'est cela* ; tantôt : *Ce n'est pas cela*.

J'ai demandé au gendarme qui c'était. Il paraît que c'est une espèce de sous-architecte employé à la prison.

De son côté, sa curiosité s'est éveillée sur mon compte. Il a échangé quelques demi-mots avec le porte-clefs qui l'accompagnait ; puis a fixé un instant les yeux sur moi, a secoué la tête d'un air insouciant, et s'est remis à parler à haute voix et à prendre des mesures.

Sa besogne finie, il s'est approché de moi en me disant avec sa voix éclatante :

— Mon bon ami, dans six mois cette prison sera beaucoup mieux.

Et son geste semblait ajouter :

— Vous n'en jouirez pas, c'est dommage.

Il souriait presque. J'ai cru voir le moment où il allait me railler doucement, comme on plaisante une jeune mariée le soir de ses noces.

Mon gendarme, vieux soldat à chevrons, s'est chargé de la réponse.

— Monsieur, lui a-t-il dit, on ne parle pas si haut dans la chambre d'un mort.

L'architecte s'en est allé.

Moi, j'étais là, comme une des pierres qu'il mesurait.

XXXII

Et puis, il m'est arrivé une chose ridicule.

On est venu relever mon bon vieux gendarme, auquel, ingrat égoïste que je suis, je n'ai seulement pas serré la main. Un autre l'a remplacé : homme à front déprimé, des yeux de bœuf, une figure inepte.

Au reste, je n'y avais fait aucune attention. Je tournais le dos à la porte, assis devant la table ; je tâchais de rafraîchir mon front avec ma main, et mes pensées troublaient mon esprit.

Un léger coup, frappé sur mon épaule, m'a fait tourner la tête. C'était le nouveau gendarme, avec qui j'étais seul.

Voici à peu près de quelle façon il m'a adressé la parole.

— Criminel, avez-vous bon cœur ?

— Non, lui ai-je dit.

La brusquerie de ma réponse a paru le déconcerter. Cependant il a repris en hésitant :

— On n'est pas méchant pour le plaisir de l'être.

— Pourquoi non ? ai-je répliqué. Si vous n'avez que cela à me dire, laissez-moi. Où voulez-vous en venir ?

— Pardon, mon criminel, a-t-il répondu. Deux mots seulement. Voici. Si vous pouviez faire le bonheur d'un pauvre homme, et que cela ne vous coûtât rien, est-ce que vous ne le feriez pas ?

J'ai haussé les épaules.

— Est-ce que vous arrivez de Charenton ? Vous choisissez un singulier vase pour y puiser du bonheur. Moi, faire le bonheur de quelqu'un !

Il a baissé la voix et pris un air mystérieux, ce qui n'allait pas à sa figure idiote.

— Oui, criminel, oui bonheur, oui fortune. Tout cela me sera venu de vous. Voici. Je suis un pauvre gendarme. Le service est lourd, la paye est légère ; mon cheval est à moi et me ruine. Or, je mets à la loterie pour contre-balancer. Il faut bien avoir une industrie. Jusqu'ici il ne m'a manqué pour gagner que d'avoir de bons numéros. J'en cherche partout de sûrs ; je tombe toujours à côté. Je mets le 76 ; il sort le 77. J'ai beau les nourrir, ils ne viennent pas [1]... — Un peu de patience, s'il vous plaît, je suis à la fin. — Or, voici une belle occasion pour moi. Il paraît, pardon, criminel, que vous passez aujourd'hui. Il est certain que les morts qu'on fait périr comme cela voient la loterie d'avance. Promettez-moi de venir demain soir, qu'est-ce que cela vous fait ? me donner trois numéros, trois bons. Hein ? — Je n'ai pas peur des revenants, soyez tranquille. — Voici mon adresse : Caserne Popincourt, escalier A, n° 26, au fond du corridor. Vous me reconnaîtrez bien, n'est-ce pas ? — Venez même ce soir, si cela vous est plus commode.

J'aurais dédaigné de lui répondre, à cet imbécile, si une espérance folle ne m'avait traversé l'esprit. Dans la position désespérée où je suis, on croit par moments qu'on briserait une chaîne avec un cheveu.

— Écoute, lui ai-je dit en faisant le comédien autant que le peut faire celui qui va mourir, je puis en effet te rendre plus riche que le roi, te faire gagner des millions. — A une condition.

Il ouvrait des yeux stupides.

— Laquelle ? laquelle ? tout pour vous plaire, mon criminel.

— Au lieu de trois numéros, je t'en promets quatre. Change d'habits avec moi.

— Si ce n'est que cela ! s'est-il écrié en défaisant les premières agrafes de son uniforme.

Je m'étais levé de ma chaise. J'observais tous ses mouvements, mon cœur palpitait. Je voyais déjà les

1. « Nourrir » un numéro, c'est le jouer jusqu'à ce qu'il sorte. Sur la valeur du 76, voir « Commentaires », p. 268. Ce chapitre clôt de manière grotesque — une « histoire belge », dit France Vernier — la série des échanges impossibles commencée dans l'épisode de la tabatière, XXII, p. 106. Il règle aussi, ou noie dans le « ridicule », la question de l'immortalité de l'âme qu'on pourrait reprocher à Hugo d'avoir évitée si tout le texte ne disait que la condition de cette foi se trouve dans le respect de la vie et que les hommes ne sauraient sans blasphème s'en remettre à Dieu du soin de faire revivre dans l'au-delà ce qu'ils tuent ici-bas.

portes s'ouvrir devant l'uniforme de gendarme, et la place, et la rue, et le Palais de Justice derrière moi !

Mais il s'est retourné d'un air indécis.

— Ah çà ! ce n'est pas pour sortir d'ici ?

J'ai compris que tout était perdu. Cependant j'ai tenté un dernier effort, bien inutile et bien insensé !

— Si fait, lui ai-je dit, mais ta fortune est faite...

Il m'a interrompu.

— Ah bien non ! tiens ! et mes numéros ! pour qu'ils soient bons, il faut que vous soyez mort.

Je me suis rassis, muet et plus désespéré de toute l'espérance que j'avais eue.

XXXIII

J'ai fermé les yeux, et j'ai mis les mains dessus, et j'ai tâché d'oublier, d'oublier le présent dans le passé. Tandis que je rêve, les souvenirs de mon enfance et de ma jeunesse me reviennent un à un, doux, calmes, riants, comme des îles de fleurs sur ce gouffre de pensées noires et confuses qui tourbillonnent dans mon cerveau.

Je me revois enfant, écolier rieur et frais, jouant, courant, criant avec mes frères dans la grande allée verte de ce jardin sauvage où ont coulé mes premières années, ancien enclos de religieuses que domine de sa tête de plomb le sombre dôme du Val-de-Grâce [1].

1. On ne peut pas ne pas reconnaître les Feuillantines où Hugo passa son enfance. La scène qui suit ne saurait être située exactement, mais elle est nourrie du souvenir combiné des amours espagnoles du petit Victor (voir *L'Art d'être grand-père*, IX, « Pepita » ; *V.H.R.A.*, II, 5, 204 et 211 ; *V.H.R.*, XIX et *Les Quatre Vents de l'esprit*, III, 12, « Nuits d'hiver ») et de la longue intimité avec Adèle — *V.H.R.A.*, I, 7, 126-137. La scène de la lecture renvoie, elle, au souvenir de l'étape de Bayonne dans le voyage en Espagne : *V.H.R.A.*, II, 1, 180 et *Les Contemplations*, I, 11, « Lise ». Spallanzani : *Voyages dans les Deux-Siciles et dans quelques parties des Apennin*, Paris, an IV-an VIII, 6 tomes en 3 volumes. Le titre renvoie, cette fois, au premier voyage du jeune Hugo : en Italie.

Et puis, quatre ans plus tard, m'y voilà encore, toujours enfant, mais déjà rêveur et passionné. Il y a une jeune fille dans le solitaire jardin.

La petite Espagnole, avec ses grands yeux et ses grands cheveux, sa peau brune et dorée, ses lèvres rouges et ses joues roses, l'Andalouse de quatorze ans, Pepa.

Nos mères nous ont dit d'aller courir ensemble : nous sommes venus nous promener.

On nous a dit de jouer, et nous causons, enfants du même âge, non du même sexe.

Pourtant, il n'y a encore qu'un an, nous courions, nous luttions ensemble. Je disputais à Pepita la plus belle pomme du pommier ; je la frappais pour un nid d'oiseau. Elle pleurait ; je disais : C'est bien fait ! et nous allions tous deux nous plaindre ensemble à nos mères, qui nous donnaient tort tout haut et raison tout bas.

Maintenant elle s'appuie sur mon bras, et je suis tout fier et tout ému. Nous marchons lentement, nous parlons bas. Elle laisse tomber son mouchoir ; je le lui ramasse. Nos mains tremblent en se touchant. Elle me parle des petits oiseaux, de l'étoile qu'on voit là-bas, du couchant vermeil derrière les arbres, ou bien de ses amies de pension, de sa robe et de ses rubans. Nous disons des choses innocentes, et nous rougissons tous deux. La petite fille est devenue jeune fille.

Ce soir-là, — c'était un soir d'été, — nous étions sous les marronniers, au fond du jardin. Après un de ces longs silences qui remplissaient nos promenades, elle quitta tout à coup mon bras, et me dit : Courons !

Je la vois encore, elle était tout en noir, en deuil de sa grand'mère. Il lui passa par la tête une idée d'enfant, Pepa redevint Pepita, elle me dit : Courons !

Et elle se mit à courir devant moi avec sa taille fine comme le corset d'une abeille et ses petits pieds qui relevaient sa robe jusqu'à mi-jambe. Je la poursuivis, elle fuyait ; le vent de sa course soulevait par moments sa pèlerine noire, et me laissait voir son dos brun et frais.

J'étais hors de moi. Je l'atteignis près du vieux puisard en ruine ; je la pris par la ceinture, du droit de victoire, et je la fis asseoir sur un banc de gazon ; elle ne résista pas. Elle était essoufflée et riait. Moi j'étais sérieux, et je regardais ses prunelles noires à travers ses cils noirs.

— Asseyez-vous là, me dit-elle. Il fait encore grand jour, lisons quelque chose. Avez-vous un livre ?

J'avais sur moi le tome second des Voyages de Spallanzani. J'ouvris au hasard, je me rapprochai d'elle, elle appuya son épaule à mon épaule, et nous nous mîmes à lire chacun de notre côté, tout bas, la même page. Avant de tourner le feuillet, elle était toujours obligée de m'attendre. Mon esprit allait moins vite que le sien.

— Avez-vous fini ? me disait-elle, que j'avais à peine commencé.

Cependant nos têtes se touchaient, nos cheveux se mêlaient, nos haleines peu à peu se rapprochèrent, et nos bouches tout à coup.

Quand nous voulûmes continuer notre lecture, le ciel était étoilé.

— Oh ! maman, maman, dit-elle en rentrant, si tu savais comme nous avons couru !

Moi, je gardais le silence.

— Tu ne dis rien, me dit ma mère, tu as l'air triste.

J'avais le paradis dans le cœur.

C'est une soirée que je me rappellerai toute ma vie.

Toute ma vie !

XXXIV

Une heure vient de sonner. Je ne sais laquelle : j'entends mal le marteau de l'horloge. Il me semble que j'ai un bruit d'orgue dans les oreilles ; ce sont mes dernières pensées qui bourdonnent.

A ce moment suprême où je me recueille dans mes souvenirs, j'y retrouve mon crime avec horreur ; mais je voudrais me repentir davantage encore. J'avais plus de remords avant ma condamnation ; depuis, il semble qu'il n'y ait plus de place que pour les pensées de mort. Pourtant, je voudrais bien me repentir beaucoup.

Quand j'ai rêvé une minute à ce qu'il y a de passé dans ma vie, et que j'en reviens au coup de hache qui doit la terminer tout à l'heure, je frissonne comme d'une chose nouvelle. Ma belle enfance ! ma belle jeunesse ! étoffe dorée dont l'extrémité est sanglante. Entre alors et à présent, il y a une rivière de sang, le sang de l'autre et le mien.

Si on lit un jour mon histoire, après tant d'années d'innocence et de bonheur, on ne voudra pas croire à cette année exécrable, qui s'ouvre par un crime et se clôt par un supplice ; elle aura l'air dépareillée.

Et pourtant, misérables lois et misérables hommes, je n'étais pas un méchant !

Oh ! mourir dans quelques heures, et penser qu'il y a un an, à pareil jour, j'étais libre et pur, que je faisais mes promenades d'automne, que j'errais sous les arbres, et que je marchais dans les feuilles [1] !

XXXV

En ce moment même, il y a tout auprès de moi, dans ces maisons qui font cercle autour du Palais et de la Grève, et partout dans Paris, des hommes qui vont et viennent, causent et rient, lisent le journal,

1. On ne peut mieux dire que J. Seebacher : « La pente de l'autobiographie annonce le titre des *Feuilles d'automne*, dont les « Soleils couchants » et la pièce XXXIX ont avec *Le Dernier Jour* des rapports de saison et d'obsession. »

pensent à leurs affaires ; des marchands qui vendent ; des jeunes filles qui préparent leurs robes de bal pour ce soir [1] ; des mères qui jouent avec leurs enfants !

XXXVI

Je me souviens qu'un jour, étant enfant, j'allai voir le bourdon de Notre-Dame.

J'étais déjà étourdi d'avoir monté le sombre escalier en colimaçon, d'avoir parcouru la frêle galerie qui lie les deux tours, d'avoir eu Paris sous les pieds, quand j'entrai dans la cage de pierre et de charpente où pend le bourdon avec son battant, qui pèse un millier [2].

J'avançai en tremblant sur les planches mal jointes, regardant à distance cette cloche si fameuse parmi les enfants et le peuple de Paris, et ne remarquant pas sans effroi que les auvents couverts d'ardoises qui entourent le clocher de leurs plans inclinés étaient au niveau de mes pieds. Dans les intervalles, je voyais, en quelque sorte à vol d'oiseau, la place du Parvis-Notre-Dame, et les passants comme des fourmis.

Tout à coup l'énorme cloche tinta, une vibration profonde remua l'air, fit osciller la lourde tour. Le

1. Hugo se souvient-il du soir de l'enterrement de sa mère où, cherchant consolation auprès d'Adèle, il la vit, à travers une croisée, dansant en plein bal ? Toujours est-il que la simultanéité du bonheur des uns avec la détresse des autres l'a toujours laissé perplexe — parfois scandalisé.

Les lecteurs de journaux, on les a vus en XXII ; le prêtre est à ses affaires et le friauche aux siennes en XXIII ; le père ne jouera pas avec son enfant en XLIII.

2. Abréviation d'usage au XIXe siècle pour : un millier de livres — soit 500 kg.

plancher sautait sur les poutres. Le bruit faillit me renverser ; je chancelai, prêt à tomber, prêt à glisser sur les auvents d'ardoises en pente. De terreur, je me couchai sur les planches, les serrant étroitement de mes deux bras, sans parole, sans haleine, avec ce formidable tintement dans les oreilles, et sous les yeux ce précipice, cette place profonde où se croisaient tant de passants paisibles et enviés.

Eh bien ! il me semble que je suis encore dans la tour du bourdon. C'est tout ensemble un étourdissement et un éblouissement. Il y a comme un bruit de cloche qui ébranle les cavités de mon cerveau ; et autour de moi je n'aperçois plus cette vie plane et tranquille que j'ai quittée, et où les autres hommes cheminent encore, que de loin et à travers les crevasses d'un abîme.

XXXVII

L'hôtel de ville est un édifice sinistre.

Avec son toit aigu et roide, son clocheton bizarre, son grand cadran blanc, ses étages à petites colonnes, ses mille croisées, ses escaliers usés par les pas, ses deux arches à droite et à gauche, il est là, de plain-pied avec la Grève ; sombre, lugubre, la face toute rongée de vieillesse, et si noir, qu'il est noir au soleil.

Les jours d'exécution, il vomit des gendarmes de toutes ses portes, et regarde le condamné avec toutes ses fenêtres.

Et le soir, son cadran, qui a marqué l'heure, reste lumineux sur sa façade ténébreuse.

XXXVIII

Il est une heure et quart.

Voici ce que j'éprouve maintenant :

Une violente douleur de tête. Les reins froids, le

front brûlant. Chaque fois que je me lève ou que je me penche, il me semble qu'il y a un liquide qui flotte dans mon cerveau, et qui fait battre ma cervelle contre les parois du crâne.

J'ai des tressaillements convulsifs, et de temps en temps la plume tombe de mes mains comme par une secousse galvanique.

Les yeux me cuisent comme si j'étais dans la fumée.

J'ai mal dans les coudes.

Encore deux heures et quarante-cinq minutes, et je serai guéri.

XXXIX

Ils disent que ce n'est rien, qu'on ne souffre pas, que c'est une fin douce, que la mort de cette façon est bien simplifiée.

Eh ! qu'est-ce donc que cette agonie de six semaines et ce râle de tout un jour ? Qu'est-ce que les angoisses de cette journée irréparable, qui s'écoule si lentement et si vite ? Qu'est-ce que cette échelle de tortures qui aboutit à l'échafaud ?

Apparemment ce n'est pas là souffrir.

Ne sont-ce pas les mêmes convulsions, que le sang s'épuise goutte à goutte, ou que l'intelligence s'éteigne pensée à pensée ?

Et puis, on ne souffre pas, en sont-ils sûrs ? Qui le leur a dit ? Conte-t-on que jamais une tête coupée se soit dressée sanglante au bord du panier, et qu'elle ait crié au peuple : Cela ne fait pas de mal !

Y a-t-il des morts de leur façon qui soient venus les remercier et leur dire : C'est bien inventé. Tenez-vous-en là. La mécanique est bonne.

Est-ce Robespierre ? Est-ce Louis XVI ?...

Non, rien ! moins qu'une minute, moins qu'une seconde, et la chose est faite. — Se sont-ils jamais mis, seulement en pensée, à la place de celui qui est là, au moment où le lourd tranchant qui tombe mord la chair, rompt les nerfs, brise les vertèbres... Mais quoi ! une demi-seconde ! la douleur est escamotée... Horreur !

XL

Il est singulier que je pense sans cesse au roi. J'ai beau faire, beau secouer la tête, j'ai une voix dans l'oreille qui me dit toujours :

— Il y a dans cette même ville, à cette même heure, et pas bien loin d'ici, dans un autre palais, un homme qui a aussi des gardes à toutes ses portes, un homme unique comme toi dans le peuple, avec cette différence qu'il est aussi haut que tu es bas. Sa vie entière, minute par minute, n'est que gloire, grandeur, délices, enivrement. Tout est autour de lui amour, respect, vénération. Les voix les plus hautes deviennent basses en lui parlant et les fronts les plus fiers ploient. Il n'a que de la soie et de l'or sous les yeux. A cette heure, il tient quelque conseil de ministres où tous sont de son avis ; ou bien songe à la chasse de demain, au bal de ce soir, sûr que la fête viendra à l'heure, et laissant à d'autres le travail de ses plaisirs. Eh bien ! cet homme est de chair et d'os comme toi ! — Et pour qu'à l'instant même l'horrible échafaud s'écroulât, pour que tout te fût rendu, vie, liberté, fortune, famille, il suffirait qu'il écrivît avec cette plume les sept lettres de son nom [1] au bas d'un morceau de papier, ou même que son carrosse rencontrât ta charrette ! — Et il est bon, et il ne demanderait pas mieux peut-être, et il n'en sera rien !

XLI

Eh bien donc ! ayons courage avec la mort, prenons cette horrible idée à deux mains, et considérons-la en face. Demandons-lui compte de ce qu'elle est, sachons ce qu'elle nous veut, retournons-la en tous sens, épelons l'énigme, et regardons d'avance dans le tombeau.

Il me semble que, dès que mes yeux seront fermés, je verrai une grande clarté et des abîmes de lumière où mon esprit roulera sans fin. Il me semble que le ciel sera lumineux de sa propre essence, que les astres y feront des taches obscures, et qu'au lieu d'être comme pour les yeux vivants des paillettes d'or sur du velours noir, ils sembleront des points noirs sur du drap d'or.

1. Le nom du roi, Charles X, a bien sept lettres, mais le chiffre comporte d'autres valeurs symboliques. Rajouté sur épreuves, ce chapitre énigmatique s'éclaire de plusieurs manières : par l'opposition de Hugo aux thèses de Joseph de Maistre dont le couple du roi et du bourreau est ici corrigé ; par la tradition qui voulait que la présence du roi au lieu d'un supplice vaille sa grâce au condamné ; par le scandale intellectuel et moral qu'avait été et, plus encore, qu'était devenue la mort du roi Louis XVI en 93 ; par la triple responsabilité du souverain dans toute exécution : incarnation de la souveraineté nationale, investi d'un pouvoir sacré, disposant de la grâce. Aux deux bouts de la société et aussi extérieurs à elle, le roi et le condamné prouvent, par leur seule existence, que la société, fondée qu'elle est sur l'exclusion de l'un au-dessus d'elle et de l'autre au-dessous, est encore loin d'être coextensive à l'humanité. Cette méditation fait aboutir plusieurs notations : IV, 69 ; XIII, 82 ; XVI, 98.

Ou bien, misérable que je suis, ce sera peut-être un gouffre hideux, profond, dont les parois seront tapissées de ténèbres, et où je tomberai sans cesse en voyant des formes remuer dans l'ombre.

Ou bien, en m'éveillant après le coup, je me trouverai peut-être sur quelque surface plane et humide, rampant dans l'obscurité et tournant sur moi-même comme une tête qui roule. Il me semble qu'il y aura un grand vent qui me poussera, et que je serai heurté çà et là par d'autres têtes roulantes. Il y aura par places des mares et des ruisseaux d'un liquide inconnu et tiède ; tout sera noir. Quand mes yeux, dans leur rotation, seront tournés en haut, ils ne verront qu'un ciel d'ombre, dont les couches épaisses pèseront sur eux, et au loin dans le fond de grandes arches de fumée plus noires que les ténèbres. Ils verront aussi voltiger dans la nuit de petites étincelles rouges, qui, en s'approchant, deviendront des oiseaux de feu. Et ce sera ainsi toute l'éternité [1].

Il se peut bien aussi qu'à certaines dates les morts de la Grève se rassemblent par de noires nuits d'hiver sur la place qui est à eux. Ce sera une foule pâle et sanglante, et je n'y manquerai pas. Il n'y aura pas de lune, et l'on parlera à voix basse. L'hôtel de ville sera là, avec sa façade vermoulue, son toit déchiqueté, et son cadran qui aura été sans pitié pour tous. Il y aura sur la place une guillotine de l'enfer, où un démon exécutera un bourreau ; ce sera à quatre heures du matin. A notre tour nous ferons foule autour.

Il est probable que cela est ainsi. Mais si ces morts-là reviennent, sous quelle forme reviennent-

1. D'autres œuvres de Hugo, beaucoup plus tardives, donneront leur plein développement à ces images, *La Fin de Satan* en particulier et le célèbre dessin *Justicia*, lui-même lié au retour des rois défunts sur la place des exécutions imaginé dans *La Révolution (Les Quatre Vents de l'esprit)*.

ils ? Que gardent-ils de leur corps incomplet et mutilé ? Que choisissent-ils ? Est-ce la tête ou le tronc qui est spectre ?

Hélas ! qu'est-ce que la mort fait avec notre âme ? quelle nature lui laisse-t-elle ? qu'a-t-elle à lui prendre ou à lui donner ? où la met-elle ? lui prête-t-elle quelquefois des yeux de chair pour regarder sur la terre, et pleurer ?

Ah ! un prêtre ! un prêtre qui sache cela ! Je veux un prêtre, et un crucifix à baiser !

Mon Dieu, toujours le même !

XLII

Je l'ai prié de me laisser dormir, et je me suis jeté sur le lit.

En effet, j'avais un flot de sang dans la tête, qui m'a fait dormir. C'est mon dernier sommeil, de cette espèce.

J'ai fait un rêve [1].

J'ai rêvé que c'était la nuit. Il me semblait que j'étais dans mon cabinet avec deux ou trois de mes amis, je ne sais plus lesquels.

Ma femme était couchée dans la chambre à coucher, à côté, et dormait avec son enfant.

Nous parlions à voix basse, mes amis et moi, et ce que nous disions nous effrayait.

1. Consigné par leur fille, le témoignage de Hugo et de sa femme atteste qu'il transcrit ici — avec peut-être des variantes qu'on ignore — un de ses propres rêves qui l'a « longtemps poursuivi ». (Voir *Le Journal d'Adèle Hugo, III, 1854*, établi par F.-V. Guille, Minard, 1984, pp. 187 et 200.) Mais la puissance de ce texte tient aux associations qu'il opère à l'intérieur de l'œuvre — la mère du condamné, les jeunes filles, la petite fille, surtout, du chapitre suivant — et à son écriture fondée, en particulier, sur l'emploi des rythmes de la versification.

Tout à coup il me sembla entendre un bruit quelque part dans les autres pièces de l'appartement. Un bruit faible, étrange, indéterminé.

Mes amis avaient entendu comme moi. Nous écoutâmes : c'était comme une serrure qu'on ouvre sourdement, comme un verrou qu'on scie à petit bruit.

Il y avait quelque chose qui nous glaçait : nous avions peur. Nous pensâmes que peut-être c'étaient des voleurs qui s'étaient introduits chez moi, à cette heure si avancée de la nuit.

Nous résolûmes d'aller voir. Je me levai, je pris la bougie. Mes amis me suivaient, un à un.

Nous traversâmes la chambre à coucher, à côté. Ma femme dormait avec son enfant.

Puis nous arrivâmes dans le salon. Rien. Les portraits étaient immobiles dans leurs cadres d'or sur la tenture rouge. Il me sembla que la porte du salon à la salle à manger n'était point à sa place ordinaire.

Nous entrâmes dans la salle à manger ; nous en fîmes le tour. Je marchais le premier. La porte sur l'escalier était bien fermée, les fenêtres aussi. Arrivé près du poêle, je vis que l'armoire au linge était ouverte, et que la porte de cette armoire était tirée sur l'angle du mur comme pour le cacher.

Cela me surprit. Nous pensâmes qu'il y avait quelqu'un derrière la porte.

Je portai la main à cette porte pour refermer l'armoire ; elle résista. Étonné, je tirai plus fort, elle céda brusquement, et nous découvrit une petite vieille, les mains pendantes, les yeux fermés, immobile, debout, et comme collée dans l'angle du mur.

Cela avait quelque chose de hideux, et mes cheveux se dressent d'y penser.

Je demandai à la vieille :

— Que faites-vous là ?

Elle ne répondit pas.

Je lui demandai :

— Qui êtes-vous ?

Elle ne répondit pas, ne bougea pas, et resta les yeux fermés.

Mes amis dirent :

— C'est sans doute la complice de ceux qui sont entrés avec de mauvaises pensées ; ils se sont échappés en nous entendant venir ; elle n'aura pu fuir et s'est cachée là.

Je l'ai interrogée de nouveau, elle est demeurée sans voix, sans mouvement, sans regard.

Un de nous l'a poussée à terre, elle est tombée.

Elle est tombée tout d'une pièce, comme un morceau de bois, comme une chose morte.

Nous l'avons remuée du pied, puis deux de nous l'ont relevée et de nouveau appuyée au mur. Elle n'a donné aucun signe de vie. On lui a crié dans l'oreille, elle est restée muette comme si elle était sourde.

Cependant, nous perdions patience, et il y avait de la colère dans notre terreur. Un de nous m'a dit :

— Mettez-lui la bougie sous le menton.

Je lui ai mis la mèche enflammée sous le menton. Alors elle a ouvert un œil à demi, un œil vide, terne, affreux, et qui ne regardait pas.

J'ai ôté la flamme et j'ai dit :

— Ah enfin ! répondras-tu, vieille sorcière ? Qui es-tu ?

L'œil s'est refermé comme de lui-même.

— Pour le coup, c'est trop fort, ont dit les autres. Encore la bougie ! encore ! il faudra bien qu'elle parle.

J'ai replacé la lumière sous le menton de la vieille.

Alors, elle a ouvert ses deux yeux lentement, nous a regardés tous les uns après les autres, puis, se baissant brusquement, a soufflé la bougie avec un souffle glacé. Au même moment j'ai senti trois dents aiguës s'imprimer sur ma main, dans les ténèbres.

Je me suis réveillé, frissonnant et baigné d'une sueur froide.

Le bon aumônier était assis au pied de mon lit, et lisait des prières.

— Ai-je dormi longtemps ? lui ai-je demandé.

— Mon fils, m'a-t-il dit, vous avez dormi une heure. On vous a amené votre enfant. Elle est là dans la pièce voisine, qui vous attend. Je n'ai pas voulu qu'on vous éveillât.

— Oh ! ai-je crié, ma fille, qu'on m'amène ma fille !

XLIII

Elle est fraîche, elle est rose, elle a de grands yeux, elle est belle [1] !

On lui a mis une petite robe qui lui va bien.

Je l'ai prise, je l'ai enlevée dans mes bras, je l'ai assise sur mes genoux, je l'ai baisée sur ses cheveux.

Pourquoi pas avec sa mère ? — Sa mère est malade, sa grand'mère aussi. C'est bien.

Elle me regardait d'un air étonné ; caressée, embrassée, dévorée de baisers et se laissant faire ; mais jetant de temps en temps un coup d'œil inquiet sur sa bonne, qui pleurait dans le coin.

Enfin j'ai pu parler.

— Marie ! ai-je dit, ma petite Marie !

Je la serrais violemment contre ma poitrine enflée de sanglots. Elle a poussé un petit cri.

— Oh ! vous me faites du mal, monsieur, m'a-t-elle dit.

Monsieur ! il y a bientôt un an qu'elle ne m'a vu, la

1. Il fallait à Hugo une certaine audace pour employer ici le souvenir de sa propre lecture, enfant, de l'affiche annonçant l'exécution de Lahorie — voir *V.H.R.A.*, II, 8 ; p. 245 — mais, surtout, sa propre expérience de père et l'enfance adorée de Léopoldine — qui a, maintenant, à peine plus de quatre ans.

pauvre enfant. Elle m'a oublié, visage, parole, accent ; et puis, qui me reconnaîtrait avec cette barbe, ces habits et cette pâleur ? Quoi ! déjà effacé de cette mémoire, la seule où j'eusse voulu vivre ! Quoi ! déjà plus père ! être condamné à ne plus entendre ce mot, ce mot de la langue des enfants, si doux qu'il ne peut rester dans celle des hommes : *papa !*

Et pourtant l'entendre de cette bouche, encore une fois, une seule fois, voilà tout ce que j'eusse demandé pour les quarante ans de vie qu'on me prend.

— Écoute, Marie, lui ai-je dit en joignant ses deux petites mains dans les miennes, est-ce que tu ne me connais point ?

Elle m'a regardé avec ses beaux yeux, et a répondu :

— Ah bien non !

— Regarde bien, ai-je répété. Comment, tu ne sais pas qui je suis ?

— Si, a-t-elle dit. Un monsieur.

Hélas ! n'aimer ardemment qu'un seul être au monde, l'aimer avec tout son amour, et l'avoir devant soi, qui vous voit et vous regarde, vous parle et vous répond, et ne vous connaît pas ! Ne vouloir de consolation que de lui, et qu'il soit le seul qui ne sache pas qu'il vous en faut parce que vous allez mourir !

— Marie, ai-je repris, as-tu un papa ?

— Oui, monsieur, a dit l'enfant.

— Eh bien, où est-il ?

Elle a levé ses grands yeux étonnés.

— Ah ! vous ne savez donc pas ? il est mort.

Puis elle a crié ; j'avais failli la laisser tomber.

— Mort ! disais-je. Marie, sais-tu ce que c'est qu'être mort ?

— Oui, monsieur, a-t-elle répondu. Il est dans la terre et dans le ciel.

Elle a continué d'elle-même :

— Je prie le bon Dieu pour lui matin et soir sur les genoux de maman.

Je l'ai baisée au front.

— Marie, dis-moi ta prière.

— Je ne peux pas, monsieur. Une prière, cela ne se dit pas dans le jour. Venez ce soir dans ma maison ; je la dirai.

C'était assez de cela. Je l'ai interrompue.

— Marie, c'est moi qui suis ton papa.

— Ah ! m'a-t-elle dit.

J'ai ajouté : — Veux-tu que je sois ton papa ?

L'enfant s'est détournée.

— Non, mon papa était bien plus beau.

Je l'ai couverte de baisers et de larmes. Elle a cherché à se dégager de mes bras en criant :

— Vous me faites mal avec votre barbe.

Alors, je l'ai replacée sur mes genoux, en la couvant des yeux, et puis je l'ai questionnée.

— Marie, sais-tu lire ?

— Oui, a-t-elle répondu. Je sais bien lire. Maman me fait lire mes lettres.

— Voyons, lis un peu, lui ai-je dit en lui montrant un papier qu'elle tenait chiffonné dans une de ses petites mains.

Elle a hoché sa jolie tête.

— Ah bien ! je ne sais lire que des fables.

— Essaie toujours. Voyons, lis.

Elle a déployé le papier, et s'est mise à épeler avec son doigt :

— A, R, *ar*, R, E, T, *rêt*, ARRÊT...

Je lui ai arraché cela des mains. C'est ma sentence de mort qu'elle me lisait. Sa bonne avait eu le papier pour un sou. Il me coûtait plus cher, à moi.

Il n'y a pas de paroles pour ce que j'éprouvais. Ma violence l'avait effrayée ; elle pleurait presque. Tout à coup elle m'a dit :

— Rendez-moi donc mon papier, tiens ! c'est pour jouer.

Je l'ai remise à sa bonne.

— Emportez-la.

Et je suis retombé sur ma chaise, sombre, désert, désespéré. A présent ils devraient venir ; je ne tiens plus à rien ; la dernière fibre de mon cœur est brisée. Je suis bon pour ce qu'ils vont faire.

XLIV

Le prêtre est bon, le gendarme aussi. Je crois qu'ils ont versé une larme quand j'ai dit qu'on m'emportât mon enfant.

C'est fait. Maintenant il faut que je me roidisse en moi-même, et que je pense fermement au bourreau, à la charrette, aux gendarmes, à la foule sur le pont, à la foule sur le quai, à la foule aux fenêtres, et à ce qu'il y aura exprès pour moi sur cette lugubre place de Grève, qui pourrait être pavée des têtes qu'elle a vu tomber.

Je crois que j'ai encore une heure pour m'habituer à tout cela.

XLV

Tout ce peuple rira, battra des mains, applaudira. Et parmi tous ces hommes, libres et inconnus des geôliers, qui courent pleins de joie à une exécution, dans cette foule de têtes qui couvrira la place, il y aura plus d'une tête prédestinée qui suivra la mienne tôt ou tard dans le panier rouge. Plus d'un qui y vient pour moi y viendra pour soi.

Pour ces êtres fatals il y a sur un certain point de la place de Grève un lieu fatal, un centre d'attraction, un piège. Ils tournent autour jusqu'à ce qu'ils y soient.

XLVI

Ma petite Marie ! — On l'a remmenée jouer ; elle regarde la foule par la portière du fiacre, et ne pense déjà plus à ce *monsieur*.

Peut-être aurais-je encore le temps d'écrire quelques pages pour elle, afin qu'elle les lise un jour, et qu'elle pleure dans quinze ans pour aujourd'hui.

Oui, il faut qu'elle sache par moi mon histoire, et pourquoi le nom que je lui laisse est sanglant.

XLVII

MON HISTOIRE

Note de l'éditeur. — On n'a pu encore retrouver les feuillets qui se rattachaient à celui-ci. Peut-être, comme ceux qui suivent semblent l'indiquer, le condamné n'a-t-il pas eu le temps de les écrire. Il était tard quand cette pensée lui est venue.

XLVIII

D'une chambre de l'hôtel de ville.

De l'hôtel de ville !... — Ainsi j'y suis. Le trajet exécrable est fait. La place est là, et au-dessous de la fenêtre l'horrible peuple qui aboie, et m'attend, et rit.

J'ai eu beau me roidir, beau me crisper, le cœur m'a failli. Quand j'ai vu au-dessus des têtes ces deux bras rouges, avec leur triangle noir au bout, dressés entre les deux lanternes du quai, le cœur m'a failli. J'ai demandé à faire une dernière déclaration. On m'a déposé ici, et l'on est allé chercher quelque procureur du roi. Je l'attends, c'est toujours cela de gagné.

Voici :

Trois heures sonnaient, on est venu m'avertir qu'il était temps. J'ai tremblé, comme si j'eusse pensé à autre chose depuis six heures, depuis six semaines, depuis six mois. Cela m'a fait l'effet de quelque chose d'inattendu.

Ils m'ont fait traverser leurs corridors et descendre leurs escaliers. Ils m'ont poussé entre deux guichets du rez-de-chaussée, salle sombre, étroite, voûtée, à peine éclairée d'un jour de pluie et de brouillard. Une chaise était au milieu. Ils m'ont dit de m'asseoir ; je me suis assis.

Il y avait près de la porte et le long des murs quelques personnes debout, outre le prêtre et les gendarmes, et il y avait aussi trois hommes.

Le premier, le plus grand, le plus vieux, était gras et avait la face rouge. Il portait une redingote et un chapeau à trois cornes déformés. C'était lui.

C'était le bourreau, le valet de la guillotine. Les deux autres étaient ses valets, à lui.

A peine assis, les deux autres se sont approchés de moi, par derrière, comme des chats ; puis tout à coup j'ai senti un froid d'acier dans mes cheveux, et les ciseaux ont grincé à mes oreilles.

Mes cheveux, coupés au hasard, tombaient par mèches sur mes épaules, et l'homme au chapeau à trois cornes les époussetait doucement avec sa grosse main.

Autour, on parlait à voix basse.

Il y avait un grand bruit au-dehors, comme un frémissement qui ondulait dans l'air. J'ai cru d'abord que c'était la rivière ; mais, à des rires qui éclataient, j'ai reconnu que c'était la foule.

Un jeune homme, près de la fenêtre, qui écrivait, avec un crayon, sur un portefeuille, a demandé à un des guichetiers comment s'appelait ce qu'on faisait là.

— La toilette du condamné, a répondu l'autre.

J'ai compris que cela serait demain dans le journal.

Tout à coup l'un des valets m'a enlevé ma veste, et l'autre a pris mes deux mains qui pendaient, les a ramenées derrière mon dos, et j'ai senti les nœuds d'une corde se rouler lentement autour de mes poignets rapprochés. En même temps, l'autre détachait ma cravate. Ma chemise de batiste, seul lambeau qui me restât du moi d'autrefois, l'a fait en quelque sorte hésiter un moment ; puis il s'est mis à en couper le col.

A cette précaution horrible, au saisissement de l'acier qui touchait mon cou, mes coudes ont tressailli, et j'ai laissé échapper un rugissement étouffé. La main de l'exécuteur a tremblé.

— Monsieur, m'a-t-il dit, pardon ! Est-ce que je vous ai fait mal ?

Ces bourreaux sont des hommes très doux.

La foule hurlait plus haut au-dehors.

Le gros homme au visage bourgeonné m'a offert à respirer un mouchoir imbibé de vinaigre.

— Merci, lui ai-je dit de la voix la plus forte que j'ai pu, c'est inutile ; je me trouve bien.

Alors l'un d'eux s'est baissé et m'a lié les deux pieds, au moyen d'une corde fine et lâche, qui ne me laissait à faire que de petits pas. Cette corde est venue se rattacher à celle de mes mains.

Puis le gros homme a jeté la veste sur mon dos, et a noué les manches ensemble sous mon menton. Ce qu'il y avait à faire là était fait.

Alors le prêtre s'est approché avec son crucifix.

— Allons, mon fils, m'a-t-il dit.

Les valets m'ont pris sous les aisselles. Je me suis levé, j'ai marché. Mes pas étaient mous et fléchissaient comme si j'avais eu deux genoux à chaque jambe.

En ce moment la porte extérieure s'est ouverte à deux battants. Une clameur furieuse et l'air froid et la lumière blanche ont fait irruption jusqu'à moi dans l'ombre. Du fond du sombre guichet, j'ai vu brusquement tout à la fois, à travers la pluie, les mille têtes hurlantes du peuple entassées pêle-mêle sur la rampe du grand escalier du Palais ; à droite, de plain-pied avec le seuil, un rang de chevaux de gendarmes, dont la porte basse ne me découvrait que les pieds de devant et les poitrails ; en face, un détachement de soldats en bataille ; à gauche, l'arrière d'une charrette, auquel s'appuyait une roide échelle. Tableau hideux, bien encadré dans une porte de prison.

C'est pour ce moment redouté que j'avais gardé mon courage. J'ai fait trois pas, et j'ai paru sur le seuil du guichet.

— Le voilà ! le voilà ! a crié la foule. Il sort ! enfin !

Et les plus près de moi battaient des mains. Si fort qu'on aime un roi, ce serait moins de fête.

C'était une charrette ordinaire, avec un cheval étique, et un charretier en sarrau bleu à dessins rouges, comme ceux des maraîchers des environs de Bicêtre.

Le gros homme en chapeau à trois cornes est monté le premier.

— Bonjour, monsieur Samson ! criaient des enfants pendus à des grilles.

Un valet l'a suivi.

— Bravo, Mardi ! ont crié de nouveau les enfants.

Ils se sont assis tous deux sur la banquette de devant.

C'était mon tour. J'ai monté d'une allure assez ferme.

— Il va bien ! a dit une femme à côté des gendarmes.

Cet atroce éloge m'a donné du courage. Le prêtre est venu se placer auprès de moi. On m'avait assis sur la banquette de derrière, le dos tourné au cheval. J'ai frémi de cette dernière attention.

Ils mettent de l'humanité là-dedans.

J'ai voulu regarder autour de moi. Gendarmes devant, gendarmes derrière ; puis de la foule, de la foule, et de la foule ; une mer de têtes sur la place.

Un piquet de gendarmerie à cheval m'attendait à la porte de la grille du Palais.

L'officier a donné l'ordre. La charrette et son cortège se sont mis en mouvement, comme poussés en avant par un hurlement de la populace.

On a franchi la grille. Au moment où la charrette a tourné vers le Pont-au-Change, la place a éclaté en bruit, du pavé aux toits, et les ponts et les quais ont répondu à faire un tremblement de terre.

C'est là que le piquet qui attendait s'est rallié à l'escorte.

— Chapeaux bas ! chapeaux bas ! criaient mille bouches ensemble. — Comme pour le roi.

Alors j'ai ri horriblement aussi, moi, et j'ai dit au prêtre :

— Eux les chapeaux, moi la tête.

On allait au pas.

Le quai aux Fleurs embaumait ; c'est jour de marché. Les marchandes ont quitté leurs bouquets pour moi.

Vis-à-vis, un peu avant la tour carrée qui fait le coin du Palais, il y a des cabarets, dont les entresols étaient pleins de spectateurs heureux de leurs belles places. Surtout des femmes. La journée doit être bonne pour les cabaretiers.

On louait des tables, des chaises, des échafaudages, des charrettes. Tout pliait de spectateurs. Des marchands de sang humain criaient à tue-tête :

— Qui veut des places ?

Une rage m'a pris contre ce peuple. J'ai eu envie de leur crier :

— Qui veut la mienne ?

Cependant la charrette avançait. A chaque pas qu'elle faisait, la foule se démolissait derrière elle, et je la voyais de mes yeux égarés qui s'allait reformer plus loin sur d'autres points de mon passage.

En entrant sur le Pont-au-Change, j'ai par hasard jeté les yeux à ma droite en arrière. Mon regard s'est arrêté sur l'autre quai, au-dessus des maisons, à une tour noire, isolée, hérissée de sculptures, au sommet de laquelle je voyais deux monstres de pierre assis de profil. Je ne sais pourquoi j'ai demandé au prêtre ce que c'était que cette tour.

— Saint-Jacques-la-Boucherie, a répondu le bourreau.

J'ignore comment cela se faisait ; dans la brume, et malgré la pluie fine et blanche qui rayait l'air comme un réseau de fils d'araignée [1], rien de ce qui se passait autour de moi ne m'a échappé. Chacun de ces détails m'apportait sa torture. Les mots manquent aux émotions.

Vers le milieu de ce Pont-au-Change, si large et si encombré que nous cheminions à grand'peine, l'horreur m'a pris violemment. J'ai craint de défaillir, dernière vanité ! Alors je me suis étourdi moi-même pour être aveugle et pour être sourd à tout, excepté au prêtre, dont j'entendais à peine les paroles, entrecoupées de rumeurs.

J'ai pris le crucifix et je l'ai baisé.

— Ayez pitié de moi, ai-je dit, ô mon Dieu ! — Et j'ai tâché de m'abîmer dans cette pensée.

Mais chaque cahot de la dure charrette me secouait. Puis tout à coup je me suis senti un grand froid. La pluie avait traversé mes vêtements, et mouillait la peau de ma tête à travers mes cheveux coupés et courts.

— Vous tremblez de froid, mon fils ? m'a demandé le prêtre.

1. Ce réseau tisse aussi le texte ; voir déjà en V, 71 ; X, 76-77 et XII, p. 79, cette toile dont *Notre-Dame de Paris* fera un symbole.

— Oui, ai-je répondu.

Hélas ! pas seulement de froid [1].

Au détour du pont, des femmes m'ont plaint d'être si jeune.

Nous avons pris le fatal quai. Je commençais à ne plus voir, à ne plus entendre. Toutes ces voix, toutes ces têtes aux fenêtres, aux portes, aux grilles des boutiques, aux branches des lanternes ; ces spectateurs avides et cruels ; cette foule où tous me connaissent et où je ne connais personne ; cette route pavée et murée de visages humains... J'étais ivre, stupide, insensé. C'est une chose insupportable que le poids de tant de regards appuyés sur vous.

Je vacillais donc sur le banc, ne prêtant même plus d'attention au prêtre et au crucifix.

Dans le tumulte qui m'enveloppait, je ne distinguais plus les cris de pitié des cris de joie, les rires des plaintes, les voix du bruit ; tout cela était une rumeur qui résonnait dans ma tête comme dans un écho de cuivre.

Mes yeux lisaient machinalement les enseignes des boutiques.

Une fois, l'étrange curiosité me prit de tourner la tête et de regarder vers quoi j'avançais. C'était une dernière bravade de l'intelligence. Mais le corps ne voulut pas ; ma nuque resta paralysée et d'avance comme morte.

J'entrevis seulement de côté, à ma gauche, au-delà de la rivière, la tour de Notre-Dame, qui, vue de là, cache l'autre. C'est celle où est le drapeau. Il y avait beaucoup de monde, et qui devait bien voir.

1. Hugo méprise et ne donne jamais à ses héros ce stoïcisme de pacotille qui prétend équilibrer la gravité et l'horreur de la mort — ou de toute autre souffrance — par des grimaces académiques. Ici le mot du condamné retourne celui, fameux, de Malesherbes, l'avocat de Louis XVI, répondant à son bourreau que c'était de froid qu'il tremblait. Au chapitre suivant, il retrouve l'accent pitoyable de la Du Barry : « Encore une petite minute, Monsieur le bourreau ! »

Et la charrette allait, allait, et les boutiques passaient, et les enseignes se succédaient, écrites, peintes, dorées, et la populace riait et trépignait dans la boue, et je me laissais aller, comme à leurs rêves ceux qui sont endormis.

Tout à coup la série des boutiques qui occupait mes yeux s'est coupée à l'angle d'une place ; la voix de la foule est devenue plus vaste, plus glapissante, plus joyeuse encore ; la charrette s'est arrêtée subitement, et j'ai failli tomber la face sur les planches. Le prêtre m'a soutenu. — Courage ! a-t-il murmuré. — Alors on a apporté une échelle à l'arrière de la charrette ; il m'a donné le bras, je suis descendu, puis j'ai fait un pas, puis je me suis retourné pour en faire un autre, et je n'ai pu. Entre les deux lanternes du quai, j'avais vu une chose sinistre.

Oh ! c'était la réalité !

Je me suis arrêté, comme chancelant déjà du coup.

— J'ai une dernière déclaration à faire ! ai-je crié faiblement.

On m'a monté ici.

J'ai demandé qu'on me laissât écrire mes dernières volontés. Ils m'ont délié les mains, mais la corde est ici, toute prête, et le reste est en bas.

XLIX

Un juge, un commissaire, un magistrat, je ne sais de quelle espèce, vient de venir. Je lui ai demandé ma grâce en joignant les deux mains et en me traînant sur les deux genoux. Il m'a répondu, en souriant fatalement, si c'est là tout ce que j'avais à lui dire.

— Ma grâce ! ma grâce ! ai-je répété, ou, par pitié, cinq minutes encore !

Qui sait ? elle viendra peut-être ! Cela est si horrible, à mon âge, de mourir ainsi ! Des grâces qui arrivent au dernier moment, on l'a vu souvent. Et à qui fera-t-on grâce, monsieur, si ce n'est à moi ?

Cet exécrable bourreau ! il s'est approché du juge pour lui dire que l'exécution devait être faite à une certaine heure, que cette heure approchait, qu'il était responsable, que d'ailleurs il pleut, et que cela risque de se rouiller.

— Eh, par pitié ! une minute pour attendre ma grâce ! ou je me défends ! je mords !

Le juge et le bourreau sont sortis. Je suis seul. — Seul avec deux gendarmes.

Oh ! l'horrible peuple avec ses cris d'hyène ! — Qui sait si je ne lui échapperai pas ? si je ne serai pas sauvé ? si ma grâce ?... Il est impossible qu'on ne me fasse pas grâce !

Ah ! les misérables ! il me semble qu'on monte l'escalier...

QUATRE HEURES.

Note

Nous donnons ci-jointe, pour les personnes curieuses de cette sorte de littérature, la chanson d'argot avec l'explication en regard, d'après une copie que nous avons trouvée dans les papiers du condamné, et dont ce fac-similé reproduit tout, orthographe et écriture. La signification des mots était écrite de la main du condamné ; il y a aussi dans le dernier couplet deux vers intercalés qui semblent de son écriture ; le reste de la complainte est d'une autre main. Il est probable que, frappé de cette chanson, mais ne se la rappelant qu'imparfaitement, il avait cherché à se la procurer, et que copie lui en avait été donnée par quelque calligraphe de la geôle.

La seule chose que ce fac-similé ne reproduise pas, c'est l'aspect du papier de la copie, qui est jaune, sordide et rompu à ses plis [1].

1. Dans l'édition originale, ce fac-similé était imprimé sur une grande feuille pliée en quatre. J. Seebacher identifie l'écriture de Hugo dans celle des deux vers intercalés. Pour le reste, origine et authenticité du document, on ignore tout.

Cest dans la rue du mail
ou j'ai été Coltigé(1) malure
par trois Coquin de rail(2) lir lonfa malurette
Sur mes sique ont foncé(3) lirlonfa maluré

il mon mit la tartouve(4) lir lon fa malurette
grand meudon est aboulé(5) lirlonfa maluré
dans mon trimin(6) rencontre lirlonfa malurette
un peigre(7) du Cartier lirlonfa maluré.

vaten dire á ma largue(8) lirlonfa malurett
que je suis enfourraillé(9) lir lonfa maluré
ma largue tout en Colere lirlonfa malurette
mdit qu'a tu donc morfillé(10) lirlonfa maluré

(1) empoigné
(2) archers, dions; gendarmes
(3) ils se sont jettés sur moi
(4) les menottes
(5) le mouchard est arrivé
(6) chemin
(7) voleur
(8) ma femme
(9) emprisonné
(10) qu'as tu donc fait?

j'ai fait suer un Chinne (11) lir lonfa malurette (11) j'ai tué un homme

Son sauberg j'ai enganté (12) lirlonfa malure (12) j'ai pris son argent

Son sauberg et sa toquante (13) lirlonfa malurette (13) sa montre

et les atacches de ses (14) lirlonfa maluré (14) ses boucles de souliers

ma largue part pour Versaille lirlonfa malurette

au pieds de sa majesté lirlonfa maluré

elle lui lonce un babillard (15) lir lonfa malurette (15) elle lui présente un placet

pour me faire défourraillé lirlonfa maluré

a si j'en défourail lirlon fa lon malurette

ma largue j'antiferé (16) lir lon fa ma luré (16) je parerai, j'attiferai

je li feré porté fontange lir lonfa malurette

et des souliers galuché (17) lirlonfa malure (17) à galoches

Mais grand dabe (18) qui s' fâche, lirlonfa malurette,

dit par mon caloquet (19) lirlonfa maluré (18) le Roi

je li feré danse une danse lirlonfa malurette (19) ma couronne mon chapeau

ou il ny á pas de planché lirlonfa maluré

CLAUDE GUEUX

La lettre ci-dessous, dont l'original est déposé aux bureaux de la *Revue de Paris*, fait trop d'honneur à son auteur pour que nous ne la reproduisions pas ici. Elle est désormais liée à toutes les réimpressions de *Claude Gueux*.

Dunkerque, le 30 juillet 1834.

Monsieur le directeur de la *Revue de Paris*,

Claude Gueux, de Victor Hugo, par vous inséré dans votre livraison du 6 courant, est une grande leçon ; aidez-moi, je vous prie, à la faire profiter.

Rendez-moi, je vous prie, le service d'en faire tirer à mes frais autant d'exemplaires qu'il y a de députés en France, et de les leur adresser individuellement et bien exactement.

J'ai l'honneur de vous saluer.

Charles CARLIER,
Négociant.

Il y a sept ou huit ans, un homme nommé Claude Gueux, pauvre ouvrier, vivait à Paris. Il avait avec lui une fille qui était sa maîtresse, et un enfant de cette fille. Je dis les choses comme elles sont, laissant le lecteur ramasser les moralités à mesure que les faits les sèment sur leur chemin. L'ouvrier était capable, habile, intelligent, fort maltraité par l'éducation, fort bien traité par la nature, ne sachant pas lire et sachant penser. Un hiver, l'ouvrage manqua. Pas de feu, ni de pain dans le galetas. L'homme, la fille et l'enfant eurent froid et faim. L'homme vola. Je ne sais ce qu'il vola, je ne sais où il vola. Ce que je sais, c'est que de ce vol il résulta trois jours de pain et de feu pour la femme et pour l'enfant, et cinq ans de prison pour l'homme.

L'homme fut envoyé faire son temps à la maison centrale de Clairvaux. Clairvaux, abbaye dont on a fait une bastille, cellule dont on a fait un cabanon, autel dont on a fait un pilori. Quand nous parlons de progrès, c'est ainsi que certaines gens le comprennent et l'exécutent. Voilà la chose qu'ils mettent sous notre mot.

Poursuivons.

Arrivé là, on le mit dans un cachot pour la nuit et dans un atelier pour le jour. Ce n'est pas l'atelier que je blâme.

Claude Gueux, honnête ouvrier naguère, voleur désormais, était une figure digne et grave. Il avait le front haut, déjà ridé quoique jeune encore, quelques cheveux gris perdus dans les touffes noires, l'œil doux et fort puissamment enfoncé sous une arcade sourcilière bien modelée, les narines ouvertes, le menton avancé, la lèvre dédaigneuse. C'était une belle tête. On va voir ce que la société en a fait.

Il avait la parole rare, le geste plus fréquent, quelque chose d'impérieux dans toute sa personne et qui se faisait obéir, l'air pensif, sérieux plutôt que souffrant. Il avait pourtant bien souffert.

Dans le dépôt où Claude Gueux était enfermé, il y avait un directeur des ateliers, espèce de fonctionnaire propre aux prisons, qui tient tout ensemble du guichetier et du marchand, qui fait en même temps une commande à l'ouvrier et une menace au prisonnier, qui vous met l'outil aux mains et les fers aux pieds. Celui-là était lui-même une variété dans l'espèce, un homme bref, tyrannique, obéissant à ses idées, toujours à courte bride sur son autorité ; d'ailleurs, dans l'occasion, bon compagnon, bon prince, jovial même et raillant avec grâce ; dur plutôt que ferme ; ne raisonnant avec personne, pas même avec lui ; bon père, bon mari, sans doute, ce qui est devoir et non vertu ; en un mot, pas méchant, mauvais. C'était un de ces hommes qui n'ont rien de vibrant ni d'élastique, qui sont composés de molécules inertes, qui ne résonnent au choc d'aucune idée, au contact d'aucun sentiment, qui ont des colères glacées, des haines mornes, des emportements sans émotion, qui prennent feu sans s'échauffer, dont la capacité de calorique est nulle [1], et qu'on dirait souvent faits de

1. Hugo emprunte cette image, d'ailleurs transparente, à la théorie de la chaleur de la physique de son temps. De même, un peu plus haut, la « variété dans l'espèce » qui vient des sciences naturelles. Ces métaphores signalent l'inhumanité du personnage, plus exactement le défaut d'individualité, qui rend cocasse son illusion d'une ressemblance avec Napoléon.

bois ; ils flambent par un bout et sont froids par l'autre. La ligne principale, la ligne diagonale du caractère de cet homme, c'était la ténacité. Il était fier d'être tenace, et se comparait à Napoléon. Ceci n'est qu'une illusion d'optique. Il y a nombre de gens qui en sont dupes et qui, à une certaine distance, prennent la ténacité pour de la volonté, et une chandelle pour une étoile. Quand cet homme donc avait une fois ajusté ce qu'il appelait *sa volonté* à une chose absurde, il allait tête haute et à travers toute broussaille jusqu'au bout de la chose absurde. L'entêtement sans l'intelligence, c'est la sottise soudée au bout de la bêtise et lui servant de rallonge. Cela va loin. En général, quand une catastrophe privée ou publique s'est écroulée sur nous, si nous examinons, d'après les décombres qui en gisent à terre, de quelle façon elle s'est échafaudée, nous trouvons presque toujours qu'elle a été aveuglément construite par un homme médiocre et obstiné qui avait foi en lui et qui s'admirait. Il y a par le monde beaucoup de ces petites fatalités têtues qui se croient des providences.

Voilà donc ce que c'était que le directeur des ateliers de la prison centrale de Clairvaux. Voilà de quoi était fait le briquet avec lequel la société frappait chaque jour sur les prisonniers pour en tirer des étincelles.

L'étincelle que de pareils briquets arrachent à de pareils cailloux allume souvent des incendies.

Nous avons dit qu'une fois arrivé à Clairvaux, Claude Gueux fut numéroté dans un atelier et rivé à une besogne. Le directeur de l'atelier fit connaissance avec lui, le reconnut bon ouvrier, et le traita bien. Il paraît même qu'un jour, étant de bonne humeur, et voyant Claude Gueux fort triste, car cet homme pensait toujours à celle qu'il appelait *sa femme*, il lui conta, par manière de jovialité et de passe-temps, et aussi pour le consoler, que cette malheureuse s'était faite fille publique. Claude demanda froidement ce qu'était devenu l'enfant. On ne savait.

Au bout de quelques mois, Claude s'acclimata à l'air de la prison, et parut ne plus songer à rien. Une certaine sérénité sévère, propre à son caractère, avait repris le dessus.

Au bout du même espace de temps à peu près, Claude avait acquis un ascendant singulier sur tous ses compagnons. Comme par une sorte de convention tacite, et sans que personne sût pourquoi, pas même lui, tous ces hommes le consultaient, l'écoutaient, l'admiraient et l'imitaient, ce qui est le dernier degré ascendant de l'admiration. Ce n'était pas une médiocre gloire d'être obéi par toutes ces natures désobéissantes. Cet empire lui était venu sans qu'il y songeât. Cela tenait au regard qu'il avait dans les yeux. L'œil de l'homme est une fenêtre par laquelle on voit les pensées qui vont et viennent dans sa tête.

Mettez un homme qui contient des idées parmi des hommes qui n'en contiennent pas, au bout d'un temps donné et par une loi d'attraction irrésistible, tous les cerveaux ténébreux graviteront humblement et avec adoration autour du cerveau rayonnant. Il y a des hommes qui sont fer et des hommes qui sont aimant. Claude était aimant.

En moins de trois mois donc, Claude était devenu l'âme, la loi et l'ordre de l'atelier. Toutes ces aiguilles tournaient sur son cadran. Il devait douter lui-même par moments s'il était roi ou prisonnier. C'était une sorte de pape captif avec ses cardinaux.

Et, par une réaction toute naturelle dont l'effet s'accomplit sur toutes les échelles, aimé des prisonniers, il était détesté des geôliers. Cela est toujours ainsi. La popularité ne va jamais sans la défaveur. L'amour des esclaves est toujours doublé de la haine des maîtres.

Claude Gueux était grand mangeur. C'était une des

particularités de son organisation. Il avait l'estomac fait de telle sorte que la nourriture de deux hommes ordinaires suffisait à peine à sa journée. M. de Cotadilla [1] avait un de ces appétits-là, et en riait ; mais ce qui est une occasion de gaieté pour un duc grand d'Espagne qui a cinq cent mille moutons est une charge pour un ouvrier, et un malheur pour un prisonnier.

Claude Gueux, libre dans son grenier, travaillait tout le jour, gagnait son pain de quatre livres et le mangeait. Claude Gueux, en prison, travaillait tout le jour et recevait invariablement pour sa peine une livre et demie de pain et quatre onces de viande. La ration est inexorable. Claude avait donc habituellement faim dans la prison de Clairvaux.

Il avait faim, et c'était tout. Il n'en parlait pas. C'était sa nature ainsi.

Un jour, Claude venait de dévorer sa maigre pitance, et s'était remis à son métier, croyant tromper la faim par le travail. Les autres prisonniers mangeaient joyeusement. Un jeune homme, pâle, blanc, faible, vint se placer près de lui. Il tenait à la main sa ration, à laquelle il n'avait pas encore touché, et un couteau. Il restait là debout, près de Claude, ayant l'air de vouloir parler et de ne pas oser. Cet homme, et son pain, et sa viande, importunaient Claude.

— Que veux-tu ? dit-il enfin brusquement.

— Que tu me rendes un service, dit timidement le jeune homme.

— Quoi ? reprit Claude.

— Que tu m'aides à manger cela. J'en ai trop.

Une larme roula dans l'œil hautain de Claude. Il prit le couteau, partagea la ration du jeune homme en deux parts égales, en prit une, et se mit à manger.

1. Souvenir personnel : il commandait l'escorte du convoi pour la traversée de l'Espagne, lors du voyage de 1811.

— Merci, dit le jeune homme. Si tu veux, nous partagerons comme cela tous les jours.

— Comment t'appelles-tu ? dit Claude Gueux.

— Albin.

— Pourquoi es-tu ici ? reprit Claude.

— J'ai volé.

— Et moi aussi, dit Claude.

Ils partagèrent en effet de la sorte tous les jours. Claude Gueux avait trente-six ans, et par moments il en paraissait cinquante, tant sa pensée habituelle était sévère. Albin avait vingt ans, on lui en eût donné dix-sept, tant il y avait encore d'innocence dans le regard de ce voleur. Une étroite amitié se noua entre ces deux hommes. Amitié de père à fils plutôt que de frère à frère. Albin était encore presque un enfant ; Claude était déjà presque un vieillard [1].

Ils travaillaient dans le même atelier, ils couchaient sous la même clef de voûte, ils se promenaient dans le même préau, ils mordaient au même pain. Chacun des deux amis était l'univers pour l'autre. Il paraît qu'ils étaient heureux.

Nous avons déjà parlé du directeur des ateliers. Cet homme, haï des prisonniers, était souvent obligé, pour se faire obéir d'eux, d'avoir recours à Claude Gueux qui en était aimé. Dans plus d'une occasion, lorsqu'il s'était agi d'empêcher une rébellion ou un tumulte, l'autorité sans titre de Claude Gueux avait prêté main-forte à l'autorité officielle du directeur. En effet, pour contenir les prisonniers, dix paroles de Claude valaient dix gendarmes. Claude avait maintes fois rendu ce service au directeur. Aussi le directeur le détestait-il cordialement. Il était jaloux

1. Ce portrait, comme celui de Claude Gueux lui-même, enjolive moins la réalité qu'il ne la déplace, montrant les dépendances réciproques de l'amitié et de l'amour au lieu de l'égalité d'une complicité et l'autorité d'un « leader » plutôt que l'ascendant trouble d'un « meneur ».

de ce voleur. Il avait au fond du cœur une haine secrète, envieuse, implacable, contre Claude, une haine de souverain de droit à souverain de fait, de pouvoir temporel à pouvoir spirituel.

Ces haines-là sont les pires.

Claude aimait beaucoup Albin, et ne songeait pas au directeur.

Un jour, un matin, au moment où les condamnés passaient deux à deux du dortoir dans l'atelier, un guichetier appela Albin qui était à côté de Claude et le prévint que le directeur le demandait.

— Que te veut-on ? dit Claude.

— Je ne sais pas, dit Albin.

Le guichetier emmena Albin.

La matinée se passa, Albin ne revint pas à l'atelier. Quand arriva l'heure du repas, Claude pensa qu'il retrouverait Albin au préau. Albin n'était pas au préau. On rentra dans l'atelier, Albin ne reparut pas dans l'atelier. La journée s'écoula ainsi. Le soir, quand on ramena les prisonniers dans leur dortoir, Claude y chercha des yeux Albin, et ne le vit pas. Il paraît qu'il souffrit beaucoup dans ce moment-là, car il adressa la parole à un guichetier, ce qu'il ne faisait jamais.

— Est-ce qu'Albin est malade ? dit-il.

— Non, répondit le guichetier.

— D'où vient donc, reprit Claude, qu'il n'a pas reparu aujourd'hui ?

— Ah ! dit négligemment le porte-clefs, c'est qu'on l'a changé de quartier.

Les témoins qui ont déposé de ces faits plus tard remarquèrent qu'à cette réponse du guichetier la main de Claude, qui portait une chandelle allumée, trembla légèrement. Il reprit avec calme :

— Qui a donné cet ordre-là ?

Le guichetier répondit :

— M. D.

Le directeur des ateliers s'appelait M. D.

La journée du lendemain se passa comme la journée précédente, sans Albin.

Le soir, à l'heure de la clôture des travaux, le directeur, M. D., vint faire sa ronde habituelle dans l'atelier. Du plus loin que Claude le vit, il ôta son bonnet de grosse laine, il boutonna sa veste grise, triste livrée de Clairvaux, car il est de principe dans les prisons qu'une veste respectueusement boutonnée prévient favorablement les supérieurs, et il se tint debout et son bonnet à la main à l'entrée de son banc, attendant le passage du directeur. Le directeur passa.

— Monsieur ! dit Claude.

Le directeur s'arrêta et se détourna à demi.

— Monsieur, reprit Claude, est-ce que c'est vrai qu'on a changé Albin de quartier ?

— Oui, répondit le directeur.

— Monsieur, poursuivit Claude, j'ai besoin d'Albin pour vivre.

Il ajouta :

— Vous savez que je n'ai pas assez de quoi manger avec la ration de la maison, et qu'Albin partageait son pain avec moi.

— C'était son affaire, dit le directeur.

— Monsieur, est-ce qu'il n'y aurait pas moyen de faire remettre Albin dans le même quartier que moi ?

— Impossible. Il y a décision prise.

— Par qui ?

— Par moi.

— Monsieur D., reprit Claude, c'est la vie ou la mort pour moi, et cela dépend de vous.

— Je ne reviens jamais sur mes décisions.

— Monsieur, est-ce que je vous ai fait quelque chose ? Que vous ai-je fait ?

— Rien.

— En ce cas, dit Claude, pourquoi me séparez-vous d'Albin ?

— Parce que, dit le directeur.

Cette explication donnée, le directeur passa outre.

Claude baissa la tête et ne répliqua pas. Pauvre lion en cage à qui l'on ôtait son chien.

Nous sommes forcé de dire que le chagrin de cette séparation n'altéra en rien la voracité en quelque sorte maladive du prisonnier. Rien d'ailleurs ne parut sensiblement changé en lui. Il ne parlait d'Albin à aucun de ses camarades. Il se promenait seul dans le préau aux heures de récréation, et il avait faim. Rien de plus.

Cependant ceux qui le connaissaient bien remarquaient quelque chose de sinistre et de sombre qui s'épaississait chaque jour de plus en plus sur son visage. Du reste, il était plus doux que jamais.

Plusieurs voulurent partager leur ration avec lui, il refusa en souriant.

Tous les soirs, depuis l'cxplication que lui avait donnée le directeur, il faisait une espèce de chose folle qui étonnait de la part d'un homme aussi sérieux. Au moment où le directeur, ramené à heure fixe par sa tournée habituelle, passait devant le méticr de Claude, Claude levait les yeux et le regardait fixement, puis il lui disait d'un ton plein d'angoisse et de colère qui tenait à la fois de la prière et de la menace ces deux mots seulement : *Et Albin ?* Le directeur faisait semblant de ne pas entendre ou s'éloignait en haussant les épaules.

Cet homme avait tort de hausser les épaules, car il était évident pour tous les spectateurs de ces scènes étranges que Claude Gueux était intérieurement déterminé à quelque chose. Toute la prison attendait avec anxiété quel serait le résultat de cette lutte entre une ténacité et une résolution.

Il a été constaté qu'une fois entre autres Claude dit au directeur :

— Écoutez, monsieur, rendez-moi mon camarade. Vous ferez bien, je vous assure. Remarquez que je vous dis cela.

Une autre fois, un dimanche, comme il se tenait dans le préau, assis sur une pierre, les coudes sur les genoux et son front dans ses mains, immobile depuis plusieurs heures dans la même attitude, le condamné Faillette s'approcha de lui, et lui cria en riant :

— Que diable fais-tu donc là, Claude ?

Claude leva lentement sa tête sévère, et dit :

— *Je juge quelqu'un.*

Un soir enfin, le 25 octobre 1831, au moment où le directeur faisait sa ronde, Claude brisa sous son pied avec bruit un verre de montre qu'il avait trouvé le matin dans un corridor. Le directeur demanda d'où venait ce bruit.

— Ce n'est rien, dit Claude, c'est moi. Monsieur le directeur, rendez-moi Albin, rendez-moi mon camarade.

— Impossible, dit le maître.

— Il le faut pourtant, dit Claude d'une voix basse et ferme ; et, regardant le directeur en face, il ajouta :

— Réfléchissez. Nous sommes aujourd'hui le 25 octobre. Je vous donne jusqu'au 4 novembre.

Un guichetier fit remarquer à M.D. que Claude le menaçait, et que c'était un cas de cachot.

— Non, point de cachot, dit le directeur avec un sourire dédaigneux, il faut être bon avec ces gens-là !

Le lendemain, le condamné Pernot aborda Claude, qui se promenait seul et pensif, laissant les autres prisonniers s'ébattre dans un petit carré de soleil à l'autre bout de la cour.

— Hé bien ! Claude, à quoi songes-tu ? tu parais triste.

— *Je crains*, dit Claude, *qu'il n'arrive bientôt quelque malheur à ce bon M.D.*

Il y a neuf jours pleins du 25 octobre au 4 novembre. Claude n'en laissa pas passer un sans avertir gravement le directeur de l'état de plus en plus douloureux où le mettait la disparition d'Albin.

Le directeur, fatigué, lui infligea une fois vingt-quatre heures de cachot parce que la prière ressemblait trop à une sommation. Voilà tout ce que Claude obtint.

Le 4 novembre arriva. Ce jour-là, Claude s'éveilla avec un visage serein qu'on ne lui avait pas encore vu depuis le jour où la *décision* de M.D. l'avait séparé de son ami. En se levant, il fouilla dans une espèce de caisse de bois blanc qui était au pied de son lit et qui contenait ses quelques guenilles. Il en tira une paire de ciseaux de couturière. C'était, avec un volume dépareillé de l'*Émile*, la seule chose qui lui restât de la femme qu'il avait aimée, de la mère de son enfant, de son heureux petit ménage d'autrefois. Deux meubles bien inutiles pour Claude ; les ciseaux ne pouvaient servir qu'à une femme, le livre qu'à un lettré. Claude ne savait ni coudre ni lire [1].

Au moment où il traversait le vieux cloître déshonoré et blanchi à la chaux qui sert de promenoir l'hiver, il s'approcha du condamné Ferrari, qui regardait avec attention les énormes barreaux d'une croisée. Claude tenait à la main la petite paire de ciseaux ; il la montra à Ferrari en disant :

— Ce soir je couperai ces barreaux-ci avec ces ciseaux-là.

Ferrari, incrédule, se mit à rire, et Claude aussi.

Ce matin-là, il travailla avec plus d'ardeur qu'à l'ordinaire ; jamais il n'avait fait si vite et si bien. Il parut attacher un certain prix à terminer dans sa matinée un chapeau de paille que lui avait payé d'avance un honnête bourgeois de Troyes, M. Bressier.

Un peu avant midi, il descendit sous un prétexte à l'atelier des menuisiers situé au rez-de-chaussée, au-

1. Les ciseaux serviront puisque l'*Émile*, qui figure ici comme une sorte de patronage sous lequel Hugo se place, est resté lettre morte.

dessous de l'étage où il travaillait. Claude était aimé là comme ailleurs, mais il y entrait rarement. Aussi :

— Tiens ! voilà Claude !

On l'entoura. Ce fut une fête. Claude jeta un coup d'œil rapide dans la salle. Pas un des surveillants n'y était.

— Qui est-ce qui a une hache à me prêter ? dit-il.

— Pour quoi faire ? lui demanda-t-on.

Il répondit :

— C'est pour tuer ce soir le directeur des ateliers.

On lui présenta plusieurs haches à choisir. Il prit la plus petite, qui était fort tranchante, la cacha dans son pantalon, et sortit. Il y avait là vingt-sept prisonniers. Il ne leur avait pas recommandé le secret. Tous le gardèrent.

Ils ne causèrent même pas de la chose entre eux.

Chacun attendit de son côté ce qui arriverait. L'affaire était terrible, droite et simple. Pas de complication possible. Claude ne pouvait être ni conseillé, ni dénoncé.

Une heure après, il aborda un jeune condamné de seize ans qui bâillait dans le promenoir, et lui conseilla d'apprendre à lire. En ce moment, le détenu Faillette accosta Claude, et lui demanda ce que diable il cachait là dans son pantalon. Claude dit :

— C'est une hache pour tuer M.D. ce soir.

Il ajouta :

— Est-ce que cela se voit ?

— Un peu, dit Faillette.

Le reste de la journée fut à l'ordinaire. A sept heures du soir, on renferma les prisonniers, chaque section dans l'atelier qui lui était assigné ; et les surveillants sortirent des salles de travail, comme il paraît que c'est l'habitude, pour ne rentrer qu'après la ronde du directeur.

Claude Gueux fut donc verrouillé comme les autres dans son atelier avec ses compagnons de métier.

Alors il se passa dans cet atelier une scène extraordinaire, une scène qui n'est ni sans majesté ni sans terreur, la seule de ce genre qu'aucune histoire puisse raconter.

Il y avait là, ainsi que l'a constaté l'instruction judiciaire qui a eu lieu depuis, quatrevingt-deux voleurs, y compris Claude.

Une fois que les surveillants les eurent laissés seuls, Claude se leva debout sur son banc, et annonça à toute la chambrée qu'il avait quelque chose à dire. On fit silence.

Alors Claude haussa la voix et dit :

— Vous savez tous qu'Albin était mon frère. Je n'ai pas assez de ce qu'on me donne ici pour manger. Même en n'achetant que du pain avec le peu que je gagne, cela ne suffirait pas. Albin partageait sa ration avec moi ; je l'ai aimé d'abord parce qu'il m'a nourri, ensuite parce qu'il m'a aimé. Le directeur, M.D., nous a séparés. Cela ne lui faisait rien que nous fussions ensemble ; mais c'est un méchant homme, qui jouit de tourmenter. Je lui ai redemandé Albin. Vous avez vu ? il n'a pas voulu. Je lui ai donné jusqu'au 4 novembre pour me rendre Albin. Il m'a fait mettre au cachot pour avoir dit cela. Moi, pendant ce temps-là, je l'ai jugé et je l'ai condamné à mort*. Nous sommes au 4 novembre. Il viendra dans deux heures faire sa tournée. Je vous préviens que je vais le tuer. Avez-vous quelque chose à dire à cela ?

Tous gardèrent le silence.

Claude reprit. Il parla, à ce qu'il paraît, avec une éloquence singulière, qui d'ailleurs lui était naturelle. Il déclara qu'il savait bien qu'il allait faire une action violente, mais qu'il ne croyait pas avoir tort. Il attesta la conscience des quatrevingt-un voleurs qui l'écoutaient :

* Textuel.

Qu'il [1] était dans une rude extrémité ;

Que la nécessité de se faire justice soi-même était un cul-de-sac où l'on se trouvait engagé quelquefois ;

Qu'à la vérité il ne pouvait prendre la vie du directeur sans donner la sienne propre, mais qu'il trouvait bon de donner sa vie pour une chose juste ;

Qu'il avait mûrement réfléchi, et à cela seulement, depuis deux mois ;

Qu'il croyait bien ne pas se laisser entraîner par le ressentiment, mais que, dans le cas où cela serait, il suppliait qu'on l'en avertît ;

Qu'il soumettait honnêtement ses raisons aux hommes justes qui l'entouraient ;

Qu'il allait donc tuer M.D., mais que, si quelqu'un avait une objection à lui faire, il était prêt à l'écouter.

Une voix seulement s'éleva, et dit qu'avant de tuer le directeur, Claude devait essayer une dernière fois de lui parler et de le fléchir.

— C'est juste, dit Claude, et je le ferai.

Huit heures sonnèrent à la grande horloge. Le directeur devait venir à neuf heures.

Une fois que cette étrange cour de cassation eut en quelque sorte ratifié la sentence qu'il avait portée, Claude reprit toute sa sérénité. Il mit sur une table tout ce qu'il possédait en linge et en vêtements, la pauvre dépouille du prisonnier, et, appelant l'un après l'autre ceux de ses compagnons qu'il aimait le plus après Albin, il leur distribua tout. Il ne garda que la petite paire de ciseaux.

Puis il les embrassa tous. Quelques-uns pleuraient, il souriait à ceux-là.

Il y eut dans cette heure dernière des instants où il causa avec tant de tranquillité et même de gaieté, que plusieurs de ses camarades espéraient intérieu-

1. Le discours indirect justifie la construction grammaticale, mais l'anaphore rejoint la forme canonique des attendus d'un jugement.

rement, comme ils l'ont déclaré depuis, qu'il abandonnerait peut-être sa résolution. Il s'amusa même une fois à éteindre une des rares chandelles qui éclairaient l'atelier avec le souffle de sa narine, car il avait de mauvaises habitudes d'éducation qui dérangeaient sa dignité naturelle plus souvent qu'il n'aurait fallu. Rien ne pouvait faire que cet ancien gamin [1] des rues n'eût point par moments l'odeur du ruisseau de Paris.

Il aperçut un jeune condamné qui était pâle, qui le regardait avec des yeux fixes, et qui tremblait, sans doute dans l'attente de ce qu'il allait voir.

— Allons, du courage, jeune homme ! lui dit Claude doucement, ce ne sera que l'affaire d'un instant.

Quand il eut distribué toutes ses hardes, fait tous ses adieux, serré toutes les mains, il interrompit quelques causeries inquiètes qui se faisaient çà et là dans les coins obscurs de l'atelier, et il commanda qu'on se remît au travail. Tous obéirent en silence.

L'atelier où ceci se passait était une salle oblongue, un long parallélogramme percé de fenêtres sur ses deux grands côtés, et de deux portes qui se regardaient à ses deux extrémités. Les métiers avec leurs bancs étaient rangés de chaque côté près des fenêtres, les bancs touchant le mur à angle droit, et l'espace resté libre entre les deux rangées de métiers formait une sorte de longue voie qui allait en ligne droite de l'une des portes à l'autre et traversait ainsi toute la salle. C'était cette longue voie, assez étroite, que le directeur avait à parcourir en faisant son inspection ; il devait entrer par la porte sud et ressortir par la porte nord, après avoir regardé les travailleurs à droite et à gauche. D'ordinaire il faisait ce trajet assez rapidement et sans s'arrêter.

1. Dans *Les Misérables* (III, 1, 7 ; t. 2, 125), Hugo revendique pour *Claude Gueux* le premier usage littéraire du mot : « Le scandale fut vif. »

Claude s'était replacé lui-même à son banc et il s'était remis au travail, comme Jacques Clément se fût remis à la prière.

Tous attendaient. Le moment approchait. Tout à coup on entendit un coup de cloche. Claude dit :

— C'est l'avant-quart.

Alors il se leva, traversa gravement une partie de la salle, et alla s'accouder sur l'angle du premier métier à gauche, tout à côté de la porte d'entrée. Son visage était parfaitement calme et bienveillant.

Neuf heures sonnèrent. La porte s'ouvrit. Le directeur entra.

En ce moment-là, il se fit dans l'atelier un silence de statues.

Le directeur était seul comme d'habitude.

Il entra avec sa figure joviale, satisfaite et inexorable, ne vit pas Claude qui était debout à gauche de la porte, la main droite cachée dans son pantalon, et passa rapidement devant les premiers métiers, hochant la tête, mâchant ses paroles, et jetant çà et là son regard banal, sans s'apercevoir que tous les yeux qui l'entouraient étaient fixés sur une idée terrible.

Tout à coup il se détourna brusquement, surpris d'entendre un pas derrière lui.

C'était Claude, qui le suivait en silence depuis quelques instants.

— Que fais-tu là, toi ? dit le directeur ; pourquoi n'es-tu pas à ta place ?

Car un homme n'est plus un homme là. C'est un chien. On le tutoie.

Claude Gueux répondit respectueusement :

— C'est que j'ai à vous parler, monsieur le directeur.

— De quoi ?

— D'Albin.

— Encore ! dit le directeur.

— Toujours ! dit Claude.

— Ah çà ! reprit le directeur continuant de marcher, tu n'as donc pas eu assez de vingt-quatre heures de cachot ?

Claude répondit en continuant de le suivre :

— Monsieur le directeur, rendez-moi mon camarade.

— Impossible.

— Monsieur le directeur, dit Claude avec une voix qui eût attendri le démon, je vous en supplie, remettez Albin avec moi, vous verrez comme je travaillerai bien. Vous qui êtes libre, cela vous est égal, vous ne savez pas ce que c'est qu'un ami ; mais, moi, je n'ai que les quatre murs de la prison. Vous pouvez aller et venir, vous ; moi je n'ai qu'Albin. Rendez-le-moi. Albin me nourrissait, vous le savez bien. Cela ne vous coûterait que la peine de dire oui. Qu'est-ce que cela vous fait qu'il y ait dans la même salle un homme qui s'appelle Claude Gueux et un autre qui s'appelle Albin ? Car ce n'est pas plus compliqué que cela. Monsieur le directeur, mon bon monsieur D., je vous supplie vraiment, au nom du ciel !

Claude n'en avait peut-être jamais tant dit à la fois à un geôlier. Après cet effort, épuisé, il attendit. Le directeur répliqua avec un geste d'impatience :

— Impossible. C'est dit. Voyons, ne m'en reparle plus. Tu m'ennuies.

Et, comme il était pressé, il doubla le pas. Claude aussi. En parlant ainsi ils étaient arrivés tous deux près de la porte de sortie. Les quatrevingts voleurs regardaient et écoutaient, haletants.

Claude prit doucement le pan de l'habit du directeur.

— Mais au moins que je sache pourquoi je suis condamné à mort ! Dites-moi pourquoi vous l'avez séparé de moi ?

— Je te l'ai déjà dit, répondit le directeur. Parce que.

Et, tournant le dos à Claude, il avança la main vers le loquet de la porte de sortie.

A la réponse du directeur, Claude avait reculé d'un pas. Les quatrevingts statues qui étaient là virent sortir de son pantalon sa main droite avec la hache. Cette main se leva, et avant que le directeur eût pu pousser un cri, trois coups de hache, chose affreuse à dire, assenés dans la même entaille, lui avaient ouvert le crâne. Au moment où il tombait à la renverse, un quatrième coup lui balafra le visage. Puis, comme une fureur lancée ne s'arrête pas court, Claude Gueux lui fendit la cuisse droite d'un cinquième coup inutile. Le directeur était mort.

Alors Claude jeta la hache et cria : *A l'autre maintenant !* L'autre, c'était lui. On le vit tirer de sa veste les petits ciseaux de « sa femme », et, sans que personne songeât à l'en empêcher, il se les enfonça dans la poitrine. La lame était courte, la poitrine était profonde. Il y fouilla longtemps et à plus de vingt reprises en criant : — Cœur de damné, je ne te trouverai donc pas ! — Et enfin il tomba baigné dans son sang, évanoui sur le mort.

Lequel des deux était la victime de l'autre ?

Quand Claude reprit connaissance, il était dans un lit, couvert de linges et de bandages, entouré de soins. Il avait auprès de son chevet des bonnes sœurs de charité, et de plus un juge d'instruction qui instrumentait et qui lui demanda avec beaucoup d'intérêt : — *Comment vous trouvez-vous ?*

Il avait perdu une grande quantité de sang, mais les ciseaux avec lesquels il avait eu la superstition touchante de se frapper avaient mal fait leur devoir ; aucun des coups qu'il s'était portés n'était dangereux. Il n'y avait de mortelles pour lui que les blessures qu'il avait faites à M. D.

Les interrogatoires commencèrent. On lui demanda si c'était lui qui avait tué le directeur des ateliers de la prison de Clairvaux. Il répondit : *Oui*. On lui demanda pourquoi. Il répondit : *Parce que*.

Cependant, à un certain moment, ses plaies s'envenimèrent. Il fut pris d'une fièvre mauvaise dont il faillit mourir.

Novembre, décembre, janvier et février se passèrent en soins et en préparatifs. Médecins et juges s'empressaient autour de Claude. Les uns guérissaient ses blessures, les autres dressaient son échafaud.

Abrégeons. Le 16 mars 1832, il parut, étant parfaitement guéri, devant la cour d'assises de Troyes. Tout ce que la ville peut donner de foule était là.

Claude eut une bonne attitude devant la cour. Il s'était fait raser avec soin, il avait la tête nue, il portait ce morne habit des prisonniers de Clairvaux, mi-parti de deux espèces de gris.

Le procureur du roi avait encombré la salle de bayonnettes, « afin, dit-il à l'audience, de contenir tous les scélérats qui devaient figurer comme témoins dans cette affaire ».

Lorsqu'il fallut entamer le débat, il se présenta une difficulté singulière. Aucun des témoins des événements du 4 novembre ne voulait déposer contre Claude. Le président les menaça de son pouvoir discrétionnaire. Ce fut en vain. Claude alors leur commanda de déposer. Toutes les langues se délièrent. Ils dirent ce qu'ils avaient vu.

Claude les écoutait tous avec une profonde attention. Quand l'un d'eux, par oubli, ou par affection pour Claude, omettait des faits à la charge de l'accusé, Claude les rétablissait.

De témoignage en témoignage, la série des faits que nous venons de développer se déroula devant la cour.

Il y eut un moment où les femmes qui étaient là pleurèrent. L'huissier appela le condamné Albin. C'était son tour de déposer. Il entra en chancelant. Il sanglotait. Les gendarmes ne purent empêcher qu'il n'allât tomber dans les bras de Claude. Claude le soutint et dit en souriant au procureur du roi : —

Voilà un scélérat qui partage son pain avec ceux qui ont faim. — Puis il baisa la main d'Albin.

La liste des témoins épuisée, monsieur le procureur du roi se leva et prit la parole en ces termes : — Messieurs les jurés, la société serait ébranlée jusque dans ses fondements, si la vindicte publique n'atteignait pas les grands coupables comme celui qui, etc.

Après ce discours mémorable, l'avocat de Claude parla. La plaidoirie contre et la plaidoirie pour firent, chacune à leur tour, les évolutions qu'elles ont coutume de faire dans cette espèce d'hippodrome qu'on appelle un procès criminel.

Claude jugea que tout n'était pas dit. Il se leva à son tour. Il parla de telle sorte qu'une personne intelligente qui assistait à cette audience s'en revint frappée d'étonnement. Il paraît que ce pauvre ouvrier contenait bien plutôt un orateur qu'un assassin. Il parla debout, avec une voix pénétrante et bien ménagée, avec un œil clair, honnête et résolu, avec un geste presque toujours le même, mais plein d'empire. Il dit les choses comme elles étaient, simplement, sérieusement, sans charger ni amoindrir, convint de tout, regarda l'article 296 [1] en face, et posa sa tête dessous. Il eut des moments de véritable haute éloquence qui faisaient remuer la foule, et où l'on se répétait à l'oreille dans l'auditoire ce qu'il venait de dire. Cela faisait un murmure pendant lequel Claude reprenait haleine en jetant un regard fier sur les assistants. Dans d'autres instants, cet homme qui ne savait pas lire était doux, poli, choisi, comme un lettré ; puis, par moments encore, modeste, mesuré, attentif, marchant pas à pas dans

1. « Tout meurtre commis avec préméditation ou de guet-apens est qualifié assassinat. » Et, article 302 : « Tout coupable d'assassinat, de parricide, d'infanticide et d'empoisonnement sera puni de mort. »

la partie irritante de la discussion, bienveillant pour les juges. Une fois seulement, il se laissa aller à une secousse de colère. Le procureur du roi avait établi dans le discours que nous avons cité en entier que Claude Gueux avait assassiné le directeur des ateliers sans voie de fait ni violence de la part du directeur, par conséquent *sans provocation* [1].

— Quoi ! s'écria Claude, je n'ai pas été provoqué ! Ah ! oui, vraiment, c'est juste. Je vous comprends. Un homme ivre me donne un coup de poing, je le tue, j'ai été provoqué, vous me faites grâce, vous m'envoyez aux galères. Mais un homme qui n'est pas ivre et qui a toute sa raison me comprime le cœur pendant quatre ans, m'humilie pendant quatre ans, me pique tous les jours, toutes les heures, toutes les minutes, d'un coup d'épingle à quelque place inattendue pendant quatre ans ! J'avais une femme pour qui j'ai volé, il me torture avec cette femme ; j'avais un enfant pour qui j'ai volé, il me torture avec cet enfant ; je n'ai pas assez de pain, un ami m'en donne, il m'ôte mon ami et mon pain. Je redemande mon ami, il me met au cachot. Je lui dis *vous*, à lui mouchard, il me dit *tu*. Je lui dis que je souffre, il me dit que je l'ennuie. Alors que voulez-vous que je fasse ? Je le tue. C'est bien. Je suis un monstre, j'ai tué cet homme, je n'ai pas été provoqué, vous me coupez la tête. Faites ! —

1. Hugo n'a pas tort d'élargir vers la notion des « circonstances atténuantes » — encore absente du Code — l'interprétation d'une loi très restrictive : « Le meurtre ainsi que les blessures et les coups sont excusables s'ils ont été provoqués par des coups ou violences graves envers les personnes » (art. 321). Étaient également excusables les crimes « commis en repoussant l'escalade ou l'effraction des clôtures » (322), le meurtre « commis par l'époux sur son épouse ainsi que sur le complice à l'instant où il les surprend en flagrant délit dans la maison conjugale » (324), le crime « de castration, s'il a été immédiatement provoqué par un outrage violent à la pudeur » (325). L'excuse réduisait les peines de mort, de travaux forcés et de déportation à un emprisonnement d'un à cinq ans (326).

Mouvement sublime, selon nous, qui faisait tout à coup surgir, au-dessus du système de provocation matérielle, sur lequel s'appuie l'échelle mal proportionnée des circonstances atténuantes, toute une théorie de la provocation morale oubliée par la loi.

Les débats fermés, le président fit son résumé impartial et lumineux. Il en résulta ceci. Une vilaine vie. Un monstre en effet. Claude Gueux avait commencé par vivre en concubinage avec une fille publique, puis il avait volé, puis il avait tué. Tout cela était vrai.

Au moment d'envoyer les jurés dans leur chambre, le président demanda à l'accusé s'il avait quelque chose à dire sur la position des questions.

— Peu de chose, dit Claude. Voici, pourtant. Je suis un voleur et un assassin. J'ai volé et j'ai tué. Mais pourquoi ai-je volé ? pourquoi ai-je tué ? Posez-vous ces deux questions, messieurs les jurés.

Après un quart d'heure de délibération, sur la déclaration des douze Champenois qu'on appelait *messieurs les jurés*, Claude Gueux fut condamné à mort.

Il est certain que, dès l'ouverture des débats, plusieurs d'entre eux avaient remarqué que l'accusé s'appelait *Gueux*, ce qui leur avait fait une impression profonde.

On lut son arrêt à Claude, qui se contenta de dire :

— *C'est bien. Mais pourquoi cet homme a-t-il volé ? Pourquoi cet homme a-t-il tué ? Voilà deux questions auxquelles ils ne répondent pas.*

Rentré dans la prison, il soupa gaiement et dit :

— Trente-six ans de faits !

Il ne voulait pas se pourvoir en cassation. Une des sœurs qui l'avaient soigné vint l'en prier avec larmes. Il se pourvut par complaisance pour elle [1]. Il paraît

1. Le *V.H.R.* cite une lettre d'une religieuse, sœur Louise, à un M. Delaunay, lettre trouvée « dans un dossier de papiers relatifs à Claude Gueux ». Sur l'aide et la sympathie que Claude Gueux rencontra à Troyes, ainsi que sur toute la réalité de l'affaire, il faut

qu'il résista jusqu'au dernier instant, car, au moment où il signa son pourvoi sur le registre du greffe, le délai légal des trois jours était expiré depuis quelques minutes. La pauvre fille reconnaissante lui donna cinq francs. Il prit l'argent et la remercia.

Pendant que son pourvoi pendait, des offres d'évasion lui furent faites par les prisonniers de Troyes, qui s'y dévouaient tous. Il refusa. Les détenus jetèrent successivement dans son cachot, par le soupirail, un clou, un morceau de fil de fer et une anse de seau. Chacun de ces trois outils eût suffi, à un homme aussi intelligent que l'était Claude, pour limer ses fers. Il remit l'anse, le fil de fer et le clou au guichetier.

Le 8 juin 1832, sept mois et quatre jours après le fait, l'expiation arriva, *pede claudo* [1], comme on voit. Ce jour-là, à sept heures du matin, le greffier du tribunal entra dans le cachot de Claude, et lui annonça qu'il n'avait plus qu'une heure à vivre. Son pourvoi était rejeté.

— Allons, dit Claude froidement, j'ai bien dormi cette nuit sans me douter que je dormirais encore mieux la prochaine.

Il paraît que les paroles des hommes forts doivent toujours recevoir de l'approche de la mort une certaine grandeur.

Le prêtre arriva, puis le bourreau. Il fut humble avec le prêtre, doux avec l'autre. Il ne refusa ni son âme, ni son corps.

Il conserva une liberté d'esprit parfaite. Pendant qu'on lui coupait les cheveux, quelqu'un parla, dans un coin du cachot, du choléra qui menaçait Troyes en ce moment.

lire le passionnant récit donné par J. Seebacher dans sa *Notice* de l'édition des *Œuvres complètes* (Laffont, coll. « Bouquins »).

1. « D'un pied boiteux. » Horace (*Odes*, III, 2) qualifie ainsi le juste châtiment, toujours tardif mais inévitable.

— Quant à moi, dit Claude avec un sourire, je n'ai pas peur du choléra.

Il écoutait d'ailleurs le prêtre avec une attention extrême, en s'accusant beaucoup et en regrettant de n'avoir pas été instruit dans la religion [1].

Sur sa demande, on lui avait rendu les ciseaux avec lesquels il s'était frappé. Il y manquait une lame qui s'était brisée dans sa poitrine. Il pria le geôlier de faire porter de sa part ces ciseaux à Albin. Il dit aussi qu'il désirait qu'on ajoutât à ce legs la ration de pain qu'il aurait dû manger ce jour-là.

Il pria ceux qui lui lièrent les mains de mettre dans sa main droite la pièce de cinq francs que lui avait donnée la sœur, la seule chose qui lui restât désormais.

A huit heures moins un quart, il sortit de la prison, avec tout le lugubre cortège ordinaire des condamnés. Il était à pied, pâle, l'œil fixé sur le crucifix du prêtre, mais marchant d'un pas ferme.

On avait choisi ce jour-là pour l'exécution, parce que c'était jour de marché, afin qu'il y eût le plus de regards possible sur son passage, car il paraît qu'il y a encore en France des bourgades à demi sauvages où, quand la société tue un homme, elle s'en vante.

Il monta sur l'échafaud gravement, l'œil toujours fixé sur le gibet du Christ. Il voulut embrasser le prêtre, puis le bourreau, remerciant l'un, pardonnant à l'autre. Le bourreau *le repoussa doucement*, dit une relation [2]. Au moment où l'aide le liait sur la

1. Sœur Louise écrit : « Ce malheureux a bien souffert depuis son jugement par l'appréhension du genre de mort qui lui était destiné. Nous avons partagé ses peines ; il y a été très sensible. Nous avons eu la consolation de lui voir accueillir avec des sentiments pleins de foi les secours de la religion. Il a terminé sa carrière avec une édification et un courage qui ont ému les personnes qui ont assisté à ses derniers moments. » (*V.H.R.* ; 197.)

2. Celle de la *Gazette des tribunaux* du 15 juin 1832 qui — voir plus bas — fait état de « propos sanguinaire » mais pas d'une action à force ouverte.

hideuse mécanique, il fit signe au prêtre de prendre la pièce de cinq francs qu'il avait en sa main droite, et lui dit :

— *Pour les pauvres* [1].

Comme huit heures sonnaient en ce moment, le bruit du beffroi de l'horloge couvrit sa voix, et le confesseur lui répondit qu'il n'entendait pas. Claude attendit l'intervalle de deux coups et répéta avec douceur :

— *Pour les pauvres*.

Le huitième coup n'était pas encore sonné que cette noble et intelligente tête était tombée.

Admirable effet des exécutions publiques ! ce jour-là même, la machine étant encore debout au milieu d'eux et pas lavée, les gens du marché se révoltèrent pour une question de tarif et faillirent massacrer un employé de l'octroi. Le doux peuple que vous font ces lois-là !

Nous avons cru devoir raconter en détail l'histoire de Claude Gueux, parce que, selon nous, tous les paragraphes de cette histoire pourraient servir de têtes de chapitre au livre où serait résolu le grand problème du peuple au dix-neuvième siècle.

Dans cette vie importante il y a deux phases principales : avant la chute, après la chute ; et, sous ces deux phases, deux questions : question de l'éducation, question de la pénalité ; et, entre ces deux questions, la société tout entière.

Cet homme, certes, était bien né, bien organisé, bien doué. Que lui a-t-il donc manqué ? Réfléchissez.

1. Sœur Louise : « La somme que vous avez eu la bonté d'envoyer au pauvre prisonnier est restée entre mes mains avec son approbation parce qu'on ne lui permettait pas de la garder lui-même. Nous lui avons demandé à sa dernière heure ce qu'il voulait en faire. Il a disposé d'une partie en faveur de deux détenus condamnés aux travaux forcés à perpétuité et donné le reste à une de ses sœurs. Nous eussions désiré qu'il se fût réservé quelque chose pour se faire dire des messes après sa mort, mais il n'y a pas pensé et nous ne le lui avons pas rappelé. »

C'est là le grand problème de proportion dont la solution, encore à trouver, donnera l'équilibre universel : *Que la société fasse toujours pour l'individu autant que la nature.*

Voyez Claude Gueux. Cerveau bien fait, cœur bien fait, sans nul doute. Mais le sort le met dans une société si mal faite, qu'il finit par voler ; la société le met dans une prison si mal faite, qu'il finit par tuer.

Qui est réellement coupable ? Est-ce lui ? Est-ce nous ?

Questions sévères, questions poignantes, qui sollicitent à cette heure toutes les intelligences, qui nous tirent tous tant que nous sommes par le pan de notre habit, et qui nous barreront un jour si complètement le chemin, qu'il faudra bien les regarder en face et savoir ce qu'elles nous veulent.

Celui qui écrit ces lignes essaiera de dire bientôt peut-être de quelle façon il les comprend.

Quand on est en présence de pareils faits, quand on songe à la manière dont ces questions nous pressent, on se demande à quoi pensent ceux qui gouvernent, s'ils ne pensent pas à cela.

Les Chambres sont tous les ans gravement occupées. Il est sans doute très important de désenfler les sinécures et d'écheniller le budget ; il est très important de faire des lois pour que j'aille, déguisé en soldat, monter patriotiquement la garde à la porte de M. le comte de Lobau[1] que je ne connais pas et que je ne veux pas connaître, ou pour me contraindre à parader au carré Marigny, sous le bon plaisir de mon épicier, dont on a fait mon officier*.

1. Commandant de la Garde nationale de Paris dont la reconstitution — et les honneurs — avait été une des victoires de la bourgeoisie révoltée en 1830. Elle montrera sa valeur militaire à diverses reprises contre les ouvriers insurgés, en juin 1848 surtout.

* Il va sans dire que nous n'entendons pas attaquer ici la patrouille urbaine, chose utile, qui garde la rue, le seuil et le foyer ; mais seulement la parade, le pompon, la gloriole et le tapage militaire, choses ridicules, qui ne servent

Il est important, députés ou ministres, de fatiguer et de tirailler toutes les choses et toutes les idées de ce pays dans des discussions pleines d'avortements ; il est essentiel, par exemple, de mettre sur la sellette et d'interroger et de questionner à grands cris, et sans savoir ce qu'on dit, l'art du dix-neuvième siècle, ce grand et sévère accusé qui ne daigne pas répondre et qui fait bien ; il est expédient de passer son temps, gouvernants et législateurs, en conférences classiques qui font hausser les épaules aux maîtres d'école de la banlieue ; il est utile de déclarer que c'est le drame moderne qui a inventé l'inceste, l'adultère, le parricide, l'infanticide et l'empoisonnement, et de prouver par là qu'on ne connaît ni Phèdre, ni Jocaste, ni Œdipe, ni Médée, ni Rodogune ; il est indispensable que les orateurs politiques de ce pays ferraillent, trois grands jours durant, à propos du budget, pour Corneille et Racine, contre on ne sait qui, et profitent de cette occasion littéraire pour s'enfoncer les uns les autres à qui mieux mieux dans la gorge de grandes fautes de français jusqu'à la garde [1].

Tout cela est important ; nous croyons cependant qu'il pourrait y avoir des choses plus importantes encore.

Que dirait la Chambre [2], au milieu des futiles démêlés qui font si souvent colleter le ministère par l'opposition et l'opposition par le ministère, si, tout à coup, des bancs de la Chambre ou de la tribune publique, qu'importe ? quelqu'un se levait et disait ces sérieuses paroles :

qu'à faire du bourgeois une parodie du soldat.

1. Au début de mai 1834, la discussion du budget à la Chambre — subventions aux théâtres — avait offert l'occasion de diatribes tendant à refréner la « licence » des théâtres (les pièces d'A. Dumas en particulier) par le retour à la censure.

2. Ici commence, raccordé au récit par les trois paragraphes qui précèdent, un texte écrit antérieurement et apparemment sans rapport avec l'histoire de Claude Gueux.

— Taisez-vous, qui que vous soyez, vous qui parlez ici, taisez-vous [1] ! vous croyez être dans la question, vous n'y êtes pas. La question, la voici. La justice vient, il y a un an à peine, de déchiqueter un homme à Pamiers avec un eustache ; à Dijon, elle vient d'arracher la tête à une femme ; à Paris, elle fait, barrière Saint-Jacques, des exécutions inédites. Ceci est la question. Occupez-vous de ceci. Vous vous querellerez après pour savoir si les boutons de la garde nationale doivent être blancs ou jaunes, et si l'*assurance* est une plus belle chose que la *certitude* [2]

Messieurs des centres, messieurs des extrémités, le gros du peuple souffre. Que vous l'appeliez république ou que vous l'appeliez monarchie, le peuple souffre. Ceci est un fait.

Le peuple a faim, le peuple a froid. La misère le pousse au crime ou au vice, selon le sexe. Ayez pitié du peuple, à qui le bagne prend ses fils, et le lupanar ses filles. Vous avez trop de forçats, vous avez trop de prostituées. Que prouvent ces deux ulcères ? Que le corps social a un vice dans le sang. Vous voilà réunis en consultation au chevet du malade ; occupez-vous de la maladie.

Cette maladie, vous la traitez mal. Étudiez-la mieux. Les lois que vous faites, quand vous en faites, ne sont que des palliatifs et des expédients. Une moitié de vos codes est routine, l'autre moitié empirisme. La flétrissure était une cautérisation qui gangrenait la plaie ; peine insensée que celle qui pour la vie scellait et rivait le crime sur le criminel ! qui en faisait deux amis, deux compagnons, deux inséparables ! Le bagne est un vésicatoire absurde qui

1. La première édition, nommant les porte-parole de la gauche et de la droite, disait plus énergiquement : « Taisez-vous, monsieur Mauguin ! taisez-vous, monsieur Thiers ! »

2. Le 15 avril 1831, le gouvernement avait fait remplacer, dans une motion votée à la Chambre, la *certitude* par l'*espérance* que « la nation polonaise ne périra pas. »

laisse résorber, non sans l'avoir rendu pire encore, presque tout le mauvais sang qu'il extrait. La peine de mort est une amputation barbare.

Or, flétrissure, bagne, peine de mort, trois choses qui se tiennent. Vous avez supprimé la flétrissure [1], si vous êtes logiques, supprimez le reste. Le fer rouge, le boulet et le couperet, c'étaient les trois parties d'un syllogisme. Vous avez ôté le fer rouge ; le boulet et le couperet n'ont plus de sens. Farinace était atroce, mais il n'était pas absurde.

Démontez-moi cette vieille échelle boiteuse des crimes et des peines, et refaites-la. Refaites votre pénalité, refaites vos codes, refaites vos prisons, refaites vos juges. Remettez les lois au pas des mœurs.

Messieurs, il se coupe trop de têtes par an en France. Puisque vous êtes en train de faire des économies, faites-en-là-dessus. Puisque vous êtes en verve de suppressions, supprimez le bourreau. Avec la solde de vos quatrevingts bourreaux [2], vous payerez six cents maîtres d'école.

Songez au gros du peuple. Des écoles pour les enfants, des ateliers pour les hommes. Savez-vous que la France est un des pays de l'Europe où il y a le moins de natifs qui sachent lire ! Quoi ! la Suisse sait lire, la Belgique sait lire, le Danemark sait lire, la Grèce sait lire, l'Irlande sait lire, et la France ne sait pas lire ? c'est une honte.

Allez dans les bagnes. Appelez autour de vous toute la chiourme. Examinez un à un tous ces damnés de la loi humaine. Calculez l'inclinaison de tous ces profils, tâtez tous ces crânes. Chacun de ces

1. La loi du 28 avril 1832 avait modifié plusieurs articles du code pénal : suppression de la marque au fer rouge dite « flétrissure », du carcan, du tranchement du poing des parricides.

2. Juste autant que les prisonniers formant le « jury » réuni par Claude Gueux.

hommes tombés a au-dessous de lui son type bestial ; il semble que chacun d'eux soit le point d'intersection de telle ou telle espèce animale avec l'humanité. Voici le loup-cervier, voici le chat, voici le singe, voici le vautour, voici l'hyène. Or, de ces pauvres têtes mal conformées, le premier tort est à la nature sans doute, le second à l'éducation. La nature a mal ébauché, l'éducation a mal retouché l'ébauche. Tournez vos soins de ce côté. Une bonne éducation au peuple. Développez de votre mieux ces malheureuses têtes, afin que l'intelligence qui est dedans puisse grandir. Les nations ont le crâne bien ou mal fait selon leurs institutions. Rome et la Grèce avaient le front haut. Ouvrez, le plus que vous pourrez, l'angle facial du peuple.

Quand la France saura lire, ne laissez pas sans direction cette intelligence que vous aurez développée. Ce serait un autre désordre. L'ignorance vaut encore mieux que la mauvaise science. Non. Souvenez-vous qu'il y a un livre plus philosophique que le *Compère Mathieu*, plus populaire que le *Constitutionnel* [1], plus éternel que la charte de 1830 ; c'est l'écriture sainte. Et ici un mot d'explication.

Quoi que vous fassiez, le sort de la grande foule, de la multitude, de la *majorité*, sera toujours relativement pauvre, et malheureux, et triste. A elle le dur travail, les fardeaux à pousser, les fardeaux à traîner, les fardeaux à porter. Examinez cette balance : toutes les jouissances dans le plateau du riche, toutes les misères dans le plateau du pauvre. Les deux parts ne sont-elles pas inégales ? La balance ne doit-elle pas nécessairement pencher, et l'État avec elle ? Et maintenant dans le lot du pauvre, dans le

1. Le *Compère Mathieu* est l'un des nombreux almanachs, parfois très gros, qui étaient la lecture du peuple comme les journaux, dont le respectable et ennuyeux *Constitutionnel*, celle de la bourgeoisie.

plateau des misères, jetez la certitude d'un avenir céleste, jetez l'aspiration au bonheur éternel, jetez le paradis, contre-poids magnifique ! Vous rétablissez l'équilibre. La part du pauvre est aussi riche que la part du riche. C'est ce que savait Jésus, qui en savait plus long que Voltaire.

Donnez au peuple qui travaille et qui souffre, donnez au peuple, pour qui ce monde-ci est mauvais, la croyance à un meilleur monde fait pour lui. Il sera tranquille, il sera patient. La patience est faite d'espérance.

Donc ensemencez les villages d'évangiles. Une bible par cabane. Que chaque livre et chaque champ produisent à eux deux un travailleur moral.

La tête de l'homme du peuple, voilà la question. Cette tête est pleine de germes utiles ; employez pour la faire mûrir et venir à bien ce qu'il y a de plus lumineux et de mieux tempéré dans la vertu. Tel a assassiné sur les grandes routes qui, mieux dirigé, eût été le plus excellent serviteur de la cité. Cette tête de l'homme du peuple, cultivez-la, défrichez-la, arrosez-la, fécondez-la, éclairez-la, moralisez-la, utilisez-la ; vous n'aurez pas besoin de la couper.

L'AFFAIRE TAPNER

I . Aux habitants de Guernesey
(Actes et Paroles)

II. A lord Palmerston
(Actes et Paroles)

III. Sur Tapner
(Choses vues)

AUX HABITANTS DE GUERNESEY

janvier 1854

Une condamnation à mort est prononcée dans les îles de la Manche. Victor Hugo intervient [1].

Peuple de Guernesey,

C'est un proscrit qui vient à vous.

C'est un proscrit qui vient vous parler pour un condamné. L'homme qui est dans l'exil tend la main à l'homme qui est dans le sépulcre. Ne le trouvez pas mauvais, et écoutez-moi :

Le mardi 18 octobre 1853, à Guernesey, un homme, John-Charles Tapner [2], est entré la nuit chez une femme, Mme Saujon, et l'a tuée ; puis il l'a volée, et il a mis le feu au cadavre et à la maison, espérant que le premier forfait s'en irait dans la fumée du second. Il s'est trompé. Les crimes ne sont pas complaisants, et l'incendie a refusé de cacher l'assas-

1. Ce texte, comme celui qui suit, parut simultanément en brochure séparée et dans plusieurs journaux. Ils ont tous deux été repris d'abord dans *Discours de l'exil* (in-32, 14 pages, s.d. [1854], imprimé à Jersey) puis dans *Actes et Paroles*, M. Lévy, 1875, tome II : *Pendant l'exil, 1852-1870*.

2. A la manière de celle du condamné du *Dernier Jour*, la vie de Tapner est passée sous silence ; pas de portrait non plus. Mais ceci se trouve dans le troisième texte sur Tapner, qui est d'un autre ton et d'une autre portée.

sinat. La providence n'est pas une receleuse ; elle a livré le meurtrier.

Le procès fait à Tapner a jeté un jour hideux sur plusieurs autres crimes. Depuis un certain temps des mains, tout de suite disparues, avaient mis le feu à diverses maisons dans l'île ; les présomptions se sont fixées sur Tapner, et il a paru vraisemblable que tous les précédents incendies dussent se résumer dans le sanglant incendiaire du 18 octobre.

Cet homme a été jugé ; jugé avec une impartialité et un scrupule qui honorent votre libre et intègre magistrature. Treize audiences ont été employées à l'examen des faits et à la formation lente de la conviction des juges. Le 3 janvier l'arrêt a été rendu à l'unanimité ; et à neuf heures du soir, en audience publique et solennelle, votre honorable chef-magistrat, le bailli de Guernesey, d'une voix brisée et éteinte, tremblant d'une émotion dont je le glorifie, a déclaré à l'accusé « que la loi punissant de mort le meurtre », il devait, lui John-Charles Tapner, se préparer à mourir, qu'il serait pendu, le 27 janvier prochain, sur le lieu même de son crime, et que là où il avait tué, il serait tué.

Ainsi, à ce moment où nous sommes, il y a, au milieu de vous, au milieu de nous, habitants de cet archipel, un homme qui, dans cet avenir plein d'heures obscures pour tous les autres hommes, voit distinctement sa dernière heure. En cet instant, dans cette minute où nous respirons librement, où nous allons et venons, où nous parlons et sourions, il y a, à quelques pas de nous, et le cœur se serre en y songeant, il y a dans une geôle, sur un grabat de prison, un homme, un misérable homme frissonnant, qui vit l'œil fixé sur un jour de ce mois, sur le 27 janvier, spectre qui grandit et qui approche. Le 27 janvier, masqué pour nous tous comme tous les autres jours qui nous attendent, ne montre qu'à cet homme son visage, la face sinistre de la mort.

Guernesiais, Tapner est condamné à mort. En présence du texte des codes, votre magistrature a fait son devoir ; elle a rempli, pour me servir des propres termes du chef-magistrat, « son obligation » ; mais prenez garde. Ceci est le talion. Tu as tué, tu seras tué. Devant la loi humaine, c'est juste ; devant la loi divine, c'est redoutable.

Peuple de Guernesey, rien n'est petit quand il s'agit de l'inviolabilité humaine. Le monde civilisé vous demande la vie de cet homme.

Qui suis-je ? rien. Mais a-t-on besoin d'être quelque chose pour supplier ? est-il nécessaire d'être grand pour crier : grâce ? Hommes des îles de la Manche, nous proscrits de France, nous vivons au milieu de vous, nous vous aimons. Nous voyons vos voiles passer à l'horizon dans les crépuscules des tempêtes, et nous vous envoyons nos bénédictions et nos prières. Nous sommes vos frères. Nous vous estimons, nous vous honorons ; nous vénérons en vous le travail, le courage, les nuits passées à la mer pour nourrir la femme et les enfants, les mains calleuses du matelot, le front hâlé du laboureur, la France dont nous sommes les fils et dont vous êtes les petits-fils, l'Angleterre dont vous êtes les citoyens et dont nous sommes les hôtes [1].

Permettez-nous donc de vous adresser la parole, puisque nous sommes assis à votre foyer, et de vous payer votre hospitalité en coopération cordiale. Permettez-nous de nous attrister de tout ce qui pourrait assombrir votre doux pays.

1. Anciennement dépendantes du duché de Normandie, les îles anglo-normandes s'en séparent progressivement à partir du xe siècle. Au temps de Hugo, elles avaient conservé une relative autonomie vis-à-vis de l'Angleterre et jouissaient d'institutions tout à la fois très démocratiques (élection des magistrats) et très archaïques (minuscules vassalités féodales, souvent symboliques). Elles avaient une tradition séculaire d'accueil des proscrits français. De là le ton adopté par Hugo s'adressant à cette communauté qu'il aimait.

Le plongeur se précipite au fond de la mer et rapporte une poignée de gravier. Nous autres, nous sommes les souffrants, nous sommes les éprouvés, c'est-à-dire les penseurs ; les rêveurs, si vous voulez. — Nous plongeons au fond des choses, nous tâchons de toucher Dieu, et nous rapportons une poignée de vérités.

La première des vérités, la voici : tu ne tueras pas.

Et cette parole est absolue. Elle a été dite pour la loi, aussi bien que pour l'individu.

Guernesiais, écoutez ceci :

Il y a une divinité horrible, tragique, exécrable, païenne. Cette divinité s'appelait Moloch chez les hébreux et Teutatès chez les Celtes ; elle s'appelle à présent la peine de mort. Elle avait autrefois pour pontife, dans l'orient, le mage, et, dans l'occident, le druide ; son prêtre aujourd'hui, c'est le bourreau. Le meurtre légal a remplacé le meurtre sacré. Jadis elle a rempli votre île de sacrifices humains, et elle en a laissé partout les monuments, toutes ces pierres lugubres où la rouille des siècles a effacé la rouille du sang, qu'on rencontre à demi ensevelies dans l'herbe au sommet de vos collines et sur lesquelles la ronce siffle au vent du soir. Aujourd'hui, en cette année dont elle épouvante l'aurore, l'idole monstrueuse reparaît parmi vous ; elle vous somme de lui obéir ; elle vous convoque à jour fixe, pour la célébration de son mystère, et, comme autrefois, elle réclame de vous, de vous qui avez lu l'évangile, de vous qui avez l'œil fixé sur le calvaire, elle réclame un sacrifice humain ! Lui obéirez-vous ? redeviendrez-vous païens le 27 janvier 1854 pendant deux heures ? païens pour tuer un homme ! païens pour perdre une âme ! païens pour mutiler la destinée du criminel en lui retranchant le temps du repentir ! Ferez-vous cela ? Serait-ce là le progrès ? Où en sont les hommes si le sacrifice humain est encore possible ? Adore-t-on encore à Guernesey l'idole, la vieille idole du passé, qui tue en face de Dieu qui crée ? A quoi bon lui avoir ôté le peulven si c'est pour lui rendre la potence ?

Quoi ! commuer une peine, laisser à un coupable la chance du remords et de la réconciliation, substituer au sacrifice humain l'expiation intelligente, ne pas tuer un homme, cela est-il donc si malaisé ? Le navire est-il donc si en détresse qu'un homme y soit de trop ? un criminel repentant pèse-t-il donc tant à la société humaine qu'il faille se hâter de jeter par-dessus le bord dans l'ombre de l'abîme cette créature de Dieu ?

Guernesiais ! la peine de mort recule aujourd'hui partout et perd chaque jour du terrain ; elle s'en va devant le sentiment humain. En 1830, la chambre des députés de France en réclamait l'abolition, par acclamation ; la constituante de Francfort l'a rayée des codes en 1848 ; la constituante de Rome l'a supprimée en 1849 ; notre constituante de Paris ne l'a maintenue qu'à une majorité imperceptible [1] ; je dis plus, la Toscane, qui est catholique, l'a abolie ; la Russie, qui est barbare, l'a abolie ; Otahiti, qui est sauvage, l'a abolie. Il semble que les ténèbres elles-mêmes n'en veuillent plus. Est-ce que vous en voulez, vous, hommes de ce bon pays ?

Il dépend de vous que la peine de mort soit abolie de fait à Guernesey ; il dépend de vous qu'un homme ne soit pas « pendu jusqu'à ce que mort s'ensuive » le 27 janvier ; il dépend de vous que ce spectacle effroyable, qui laisserait une tache noire sur votre beau ciel, ne vous soit pas donné.

Votre constitution libre met à votre disposition tous les moyens d'accomplir cette œuvre religieuse et sainte. Réunissez-vous légalement. Agitez pacifiquement l'opinion et les consciences. L'île entière peut, je dis plus, doit intervenir. Les femmes doivent presser les maris, les enfants attendrir les pères, les

1. Amendement Buviquier-Koenig-Coquerel, repoussé par 498 voix contre 216 (source : mémoire de maîtrise de Mlle S. Héry).

hommes signer des requêtes et des pétitions. Adressez-vous à vos gouvernants et à vos magistrats dans les limites de la loi. Réclamez le sursis, réclamez la grâce, réclamez la commutation de peine. Vous l'obtiendrez.

Levez-vous. Hâtez-vous. Ne perdez pas un jour, ne perdez pas une heure, ne perdez pas un instant. Que ce fatal 27 janvier vous soit sans cesse présent. Que toute l'île compte les minutes comme cet homme !

Songez-y bien, depuis que cette sentence de mort est prononcée, le bruit que vous entendez maintenant dans toutes les horloges, c'est le battement du cœur de ce misérable.

Un précédent est-il nécessaire ? en voici un :

En 1851, un homme, à Jersey, tua un autre homme. Un nommé Jacques Fouquet tira un coup de fusil à un nommé Derbyshire. Jacques Fouquet fut déclaré coupable successivement par les deux jurys. Le 27 août 1851 la cour le condamna à mort. Devant l'imminence d'une exécution capitale, l'île s'émut. Un grand meeting eut lieu ; seize cents personnes y assistaient. Des Français y parlèrent aux applaudissements du généreux peuple jersiais. Une pétition fut signée. Le 23 septembre, la grâce de Fouquet arriva.

Maintenant, qu'est-il advenu de Fouquet ?

Je vais vous le dire.

Fouquet vit et Fouquet se repent*.

* Jacques Fouquet. — On nous assure que Jacques Fouquet, condamné à mort par notre cour royale, comme coupable du crime de meurtre sur Frédéric Derbyshire et dont la peine fut commuée par sa majesté en celle de la déportation perpétuelle, a été transféré, il y a six mois, de la prison de Millbank où il était toujours resté, à Dartmore. Il est presque complètement guéri du mal qu'il avait au cou, et sa conduite a été telle à Millbank, que le gouverneur de cette prison regarde comme très probable une nouvelle commutation de sa peine, et un bannissement aux possessions anglaises. (*Chronique de Jersey*, 7 janvier 1854.) *[Note des Discours de l'exil, 1854.]*

Qu'est-ce que le gibet a à répondre à cela ?

Guernesiais ! ce qu'a fait Jersey, Guernesey peut le faire. Ce que Jersey a obtenu, Guernesey l'obtiendra.

Dira-t-on qu'ici, dans ce sombre guet-apens du 18 octobre, la mort semble justice ? que le crime de Tapner est bien grand ?

Plus le crime est grand, plus le temps doit être long au repentir.

Quoi ! une femme aura été assassinée, lâchement tuée, lâchement ! une maison aura été pillée, violée, incendiée, un meurtre aura été accompli, et autour de ce meurtre on croira entrevoir une foule d'autres actions perverses, un attentat aura été commis, je me trompe, plusieurs attentats, qui exigeraient une longue et solennelle réparation, le châtiment accompagné de la réflexion, le rachat du mal par la pénitence, l'agenouillement du criminel sous le crime et du condamné sous la peine, toute une vie de douleur et de purification ; et parce qu'un matin, à un jour précis, le vendredi 27 janvier, en quelques minutes, un poteau aura été enfoncé dans la terre, parce qu'une corde aura serré le cou d'un homme, parce qu'une âme se sera enfuie d'un corps misérable avec le hurlement du damné, tout sera bien !

Brièveté chétive de la justice humaine !

Oh ! nous sommes le dix-neuvième siècle ; nous sommes le peuple nouveau ; nous sommes le peuple pensif, sérieux, libre, intelligent, travailleur, souverain ; nous sommes, à prendre le siècle dans son ensemble, le meilleur âge de l'humanité, l'époque de progrès, d'art, de science, d'amour, d'espérance, de fraternité ; échafauds ! qu'est-ce que vous nous voulez ? Ô machines monstrueuses de la mort, hideuses charpentes du néant, apparitions du passé, toi qui tiens à deux bras ton couperet triangulaire, toi qui secoues un squelette au bout d'une corde, de quel droit reparaissez-vous en plein midi, en plein soleil, en plein dix-neuvième siècle, en pleine vie ? vous êtes des spectres. Vous êtes les choses de la nuit, rentrez dans la nuit. Est-ce que les ténèbres offrent leurs services à la lumière ? Allez-vous-en. Pour civiliser l'homme, pour corriger le coupable, pour illuminer la conscience, pour faire germer le repentir dans les insomnies du crime, nous avons mieux que vous, nous avons la pensée, l'enseignement, l'éducation patiente, l'exemple religieux, la clarté en haut, l'épreuve en bas, l'austérité, le travail, la clémence. Quoi ! du milieu de tout ce qui est grand, de tout ce qui est vrai, de tout ce qui est beau, de tout ce qui est auguste, on verra obstinément surgir la peine de mort ! Quoi ! la ville souveraine, la ville centrale du genre humain, la ville du 14 juillet et du 10 août, la ville où dorment Rousseau et Voltaire, la métropole des révolutions, la cité-crèche de l'idée, aura la Grève, la barrière Saint-Jacques, la Roquette ! Et ce ne sera pas assez de cette contradiction abominable ! et ce contre-sens sera peu ! et cette horreur ne suffira pas ! Et il faudra qu'ici aussi, dans cet archipel, parmi les falaises, les arbres et les fleurs, sous l'ombre des grandes nuées qui viennent du pôle, l'échafaud se dresse, et domine, et constate son droit, et règne ! ici ! dans le bruit des vents, dans la rumeur éternelle des flots, dans la solitude de l'abîme, dans la majesté de la nature ! Allez-vous-en, vous dis-je ! disparaissez ! Qu'est-ce que vous venez faire, toi, guillotine, au milieu de Paris, toi, gibet, en face de l'océan !

Peuple de pêcheurs, bons et vaillants hommes de la mer, ne laissez pas mourir cet homme. Ne jetez pas l'ombre d'une potence sur votre île charmante et bénie. N'introduisez pas dans vos héroïques et incertaines aventures de mer ce mystérieux élément de malheur. N'acceptez pas la solidarité redoutable de cet empiétement du pouvoir humain sur le pouvoir divin. Qui sait ? qui connaît ? qui a pénétré l'énigme ? Il y a des abîmes dans les actions humaines comme il y a des gouffres dans les flots. Songez aux jours d'orage, aux nuits d'hiver, aux forces irritées et obscures qui s'emparent de vous à de certains moments. Songez comme la côte de Serk est rude, comme les bas-fonds des Minquiers sont perfides, comme les écueils de Pater-Noster sont mauvais. Ne faites pas souffler dans vos voiles le vent du sépulcre. N'oubliez pas, navigateurs, n'oubliez pas, pêcheurs, n'oubliez pas, matelots, qu'il n'y a qu'une planche entre vous et l'éternité, que vous êtes à la discrétion des vagues qu'on ne sonde pas et de la destinée qu'on ignore, qu'il y a peut-être des volontés dans ce que vous prenez pour des caprices, que vous luttez sans cesse contre la mer et contre le temps, et que, vous, hommes qui savez si peu de chose et qui ne pouvez rien, vous êtes toujours face à face avec l'infini et avec l'inconnu !

L'inconnu et l'infini, c'est la tombe.

N'ouvrez pas, de vos propres mains, une tombe au milieu de vous.

Quoi donc ! les voix de cet infini ne nous disent-elles rien ? Est-ce que tous les mystères ne nous entretiennent pas les uns des autres ? Est-ce que la majesté de l'océan ne proclame pas la sainteté du tombeau ? Dans la tempête, dans l'ouragan, dans les coups d'équinoxe, quand les brises de la nuit balanceront l'homme mort aux poutres du gibet, est-ce que ce ne sera pas une chose terrible que ce squelette maudissant cette île dans l'immensité ?

Est-ce que vous ne songerez pas en frémissant, j'y insiste, que ce vent qui viendra souffler dans vos agrès aura rencontré à son passage cette corde et ce cadavre, et que cette corde et ce cadavre lui auront parlé ?

Non ! plus de supplices ! nous, hommes de ce grand siècle, nous n'en voulons plus. Nous n'en voulons pas plus pour le coupable que pour le non coupable. Je le répète, le crime se rachète par le remords et non par un coup de hache ou un nœud coulant ; le sang se lave avec les larmes et non avec le sang. Non ! ne donnons plus de besogne au bourreau. Ayons ceci présent à l'esprit, et que la conscience du juge religieux et honnête médite d'accord avec la nôtre : indépendamment du grand forfait contre l'inviolabilité de la vie humaine accompli aussi bien sur le brigand exécuté que sur le héros supplicié, tous les échafauds ont commis des crimes. Le code de meurtre est un scélérat masqué avec ton masque, ô justice, et qui tue et massacre impunément. Tous les échafauds portent des noms d'innocents et de martyrs. Non, nous ne voulons plus de supplices. Pour nous la guillotine s'appelle Lesurques [1], la roue s'appelle Calas, le bûcher s'appelle Jeanne d'Arc, la torture s'appelle Campanella, le billot s'appelle Thomas Morus, la ciguë s'appelle Socrate, le gibet se nomme Jésus-Christ !

Oh ! s'il y a quelque chose d'auguste dans ces enseignements de fraternité, dans ces doctrines de mansuétude et d'amour que toutes les bouches qui crient : religion, et toutes les bouches qui disent : démocratie, que toutes les voix de l'ancien et du nouvel évangile sèment et répandent aujourd'hui d'un bout du monde à l'autre, les unes au nom de l'Homme-Dieu, les autres au nom de l'Homme-Peuple, si ces doctrines sont justes, si ces idées sont vraies, si le vivant est frère du vivant, si la vie de l'homme est vénérable, si l'âme de l'homme est immortelle, si Dieu seul a le droit de retirer ce que Dieu seul a eu le pouvoir de donner, si la mère qui sent l'enfant remuer dans ses entrailles est un être

1. Célèbre victime de « l'affaire du courrier de Lyon » : attaque de la malle-poste — 6 000 francs-or volés, assassinat du postillon et du courrier. Lesurques fut guillotiné en 1796 ; le coupable fut retrouvé, jugé et guillotiné en 1801 ; la famille Lesurques obtint la restitution de ses biens confisqués mais non la réhabilitation, rejetée une dernière fois par la cour de cassation en 1869 !

béni, si le berceau est une chose sacrée, si le tombeau est une chose sainte, — insulaires de Guernesey, ne tuez pas cet homme !

Je dis : ne le tuez pas. Car, sachez-le bien, quand on peut empêcher la mort, laisser mourir, c'est tuer.

Ne vous étonnez pas de cette instance qui est dans mes paroles. Laissez, je vous le dis, le proscrit intercéder pour le condamné. Ne dites pas : que nous veut cet étranger ? Ne dites pas au banni : de quoi te mêles-tu ? ce n'est pas ton affaire. — Je me mêle des choses du malheur ; c'est mon droit, puisque je souffre. L'infortune a pitié de la misère ; la douleur se penche sur le désespoir.

D'ailleurs, cet homme et moi, n'avons-nous pas des souffrances qui se ressemblent ? ne tendons-nous pas chacun les bras à ce qui nous échappe ? moi banni, lui condamné, ne nous tournons-nous pas chacun vers notre lumière, lui vers la vie, moi vers la patrie ?

Et, — l'on devrait réfléchir à ceci, — l'aveuglement de la créature humaine qui proscrit et qui juge est si profond, la nuit est telle sur la terre, que nous sommes frappés, nous les bannis de France, pour avoir fait notre devoir, comme cet homme est frappé pour avoir commis un crime. La justice et l'iniquité se donnent la main dans les ténèbres.

Mais qu'importe ! pour moi cet assassin n'est plus un assassin, cet incendiaire n'est plus un incendiaire, ce voleur n'est plus un voleur ; c'est un être frémissant qui va mourir. Le malheur le fait mon frère. Je le défends.

L'adversité qui nous éprouve a parfois, outre l'épreuve, des utilités imprévues, et il arrive que nos proscriptions, expliquées par les choses auxquelles elles servent, prennent des sens inattendus et consolants.

Si ma voix est entendue, si elle n'est pas emportée, comme un souffle vain, dans le bruit du flot et de l'ouragan, si elle ne se perd pas dans la rafale qui sépare les deux îles, si la semence de pitié que je jette à ce vent de mer germe dans les cœurs et fructifie, s'il arrive que ma parole, la parole obscure du vaincu, ait cet insigne honneur d'éveiller l'agitation salutaire d'où sortiront la peine commuée et le criminel pénitent, s'il m'est donné à moi, le proscrit rejeté et inutile, de me mettre en travers d'un tombeau qui s'ouvre, de barrer le passage à la mort, et de sauver la tête d'un homme, si je suis le grain de sable tombé de la main du hasard qui fait pencher la balance et qui fait prévaloir la vie sur la mort, si ma proscription a été bonne à cela, si c'était là le but mystérieux de la chute de mon foyer et de ma présence en ces îles, oh ! alors tout est bien, je n'ai pas souffert, je remercie, je rends grâces et je lève les mains au ciel, et, dans cette occasion où éclatent toutes les volontés de la providence, ce sera votre triomphe, ô Dieu, d'avoir fait bénir Guernesey par la France, ce peuple presque primitif par la civilisation tout entière, les hommes qui ne tuent point par l'homme qui a tué, la loi de miséricorde et de vie par le meurtrier, et l'exil par l'exilé !

Hommes de Guernesey, ce qui vous parle en cet instant, ce n'est pas moi, qui ne suis que l'atome emporté n'importe dans quelle nuit par le souffle de l'adversité ; ce qui s'adresse à vous aujourd'hui, c'est, je viens de vous le dire, la civilisation tout entière, c'est elle qui tend vers vous ses mains vénérables. Si Beccaria proscrit était au milieu de vous, il vous dirait : *la peine capitale est impie* ; si Franklin banni vivait à votre foyer, il vous dirait : *la loi qui tue est une loi funeste* ; si Filangieri [1] réfugié, si Vico exilé, si Turgot expulsé, si Montesquieu chassé, habitaient sous votre toit, ils vous diraient : *l'échafaud est abominable* ; si Jésus-Christ, en fuite devant Caïphe, abordait votre île, il vous dirait : *ne frappez pas avec*

1. Voir la note 1, p. 32, dans *Le Dernier Jour*.

le glaive ; — et à Montesquieu, à Turgot, à Vico, à Filangieri, à Beccaria, à Franklin vous criant : grâce ! à Jésus-Christ vous criant : grâce ! répondriez-vous : Non !

Non ! c'est la réponse du mal. Non ! c'est la réponse du néant. L'homme croyant et libre affirme la vie, affirme la pitié, la clémence et le pardon, prouve l'âme de la société par la miséricorde de la loi, et ne répond non ! qu'à l'opprobre, au despotisme et à la mort.

Un dernier mot, et j'ai fini.

A cette heure fatale de l'histoire où nous sommes, car si grand que soit un siècle et si beau que soit un astre, ils ont leurs éclipses, à cette minute sinistre que nous traversons, qu'il y ait du moins un lieu sur la terre où le progrès couvert de plaies, jeté aux tempêtes, vaincu, épuisé, mourant, se réfugie et surnage ! Iles de la Manche, soyez le radeau de ce naufragé sublime ! Pendant que l'orient et l'occident se heurtent pour la fantaisie des princes, pendant que les continents n'offrent partout aux yeux que ruse, violence, fourberie, ambition, pendant que les grands empires étalent les passions basses, vous, petits pays, donnez les grands exemples. Reposez le regard du genre humain.

Oui, en ce moment où le sang des hommes coule à ruisseaux à cause d'un homme, en ce moment où l'Europe assiste à l'agonie héroïque des Turcs sous le talon du czar [1], triomphateur qu'attend le châtiment, en ce moment où la guerre, évoquée par un caprice d'empereur, se lève de toutes parts avec son horreur et ses crimes, qu'ici du moins, dans ce coin du monde, dans cette république de marins et de paysans, on voie ce beau spectacle : un petit peuple

1. La guerre a commencé, dans les Balkans, en octobre 1853. L'intervention franco-anglaise contre la Russie débute en mars 1854 et cette « guerre de Crimée » s'achève en février 1856.

brisant l'échafaud ! Que la guerre soit partout, et ici la paix ! Que la barbarie soit partout, et ici la civilisation ! Que la mort, puisque les princes le veulent, soit partout, et que la vie soit ici ! Tandis que les rois, frappés de démence, font de l'Europe un cirque où les hommes vont remplacer les tigres et s'entre-dévorer, que le peuple de Guernesey, de son rocher entouré des calamités du monde et des tempêtes du ciel, fasse un piédestal et un autel ; un piédestal à l'Humanité, un autel à Dieu !

Jersey, Marine-Terrace, 10 janvier 1854.

À LORD PALMERSTON

Secrétaire d'État de l'Intérieur en Angleterre

La lettre qui précède avait ému l'île de Guernesey. Des meetings avaient eu lieu, une adresse à la reine avait été signée, les journaux anglais avaient reproduit en l'appuyant la demande de Victor Hugo pour la grâce de Tapner. Le gouvernement anglais avait successivement accordé trois sursis. On pensait que l'exécution n'aurait pas lieu. Tout à coup le bruit se répand que l'ambassadeur de France, M. Walewski, est allé voir lord Palmerston. Deux jours après, Tapner est exécuté. L'exécution eut lieu le 10 février. Le 11, Victor Hugo écrivit à lord Palmerston la lettre qu'on va lire :

Monsieur,

Je mets sous vos yeux une série de faits qui se sont accomplis à Jersey dans ces dernières années.

Il y a quinze ans, Caliot, assassin, fut condamné à mort et gracié. Il y a huit ans, Thomas Nicolle, assassin, fut condamné à mort et gracié. Il y a trois ans, en 1851, Jacques Fouquet, assassin, fut condamné à mort et gracié. Pour tous ces criminels la mort fut commuée en déportation. Pour obtenir ces grâces, à ces diverses époques, il a suffi d'une pétition des habitants de l'île.

J'ajoute qu'en 1851 on se borna également à déporter Edward Carlton, qui avait assassiné sa femme dans des circonstances horribles.

Voilà ce qui s'est passé depuis quinze ans dans l'île d'où je vous écris.

Par suite de tous ces faits significatifs, on a effacé les scellements du gibet sur le vieux Mont-Patibulaire de Saint-Hélier, et il n'y a plus de bourreau à Jersey.

Maintenant quittons Jersey et venons à Guernesey.

Tapner, assassin, incendiaire et voleur, est condamné à mort. A l'heure qu'il est, monsieur, et au besoin les faits que je viens de vous citer suffiraient à le prouver, dans toutes les consciences saines et droites la peine de mort est abolie ; Tapner condamné, un cri s'élève, les pétitions se multiplient ; une, qui s'appuie énergiquement sur le principe de l'inviolabilité de la vie humaine, est signée par les six cents habitants les plus éclairés de l'île. Notons ici que, des nombreuses sectes chrétiennes qui se partagent les quarante mille habitants de Guernesey, trois ministres seulement* ont accordé leur signature à ces pétitions. Tous les autres l'ont refusée. Ces hommes ignorent probablement que la croix est un gibet. Le peuple criait : grâce ! le prêtre a crié : mort ! Plaignons le prêtre, et passons. Les pétitions vous sont remises, monsieur. Vous accordez un sursis. En pareil cas, sursis signifie commutation. L'île respire ; le gibet ne sera pas dressé. Point. Le gibet se dresse. Tapner est pendu.

Après réflexion.

Pourquoi ?

Pourquoi refuse-t-on à Guernesey ce qu'on avait tant de fois accordé à Jersey ? pourquoi la concession à l'une et l'affront à l'autre ? pourquoi la grâce

* M. Pearce, M. Carey, M. Cockburn.

ici et le bourreau là ? pourquoi cette différence là où il y avait parité ? quel est le sens de ce sursis qui n'est plus qu'une aggravation ? est-ce qu'il y aurait un mystère ? à quoi a servi la réflexion ?

Il se dit, monsieur, des choses devant lesquelles je détourne la tête. Non, ce qui se dit n'est pas. Quoi ! une voix, la voix la plus obscure, ne pourrait pas, si c'est la voix d'un exilé, demander grâce, dans un coin perdu de l'Europe, pour un homme qui va mourir, sans que M. Bonaparte l'entendît ! sans que M. Bonaparte intervînt ! sans que M. Bonaparte mît le holà ! Quoi ! M. Bonaparte qui a la guillotine de Belley, la guillotine de Draguignan et la guillotine de Montpellier, n'en aurait pas assez comme cela, et aurait l'appétit d'une potence à Guernesey ! Quoi ! dans cette affaire, vous auriez, vous, monsieur, craint de faire de la peine au proscripteur en donnant raison au proscrit, l'homme pendu serait une complaisance, ce gibet serait une gracieuseté, et vous auriez fait cela pour « entretenir l'amitié » ! Non, non, non ! je ne le crois pas, je ne puis le croire ; je ne puis en admettre l'idée, quoique j'en aie le frisson !

En présence de la grande et généreuse nation anglaise, votre reine aurait le droit de grâce et M. Bonaparte aurait le droit de veto ! En même temps qu'il y a un tout-puissant au ciel, il y aurait ce tout-puissant-là sur la terre ! — Non !

Seulement il n'a pas été possible aux journaux de France de parler de Tapner. Je constate le fait, mais je n'en conclus rien.

Quoi qu'il en soit, vous avez ordonné, ce sont les termes de la dépêche, que la justice « suivît son cours » ; quoi qu'il en soit, tout est fini ; quoi qu'il en soit, Tapner, après trois sursis et trois réflexions*, a été pendu hier 10 février, et, — si, par aventure, il y a

* Du 27 janvier au 3 février. — Du 3 février au 6. — Du 6 au 10.

quelque chose de fondé dans les conjectures que je repousse, — voici, monsieur, le bulletin de la journée. Vous pourriez, dans ce cas, le transmettre aux Tuileries. Ces détails n'ont rien qui répugne à l'empire du Deux-Décembre ; il planera avec joie sur cette victoire. C'est un aigle à gibets.

Depuis quelques jours, le condamné était frissonnant. Le lundi 6 on avait entendu ce dialogue entre lui et un visiteur : — *Comment êtes-vous ? — J'ai plus peur de la mort que jamais. — Est-ce du supplice que vous avez peur ? — Non, pas de cela... Mais quitter mes enfants !* — et il s'était mis à pleurer. Puis il avait ajouté : — *Pourquoi ne me laisse-t-on pas le temps de me repentir ?*

La dernière nuit, il a lu plusieurs fois le psaume 51 [1]. Puis, après s'être étendu un moment sur son lit, il s'est jeté à genoux. Un assistant s'est approché et lui a dit : — *Sentez-vous que vous avez besoin de pardon ?* Il a répondu : *Oui*. La même personne a repris : — *Pour qui priez-vous ?* Le condamné a dit : *Pour mes enfants*. Puis il a relevé la tête, et l'on a vu son visage inondé de larmes, et il est resté à genoux. Entendant sonner quatre heures du matin, il s'est tourné et a dit aux gardiens : — *J'ai encore quatre heures, mais où ira ma misérable âme ?* Les apprêts ont commencé ; on l'a arrangé comme il fallait qu'il fût ; le bourreau de Guernesey pratique peu ; le condamné a dit tout bas au sous-shériff : — *Cet homme saura-t-il bien faire la chose ? — Soyez tranquille*, a répondu le sous-shériff. Le procureur de la reine est entré ; le condamné lui a tendu la main ; le jour naissait, il a regardé la fenêtre blanchissante du cachot et a murmuré : *Mes enfants !* Et il s'est mis à lire un livre intitulé : CROYEZ ET VIVEZ.

1. Le *Miserere*, le grand psaume de la pénitence : « Pitié pour moi, Seigneur, en ta bonté [...] car mon péché je le connais, et ma faute est devant moi sans cesse... »

Dès le point du jour une multitude immense fourmillait aux abords de la geôle.

Un jardin était attenant à la prison. On y avait dressé l'échafaud. Une brèche avait été faite au mur pour que le condamné passât. A huit heures du matin, la foule encombrant les rues voisines, deux cents spectateurs « privilégiés » étant dans le jardin, l'homme a paru à la brèche. Il avait le front haut et le pas ferme ; il était pâle ; le cercle rouge de l'insomnie entourait ses yeux. Le mois qui venait de s'écouler l'avait vieilli de vingt années. Cet homme de trente ans en paraissait cinquante. « Un bonnet de coton « blanc profondément enfoncé sur la tête et relevé « sur le front, — dit un témoin oculaire*, — vêtu de « la redingote brune qu'il portait aux débats, et « chaussé de vieilles pantoufles », il a fait le tour d'une partie du jardin dans une allée sablée exprès. Les bordiers, le shériff, le lieutenant-shériff, le procureur de la reine, le greffier et le sergent de la reine l'entouraient. Il avait les mains liées ; mal, comme vous allez voir. Pourtant, selon l'usage anglais, pendant que les mains étaient croisées par les liens sur la poitrine, une corde rattachait les coudes derrière le dos. Il marchait l'œil fixé sur le gibet. Tout en marchant il disait à voix haute : *Ah ! mes pauvres enfants !* A côté de lui, le chapelain Bouwerie, qui avait refusé de signer la demande en grâce, pleurait. L'allée sablée menait à l'échelle. Le nœud pendait. Tapner a monté. Le bourreau tremblait ; les bourreaux d'en bas sont quelquefois émus. Tapner s'est mis lui-même sous le nœud coulant et y a passé son cou, et comme il avait les mains peu attachées, voyant que le bourreau, tout égaré, s'y prenait mal, il l'a aidé. Puis, « comme s'il eût pressenti ce qui allait suivre », — dit le même témoin, — il a dit : *Liez-moi*

* *Exécution de J.-C. Tapner.* (Imprimé au bureau du *Star de Guernesey.*)

donc mieux les mains. — C'est inutile, a répondu le bourreau. Tapner étant ainsi debout dans le nœud coulant, les pieds sur la trappe, le bourreau a rabattu le bonnet sur son visage, et l'on n'a plus vu de cette face pâle qu'une bouche qui priait. La trappe prête à s'ouvrir sous lui avait environ deux pieds carrés. Après quelques secondes, le temps de se retourner, l'homme des « hautes œuvres » a pressé le ressort de la trappe. Un trou s'est fait sous le condamné, il y est tombé brusquement, la corde s'est tendue, le corps a tourné, on a cru l'homme mort. « On pensa, dit le « témoin, que Tapner avait été tué roide par la rup- « ture de la moelle épinière. » Il était tombé de quatre pieds de haut, et de tout son poids, et c'était un homme de haute taille ; et le témoin ajoute : « *Ce soulagement des cœurs oppressés ne dura pas deux minutes*. » Tout à coup, l'homme, pas encore cadavre et déjà spectre, a remué ; les jambes se sont élevées et abaissées l'une après l'autre comme si elles essayaient de monter des marches dans le vide, ce qu'on entrevoyait de la face est devenu horrible, les mains, presque déliées, s'éloignaient et se rapprochaient « comme pour demander assistance », dit le témoin. Le lien des coudes s'était rompu à la secousse de la chute. Dans ses convulsions, la corde s'est mise à osciller, les coudes du misérable ont heurté le bord de la trappe, les mains s'y sont cramponnées, le genou droit s'y est appuyé, le corps s'est soulevé, et le pendu s'est penché sur la foule. Il est retombé, puis a recommencé. *Deux fois*, dit le témoin. La seconde fois il s'est dressé à un pied de hauteur ; la corde a été un moment lâche. Puis il a relevé son bonnet et la foule a vu ce visage. Cela durait trop, à ce qu'il paraît. Il a fallu finir. Le bourreau qui était descendu, est remonté, et a fait, je cite toujours le témoin oculaire, « lâcher prise au patient ». La corde avait dévié ; elle était sous le menton ; le bourreau l'a remise sous l'oreille ; après quoi il a « pressé sur les deux épaules* ». Le bourreau et le spectre ont lutté un moment ; le bourreau a vaincu. Puis cet infortuné, condamné lui-même, s'est précipité dans le trou où pendait Tapner, lui a étreint les deux genoux et s'est suspendu à ses pieds. La corde s'est balancée un moment, portant le patient et le bourreau, le crime et la loi. Enfin, le bourreau a lui-même « lâché prise ». C'était fait. L'homme était mort.

Vous le voyez, monsieur, les choses se sont bien passées. Cela a été complet. Si c'est un cri d'horreur qu'on a voulu, on l'a.

La ville étant bâtie en amphithéâtre, on voyait cela de toutes les fenêtres. Les regards plongeaient dans le jardin.

La foule criait : *shame ! shame !* Des femmes sont tombées évanouies.

Pendant ce temps-là, Fouquet, le gracié de 1851, se repent. Le bourreau a fait de Tapner un cadavre ; la clémence a refait de Fouquet un homme.

Dernier détail.

Entre le moment où Tapner est tombé dans le trou de la trappe et l'instant où le bourreau, ne sentant plus de frémissement, lui a lâché les pieds, il s'est écoulé douze minutes. Douze minutes ! Qu'on calcule combien cela fait de temps, si quelqu'un sait à quelle horloge se comptent les minutes de l'agonie !

Voilà donc, monsieur, de quelle façon Tapner est mort.

Cette exécution a coûté cinquante mille francs. C'est un beau luxe**.

Quelques amis de la peine de mort disent qu'on

* *Gazette de Guernesey*, 11 février.

** « L'exécuteur Rooks a déjà coûté près de deux mille livres sterling au fisc », *Gazette de Guernesey*, 11 février. Rooks n'avait encore pendu personne ; Tapner est son coup d'essai. Le dernier gibet qu'ait vu Guernesey remonte à vingt-quatre ans. Il fut dressé pour un assassin nommé Béasse, exécuté le 3 novembre 1830.

aurait pu avoir cette strangulation pour « vingt-cinq livres sterling ». Pourquoi lésiner ? Cinquante mille francs ! quand on y pense, ce n'est pas trop cher ; il y a beaucoup de détails dans cette chose-là.

On voit l'hiver, à Londres, dans de certains quartiers, des groupes d'êtres pelotonnés dans les angles des rues, au coin des portes, passant ainsi les jours et les nuits, mouillés, affamés, glacés, sans abri, sans vêtements et sans chaussures, sous le givre et sous la pluie. Ces êtres sont des vieillards, des enfants et des femmes ; presque tous irlandais ; comme vous, monsieur. Contre l'hiver ils ont la rue, contre la neige ils ont la nudité, contre la faim ils ont le tas d'ordures voisin. C'est sur ces indigences-là que le budget prélève les cinquante mille francs donnés au bourreau Rooks. Avec ces cinquante mille francs, on ferait vivre pendant un an cent de ces familles. Il vaut mieux tuer un homme.

Ceux qui croient que le bourreau Rooks a commis quelque maladresse paraissent être dans l'erreur. L'exécution de Tapner n'a rien que de simple. C'est ainsi que cela doit se passer. Un nommé Tawel a été pendu récemment par le bourreau de Londres, qu'une relation que j'ai sous les yeux qualifie ainsi : « Le maître des exécuteurs, celui qui s'est acquis une célébrité sans rivale dans sa peu enviable profession. » Eh bien, ce qui est arrivé à Tapner était arrivé à Tawel*.

On aurait tort de dire qu'aucune précaution n'avait été prise pour Tapner. Le jeudi 9, quelques zélés de la peine capitale avaient visité la potence déjà toute

* « La trappe tomba, et le malheureux homme se livra tout d'abord à de violentes convulsions. Tout son corps frissonna. Les bras et les jambes se contractèrent, puis retombèrent ; se contractèrent encore, puis retombèrent encore ; se contractèrent encore, et ce ne fut qu'après ce troisième effort que le pendu ne fut plus qu'un cadavre. » (*Execution of Tawel*, Thorne's printing establishment, Charles Street.)

prête dans le jardin. S'y connaissant, ils avaient remarqué que « la corde était grosse comme le pouce et le nœud coulant gros comme le poing ». Avis avait été donné au procureur royal, lequel avait fait remplacer la grosse corde par une corde fine. De quoi donc se plaindrait-on ?

Tapner est resté une heure au gibet. L'heure écoulée, on l'a détaché ; et le soir, à huit heures, on l'a enterré dans le cimetière dit des étrangers, à côté du supplicié de 1830, Béasse.

Il y a encore un autre être condamné. C'est la femme de Tapner. Elle s'est évanouie deux fois en lui disant adieu ; le second évanouissement a duré une demi-heure ; on l'a crue morte.

Voilà, monsieur, j'y insiste, de quelle façon est mort Tapner.

Un fait que je ne puis vous taire, c'est l'unanimité de la presse locale sur ce point : — *Il n'y aura plus d'exécution à mort dans ce pays, l'échafaud n'y sera plus toléré.*

La *Chronique de Jersey* du 11 février ajoute : « Le supplice a été plus atroce que le crime. »

J'ai peur que, sans le vouloir, vous n'ayez aboli la peine de mort à Guernesey.

Je livre en outre à vos réflexions ce passage d'une lettre que m'écrit un des principaux habitants de l'île [1] : « L'indignation était au comble, et si tous avaient pu voir ce qui se passait sous le gibet, *quelque chose de sérieux* serait arrivé, on aurait tâché de sauver celui qu'on torturait. »

Je vous confie ces criailleries.

Mais revenons à Tapner.

La théorie de l'exemple est satisfaite. Le philosophe seul est triste, et se demande si c'est là ce qu'on appelle la justice « qui suit son cours ».

1. « Cette lettre, écrite par l'avocat de Tapner, est reliée aux Documents. » [Note de l'Imprimerie nationale.]

Il faut croire que le philosophe a tort. Le supplice a été effroyable, mais le crime était hideux. Il faut bien que la société se défende, n'est-ce pas ? où en serions-nous si, etc., etc., etc. ? L'audace des malfaiteurs n'aurait plus de bornes. On ne verrait qu'atrocités et guets-apens. Une répression est nécessaire. Enfin, c'est votre avis, monsieur, les Tapner doivent être pendus, à moins qu'ils ne soient empereurs.

Que la volonté des hommes d'État soit faite !

Les idéologues, les rêveurs, ces étranges esprits chimériques qui ont la notion du bien et du mal, ne peuvent sonder sans trouble certains côtés du problème de la destinée.

Pourquoi Tapner, au lieu de tuer une femme, n'en a-t-il pas tué trois cents, en ajoutant au tas quelques centaines de vieillards et d'enfants ? Pourquoi, au lieu de forcer une porte, n'a-t-il pas crocheté un serment ? Pourquoi, au lieu de dérober quelques schillings, n'a-t-il pas volé vingt-cinq millions ? Pourquoi, au lieu de brûler la maison Saujon, n'a-t-il pas mitraillé Paris ? Il aurait un ambassadeur à Londres.

Il serait pourtant bon qu'on en vînt à préciser un peu le point où Tapner cesse d'être un brigand et où Schinderhannes[1] commence à devenir de la politique.

Tenez, monsieur, c'est horrible. Nous habitons, vous et moi, l'infiniment petit. Je ne suis qu'un proscrit et vous n'êtes qu'un ministre. Je suis de la cendre, vous êtes de la poussière. D'atome à atome on peut se parler. On peut d'un néant à l'autre se dire ses vérités. Eh bien, sachez-le, quelles que soient les splendeurs actuelles de votre politique, quelle que soit la gloire de l'alliance de M. Bonaparte, quelque

1. Ou Jean l'Écorcheur, chef d'une bande de « chauffeurs » des bords du Rhin, exécuté à Mayence en 1803. Tueur « en grand », son nom est souvent employé par Hugo, dans les *Châtiments* surtout, pour désigner Louis-Napoléon Bonaparte, Napoléon III.

honneur qu'il y ait pour vous à mettre votre tête à côté de la sienne dans le bonnet qu'il porte, si retentissants et si magnifiques que soient vos triomphes en commun dans l'affaire turque, monsieur, cette corde qu'on noue au cou d'un homme, cette trappe qu'on ouvre sous ses pieds, cet espoir qu'il se cassera la colonne vertébrale en tombant, cette face qui devient bleue sous le voile lugubre du gibet, ces yeux sanglants qui sortent brusquement de leur orbite, cette langue qui jaillit du gosier, ce rugissement d'angoisse que le nœud étouffe, cette âme éperdue qui se cogne au crâne sans pouvoir s'en aller, ces genoux convulsifs qui cherchent un point d'appui, ces mains liées et muettes qui se joignent et qui crient au secours, et cet autre homme, cet homme de l'ombre qui se jette sur ces palpitations suprêmes, qui se cramponne aux jambes du misérable et qui se pend au pendu, monsieur, c'est épouvantable. Et si par hasard les conjectures que j'écarte avaient raison, si l'homme qui s'est accroché aux pieds de Tapner était M. Bonaparte, ce serait monstrueux. Mais, je le répète, je ne crois pas cela. Vous n'avez obéi à aucune influence ; vous avez dit : que la justice « suive son cours » ; vous avez donné cet ordre comme un autre ; les rabâchages sur la peine de mort vous touchent peu. Pendre un homme, boire un verre d'eau. Vous n'avez pas vu la gravité de l'acte. C'est une légèreté d'homme d'État ; rien de plus. Monsieur, gardez vos étourderies pour la terre, ne les offrez pas à l'éternité. Croyez-moi, ne jouez pas avec ces profondeurs-là ; n'y jetez rien de vous. C'est une imprudence. Ces profondeurs-là, je suis plus près que vous, je les vois. Prenez garde. *Exsul sicut mortuus*. Je vous parle de dedans le tombeau.

Bah ! qu'importe ! Un homme pendu ; et puis après ? une ficelle que nous allons rouler, une charpente que nous allons déclouer, un cadavre que nous allons enterrer, voilà grand'chose. Nous tirerons le canon, un peu de fumée en Orient, et tout sera dit. Guernesey, Tapner, il faut un microscope pour voir cela. Messieurs, cette ficelle, cette poutre, ce cadavre, ce méchant gibet imperceptible, cette misère, c'est l'immensité. C'est la question sociale, plus haute que la question politique. C'est plus encore, c'est ce qui n'est plus la terre. Ce qui est peu de chose, c'est votre canon, c'est votre politique, c'est votre fumée. L'assassin qui du matin au soir devient l'assassiné, voilà ce qui est effrayant ; une âme qui s'envole tenant le bout de corde du gibet, voilà ce qui est formidable. Hommes d'État, entre deux protocoles, entre deux dîners, entre deux sourires, vous pressez nonchalamment de votre pouce ganté de blanc le ressort de la potence, et la trappe tombe sous les pieds du pendu. Cette trappe, savez-vous ce que c'est ? C'est l'infini qui apparaît ; c'est l'insondable et l'inconnu ; c'est la grande ombre qui s'ouvre brusque et terrible sous votre petitesse.

Continuez. C'est bien. Qu'on voie les hommes du vieux monde à l'œuvre. Puisque le passé s'obstine, regardons-le. Voyons successivement toutes ses figures ; à Tunis, c'est le pal ; chez le czar, c'est le knout ; chez le pape, c'est le garrot ; en France, c'est la guillotine ; en Angleterre, c'est le gibet ; en Asie et en Amérique, c'est le marché d'esclaves. Ah ! tout cela s'évanouira ! Nous les anarchistes, nous les démagogues, nous les buveurs de sang, nous vous le déclarons, à vous les conservateurs et les sauveurs, la liberté humaine est auguste, l'intelligence humaine est sainte, la vie humaine est sacrée, l'âme humaine est divine. Pendez maintenant !

Prenez garde. L'avenir approche. Vous croyez vivant ce qui est mort et vous croyez mort ce qui est vivant. La vieille société est debout, mais morte, vous dis-je. Vous vous êtes trompés. Vous avez mis la main dans les ténèbres sur le spectre et vous en avez fait votre fiancée. Vous tournez le dos à la vie ; elle va tout à l'heure se lever derrière vous. Quand nous prononçons ces mots, progrès, révolution, liberté, humanité, vous souriez, hommes malheureux, et vous nous montrez la nuit où nous sommes et où vous êtes. Vraiment, savez-vous ce que c'est que cette nuit ? Apprenez-le, avant peu les idées en sortiront énormes et rayonnantes. La démocratie, c'était hier la France ; ce sera demain l'Europe. L'éclipse actuelle masque le mystérieux agrandissement de l'astre.

Je suis, Monsieur, votre serviteur.

VICTOR HUGO.

Marine-Terrace, 11 février 1854.

SUR TAPNER [1]

Guernesey, 12 décembre 1855.

Le prévôt de la reine à Guernesey, M. Martin, était venu me voir à mon arrivée. Je lui ai rendu sa visite le 5 décembre 1855 [2]. Il m'a offert de m'accompagner à la prison, que je désirais voir.

Nous avons pris par les rues qui montent derrière la cour royale. En me promenant dans Saint-Pierre-Port, j'avais déjà remarqué dans la ville, à mi-côte, un grand mur noir percé d'une haute porte, surmonté d'un G couronné sculpté dans le granit. Je m'étais dit : Ce doit être là la prison. C'était là en effet.

Le geôlier nous reçut. Il s'appelle Barbet ; ce qui fait que les voleurs guernesiais appellent la prison l'Hôtel Barbet. Cet homme a cette mine gaie et dure,

1. Ce texte fut publié dans la première série des *Choses vues* (Charpentier, 1888) préparée, à partir des manuscrits inédits de Hugo, par ses amis et exécuteurs testamentaires, P. Meurice et A. Vacquerie.

2. Chassé de Jersey, sur instruction du gouvernement anglais, avec trente-cinq autres proscrits solidaires de l'un des leurs expulsé pour une violente attaque contre la Reine d'Angleterre dans la presse, Victor Hugo arrive à Saint-Pierre-Port, « capitale » de Guernesey, le 31 octobre 1855. On voit que l'un de ses tout premiers gestes fut pour Tapner.

cette figure à la fois ouverte et fermée que j'ai déjà remarquée à plusieurs geôliers. Sa femme et sa fille faisaient la soupe dans un coin.

Barbet prit une grosse clef, ouvrit une grille, et nous introduisit dans une assez vaste cour nue, oblongue, bornée de trois côtés par le grand mur qui du dehors avait appelé mon attention. Au midi, la cour est dominée par un bâtiment neuf bâti en granit gris, dont la façade à deux étages se compose de deux rangées de sept arcades superposées. Sous les arcades on voit des fenêtres ; derrière les vitres des fenêtres on voit de gros barreaux peints en blanc.

C'est la prison et ce sont les cellules.

— Guernesey est une île honnête, me dit le prévôt, homme distingué et intelligent, *non-conformist*, de la secte des indépendants, comme Cromwell et Milton. Et il ajouta : — Nous n'avons en ce moment, sur une population de plus de quarante mille âmes, que trois prisonniers, deux hommes et une femme.

Un des prisonniers entra en ce moment dans la cour ; c'était un jeune homme à figure douce, condamné à dix ans de Botany-Bay pour vol. Il était vêtu d'un pantalon de toile et d'un petit paletot bleu, et coiffé d'une casquette.

Le prévôt, qu'on appelle aussi le shérif, et qui, en cette qualité, gouverne la prison et accompagne les condamnés à l'échafaud, ce qui le rend fort ennemi de la peine de mort, le prévôt m'expliqua que ce jeune homme ne serait pas déporté et qu'il en serait quitte pour deux ou trois ans de prison cellulaire.

La prison cellulaire anglaise, empreinte et toute pénétrée de l'esprit glacial du protestantisme anglican, prouve que la sévérité et la froideur peuvent aller jusqu'à la férocité. Dans l'une d'elles, Mill-Bank, je crois, le silence est imposé.

Le prévôt me conta qu'en visitant cette prison il était entré dans une cellule où était un jeune homme de Guernesey condamné pour vol et à lui connu. Ce jeune homme était phtisique et se mourait. En voyant le prévôt, il joignit les mains sur son grabat et s'écria avec angoisse :

— Ah ! monsieur, ma grand'mère vit-elle encore ?

Le prévôt avait à peine eu le temps de répondre oui, que déjà le geôlier avait dit à l'agonisant : Taisez-vous.

Le jeune homme mourut peu de temps après.

Il passa de la prison à la tombe, d'un silence à l'autre, et dut à peine s'apercevoir du changement.

Sous les sept arcades du rez-de-chaussée sont les cellules des prisonniers pour dettes.

Nous y entrâmes. Elles étaient vides. Un bois de lit, une paillasse et une couverture, voilà tout ce que la prison donne au prisonnier pour dettes. Il peut se meubler mieux en payant. Le dernier prisonnier pour dettes était un Guernesiais dont le nom m'échappe. Il était mis là par sa femme qui l'y tint dix ans, faisant de la prison de son mari sa liberté. Au bout des dix ans le mari paya sa femme et sortit. Ils se remirent à vivre ensemble, et font, me dit le prévôt, « très bon ménage ».

Il n'y avait pour le moment, j'y insiste, aucun prisonnier dans la prison pour dettes.

Cette prison est tout un éloge muet de la population guernesiaise. Elle ne contient en tout que douze cellules, six pour les détenus pour dettes, six pour les délits communs, plus deux chambres de punition. Il y a, en outre, pour les femmes, deux cellules seulement, dont une de punition.

Une des sept chambres du rez-de-chaussée est la chapelle, petite salle sans autel, ayant une chaire de bois pour le chapelain dans l'angle à gauche, et, en avant de la porte, tournant le dos à la fenêtre, quatre ou cinq bancs de bois avec pupitres, où l'on voit çà et là quelques livres de piété entr'ouverts.

C'est au premier étage que sont les détenus pour crimes et délits. Nous y montâmes.

Le geôlier nous ouvrit une cellule bien éclairée, meublée seulement d'un lit de bois. Sur le pied du lit étaient roulés les couvertures et les draps, qui sont, comme les couvertures, en grosse laine. Seulement cette laine m'a paru tricotée. La paillasse avait été retirée, en sorte qu'on voyait à nu le tablier du bois de lit, sur lequel une foule de noms et d'inscriptions avaient été gravés avec des couteaux ou des clous. Cela formait une sorte de forêt de lettres presque effacées. On y distinguait, entre tous, les trois mots que voici, plus lisibles que les autres :

GUERRE
HISTOIRE
CAIN

Tout le crime n'est-il pas là ?

Dans un coin du tablier il y avait quelques silhouettes de navires grossièrement dessinées.

La cellule qui est derrière celle-ci est un cachot (cellule de punition). Pas de lit, le plancher pour dormir, une petite fenêtre haute, au nord. Le dernier enfermé là avait charbonné sur le mur une espèce de labyrinthe qui indignait le geôlier. On lui avait sali la blancheur de son sépulcre.

Toutes les cellules sont badigeonnées au lait de chaux.

La rangée d'arcades qui est devant les cellules forme une sorte de galerie ouverte à l'air et au soleil de midi, où les prisonniers se promènent quand il pleut. Il y a dans cette galerie un vieux bois de lit délabré sur lequel ils montent et d'où ils voient la mer. — Grande jouissance pour eux, me dit le geôlier.

Je suis monté sur le bois de lit. On voit de là l'île de Serk et les voiles à l'horizon.

Je désirais visiter la cellule de Tapner. Le prévôt m'y conduisit.

Cette cellule et la chambre de punition qui y est attenante forment dans la prison le quartier des femmes.

Quand on est dans la cour et qu'on fait face à la prison, on remarque que la première à gauche des sept arcades d'en haut est grillée sur la cour et murée sur la galerie. Le petit espace enclos entre ce mur et cette grille était le préau spécial de Tapner. C'est là qu'il allait et venait toute la journée, un peu comme une bête fauve dans une cage, vu des autres prisonniers, mais séparé d'eux. La fenêtre qui donne sur ce préau restreint est la fenêtre de sa cellule.

La porte est épaisse, peinte en noir, garnie d'armatures de fer ; deux gros verrous, un en haut, un en bas, la serrure entre les verrous ; le geôlier ouvrit cette porte et nous introduisit.

La cellule, de même dimension que les autres, environ dix pieds carrés, est blanche, propre, bien éclairée ; une cheminée au fond, dans l'angle à gauche qui est en pan coupé, un baquet, une planche fixée au mur qui fait face à la porte ; à droite de la porte, sous la fenêtre, un lit de bois dont un des quatre montants est tronqué ; sur ce lit une paillasse, une couverture, des draps de grosse laine. Ce grabat a été le lit de Tapner. — Après la mort de Tapner cette cellule a été rendue aux femmes, dont, avec l'autre chambre que j'ai dite, elle forme le quartier.

On ne fait de feu dans la cheminée que sur l'ordre du médecin.

Au moment où nous entrâmes, une femme était assise ou plutôt accroupie sur le lit, le dos tourné à la porte. J'ôtai mon chapeau. M. Tyrrell, un jeune peintre anglais qui m'accompagnait, en fit autant. Cette femme, la prisonnière unique du moment, était, me dit le prévôt, une voleuse. *De plus, irlandaise*, ajouta le geôlier. Elle était assez jeune, ravaudait un vieux bas et n'avait pas même l'air de nous voir.

Cette femme, chez laquelle la dernière curiosité était éteinte, semblait personnifier la sombre indifférence de la misère.

Tapner a agonisé dans cette cellule blanche, claire et froide.

Ce John Charles Tapner, espèce de gentleman, employé du gouvernement, n'avait tiré nul profit dans sa jeunesse de l'éducation qu'on avait essayé de lui donner, et était arrivé au vol et à l'assassinat par la débauche, le vin et le gin. Il était né d'une famille honnête et d'un père religieux, à Woolwich, en 1823. Il est mort, n'ayant pas encore trente et un ans, le 10 février 1854. Il vivait avec les deux sœurs, marié avec l'une, amant de l'autre. Il avait assuré sa vie pour la totalité de ses appointements, cent cinquante livres sterling, ce qui absorbait tout son revenu et semblait annoncer l'intention de vivre de crimes. L'assurance était sur la tête de sa femme et sur la sienne, au profit du dernier survivant.

J'ai demandé : — La compagnie a-t-elle payé ?

— Oh non ! a répondu le prévôt.

— A-t-elle rendu, ai-je repris, ou donné aux pauvres les primes annuelles qu'elle avait reçues de Tapner ?

— Oh non !

Sous ce prétexte vertueux qu'il y avait crime, la compagnie a volé la veuve.

Tapner semblait insouciant, *indifférent,* me dit le prévôt, et le prévôt en concluait qu'il ne souffrait pas. — Erreur ! lui dis-je, croyez-vous qu'on n'ait pas froid sous la glace ?

La veille de sa mort, on fit son portrait au daguerréotype. L'appareil fut placé dans le préau grillé attenant à sa cellule, où il faisait un beau soleil. Tapner ne pouvait s'empêcher de rire en posant. La tête de mort aussi semble rire.

— Mais ne riez donc pas, lui disait le prévôt. Gardez votre sérieux. On ne comprendra rien à votre portrait. Vous ne pouvez pas rire aujourd'hui. Ce n'est pas possible.

C'était si possible qu'il riait.

Pourtant un jour le prévôt lui avait prêté un livre de prières.

— Lisez ceci, Tapner, lui dit-il, si vous êtes coupable.

— Je ne suis pas coupable, répondit Tapner.

— Dans tous les cas, reprit le prévôt, vous êtes un pécheur comme moi, comme nous tous. Vous n'avez pas servi Dieu. Lisez ce livre.

Tapner prit le livre. Le prévôt entra dans sa cellule une heure après, et le trouva, le livre à la main, fondant en larmes.

Sa dernière entrevue avec sa femme fut « déchirante », me dit le prévôt.

Cette femme cependant savait ses amours avec sa sœur. Mais qui donc a sondé tous les mystères du pardon ?

La veille de ma visite à la prison, M. Pearce, un des deux chapelains qui avaient assisté Tapner le jour de sa mort, était venu me voir à Hauteville House avec le prévôt. Je demandai à M. Pearce, très vénérable et très digne vieillard :

— Tapner a-t-il su que je m'étais intéressé à lui ?

— Certes, Monsieur, a répondu M. Pearce en joignant les mains. Il a été bien touché et bien reconnaissant de votre intervention, et il a bien recommandé qu'on vous remerciât de sa part.

Je note, comme un détail caractéristique de la liberté de la presse anglaise, qu'à l'époque de la mort de Tapner, tous les journaux de l'île ayant plus ou moins réclamé l'exécution, et fort choqués de ma lettre à lord Palmerston, s'entendirent pour passer sous silence le fait que me révélait M. Pearce. Ils eurent l'air de mettre le pendu du parti de la potence, et il ne tint qu'à moi de croire que Tapner m'en voulait.

— Il y a, me dit le prévôt, une autre chose que vous ignorez et qu'on a également passée sous silence. Vous croyez avoir complètement échoué dans votre intervention et pourtant vous avez remporté une victoire énorme dont vous ne vous doutez pas. Cette île est, comme toute l'Angleterre, le pays de la tradition. Ce qui a été fait hier doit être fait aujourd'hui, afin d'être refait demain. Or la tradition voulait que le condamné allât au gibet par les rues de la ville, la corde au cou. La tradition voulait que le gibet fût dressé sur la grève et que le condamné traversât, pour y arriver, le quartier du collège, la grande rue, High street, et l'Esplanade. Lors de la dernière exécution, il y a vingt-cinq ans, cela s'était passé ainsi. Cela devait donc se passer encore ainsi pour Tapner. Après votre lettre, on n'a pas osé. On a dit : Pendons l'homme, mais pendons-le secrètement. On a eu honte. Vous n'avez pas lié les mains à la peine de mort, mais vous lui avez fait venir la rougeur au front. On a renoncé à la corde au cou, au gibet de la grève, à l'Esplanade, au cortège dans les rues, à la foule. On a décidé que Tapner serait pendu dans un jardin attenant à la prison, entre magistrats et geôliers, en famille. Cependant la loi veut que l'exécution soit publique. On s'est tiré d'affaire en me disant de signer des billets d'admission pour deux cents personnes. Ayant la même angoisse qu'eux, et plus encore, je me suis prêté à tout ce qu'on a décidé. J'ai signé des billets qui ont été à qui les a voulus. Cependant une difficulté s'offrait. Le jardin, contigu à la prison, en est séparé par le mur même du préau. La porte de ce jardin est dans la rue du Collège. Pour aller trouver cette porte, il fallait que le condamné sortît de la prison et fît environ cent pas dehors, en public, parmi les passants. On n'a pas osé même faire faire à la peine de mort ces cent pas dans la rue. Pour éviter ces cent pas on a abattu un pan de mur et l'on a fait passer Tapner par le trou. La pudeur vient.

Je ne reproduis pas ici les paroles littérales du prévôt, mais le sens exact.

— Eh bien, ai-je dit au prévôt, menez-moi à ce jardin.

— La brèche est refermée, le mur est rebâti ; je vous y mènerai par la rue.

Au moment de sortir de la prison, le geôlier m'a apporté dans deux écuelles la soupe qu'on allait servir aux prisonniers, en m'invitant à y goûter, et en me présentant une grosse cuiller d'étain fort propre. J'ai goûté cette soupe, qui est bonne et saine. Le pain est bis et excellent. Je l'ai comparé dans ma pensée à cet horrible pain des prisons de France, qu'on m'a montré à la Conciergerie, et qui est terreux, visqueux, fétide, souvent plein de vers et de moisissure.

Il pleuvait. Le temps était gris et triste.

Il n'y a, en effet, pas plus de cent pas de la prison à l'entrée du jardin. Nous tournâmes à gauche en montant la rue du Collège le long du haut mur noir. Tout à coup le prévôt s'arrêta.

Nous étions devant une porte assez basse. Sur les panneaux de cette porte, qui mène au lieu où est mort cet homme perdu par l'ivrognerie et le défaut d'instruction, il y avait quelques restes de vieilles affiches en anglais, jaunes, blanches, vertes, relatives à toutes sortes d'objets, et sur lesquelles la pluie, qui les avait effacées, et le temps, qui les avait déchirées, ne laissaient plus distinguer que ces deux mots restés lisibles : EDUCATION UNIVERSAL. — TEMPERANCE.

Le prévôt tenait une grosse clef à la main ; il la mit dans la serrure ; la porte, qui n'avait pas été ouverte peut-être depuis le jour de l'exécution et qui avait recommencé à se rouiller dans sa paix funèbre, fit un grincement et s'entre-bâilla. Nous entrâmes. Le prévôt repoussa la porte derrière nous. Nous étions dans un étroit palier carré, fermé de trois côtés par de hautes murailles et s'ouvrant du quatrième côté sur un escalier roide et qui était sombre, quoique éclairé à plein ciel. Vis-à-vis l'escalier, le prévôt me fit remarquer le replâtrage d'une brèche récemment murée. C'est par là que Tapner avait passé. Cet escalier était la première échelle de son gibet. Il l'avait monté. Nous le montâmes. Je ne sais pourquoi je comptai les marches en montant. Il y en avait quatorze.

Cet escalier mène à un premier jardin, oblong et étroit, dominé par un autre qui forme terrasse. On monte dans l'autre par un escalier de sept marches en granit grossier, comme les quatorze que nous avions déjà franchies.

Au haut de ces sept marches, nous eûmes sous les yeux un enclos nu d'environ cent pas carrés, fermé de murs assez bas, coupé par deux allées transversales figurant une croix au milieu. C'était là ce qu'on appelait « le jardin ». C'était là que Tapner avait été pendu.

Le givre de décembre continuait de tomber ; quelques broussailles frissonnaient au vent sur la terre noire ; pas de fleurs, pas de verdure dans ce jardin ; on voyait seulement un petit arbre fruitier maigre et rabougri dans un des quatre carrés formés par l'intersection des allées. L'ensemble serrait le cœur. C'était un de ces lieux tristes que le soleil ferait mélancoliques et que la pluie fait lugubres.

Ce jardin ne tient à aucune maison. Il n'est le jardin de personne, que du spectre qu'on y a laissé. Il est désert, abandonné, inculte, tragique. D'autres jardins l'entourent et l'isolent. Il ne touche à la ville, à la vie, aux hommes que par la prison. Les maisons des rues basses qui l'environnent montrent de loin le haut de leurs façades, qui ont l'air de fronts effarés regardant par-dessus le mur de ce lieu sinistre.

En voyant d'un côté l'espèce de petit promenoir inférieur, étroit, allongé, assez profond, où aboutissent les quatorze premières marches, et de l'autre ce jardin funèbrement coupé de ces deux allées transversales, il est impossible de ne pas songer à une fosse auprès de laquelle serait étendu le drap mortuaire avec sa croix.

Nous avions à notre droite une muraille, qui est le haut du grand mur noir où est percée la porte et dont on voit le revers de la rue. Une allée, plus basse que le reste du jardin, longe cette muraille. Une rangée de gros clous à crochets rouillés et de longues et minces tringles de bois, argentées et satinées par le temps, appliquées verticalement sur le mur à des intervalles de six à huit pouces, indiquent qu'il y avait là autrefois un espalier. L'espalier a disparu, et il ne reste que ces tringles qui en sont le squelette.

On fait quelques pas, on arrive devant un petit escalier de trois marches qui descend du jardin dans l'allée. Là on remarque qu'il n'y a plus de tringles sur le mur. Elles reparaissent un peu plus loin. On les a arrachées sur une largeur d'une quinzaine de pieds.

Le prévôt s'arrêta en silence à cet endroit. Je vis que les tringles manquaient, et je compris. Là avait été dressé l'échafaud.

On lève les yeux et l'on ne voit que le cordon de tessons de verre qui hérisse la crête du mur, et la tour ronde de l'église voisine peinte en jaune et en gris.

L'échafaud était appuyé à ce point du mur. Tapner tourna à gauche, prit l'allée du milieu et arriva, par l'un des bras de la croix qu'elles dessinent, à l'échelle du gibet, placée précisément au-dessus de l'escalier de trois marches. Il monta sur la plate-forme, et de là, pendant qu'on disait les dernières prières, il put voir les oiseaux de mer volant à perte de vue, les livides nuées de février, l'océan, l'immensité d'en bas ; et en même temps, par l'ouverture qui se fait dans l'âme à cette heure sombre, le mystère, l'avenir inconnu, les escarpements de la tombe, Dieu, l'immensité d'en haut.

Le gibet était composé de deux montants portant

une barre transversale. Au milieu de cette barre une corde terminée par un nœud coulant pendait au-dessus d'une trappe fermée. C'est sur cette trappe, piège de la loi, qu'on amena Tapner, et c'est là qu'il se tint debout pendant qu'on lui ajustait le nœud coulant. De la rue qui est derrière le mur et du jardin du collège qui borde l'autre côté de cette rue on apercevait les montants du gibet, la corde, le nœud, et l'on put voir de dos le condamné jusqu'au moment où la trappe s'ouvrit et où il tomba. Alors il disparut pour les spectateurs du dehors.

De l'intérieur du jardin et des maisons dont j'ai déjà parlé on pouvait voir le reste.

Le supplice fut cette abominable chose que j'ai dite dans ma lettre à lord Palmerston. Le prévôt m'en rappela et m'en confirma tous les détails. Il se trouve que j'ai plutôt atténué qu'amplifié.

Au moment où Tapner tomba, la corde se roidit, et il resta quinze ou vingt secondes immobile et comme mort. Le procureur de la reine, les chapelains, les magistrats, croyant que c'était fini ou pressentant que ce n'était pas commencé, *se hâtèrent de filer*, me dit le prévôt, et le prévôt resta seul avec le patient, le bourreau et les curieux. J'ai raconté l'agonie du misérable et comme quoi il fallut que le bourreau se pendît à ses pieds.

Tapner mort, la « loi » satisfaite, ce fut le tour des superstitions. Elles ne manquent jamais aux rendez-vous que la potence leur donne. Des épileptiques vinrent, et on ne put les empêcher de saisir la main convulsive du pendu et de la promener frénétiquement sur leur visage. On détacha le mort au bout d'une heure ; et alors ce fut à qui pillerait la corde. Les assistants se ruaient et chacun en réclamait un morceau. Le prévôt prit cette corde et la jeta au feu.

Quand il fut parti, des gens vinrent et ramassèrent la cendre.

Le mur auquel fut adossé le gibet aboutit à une

masure qui occupe l'angle sud-ouest du jardin. Ce fut là qu'on porta le cadavre. On dressa une table, et un plâtrier qui se trouvait là moula cette tête misérable. Le visage, violemment déformé par la strangulation, s'était recomposé et avait repris l'expression du sommeil. La corde défaite, le calme y était revenu. Il semble que la mort, même à travers le supplice, veuille toujours être sereine et que son dernier mot soit toujours la paix.

J'allai à cette masure. La porte était ouverte. C'était une simple cellule à peine recrépie, qui servait de resserre ou de hangar au jardin. Quelques outils étaient accrochés au mur. Cette chambre était éclairée par une fenêtre sur le jardin et par une autre sur la rue, qu'on avait fermée au moment où l'on y avait apporté Tapner et qu'on n'avait pas rouverte depuis. A cela près de la table qui avait disparu, cette chambre était encore comme le cadavre l'avait laissée. La fenêtre fermée alors était fermée. Le volet, dont le bourreau peut-être avait ajusté la barre, était resté clos. Devant cette fenêtre il y avait un meuble à compartiments ayant une foule de petits tiroirs dont quelques-uns manquaient. Sur ce meuble, à côté d'une bouteille cassée et de quelques fleurs desséchées, était posé un de ces tiroirs, rempli de plâtre. C'est ce plâtre même qui avait servi. J'ouvris au hasard un autre tiroir et j'y trouvai encore du plâtre, et des empreintes de doigts blancs. Le sol était jonché d'herbes jaunies et de feuilles mortes. Un filet était jeté dans un coin sur un tas de poussière. Près de la porte, dans l'angle du mur, il y avait une pelle, la pelle du jardinier probablement, ou du fossoyeur.

Vers quatre heures du soir, le cadavre étant à peine refroidi, le prévôt fit mettre Tapner dans « le coffre ». On ne l'ensevelit pas, on ne fit pas la dépense d'un drap ; on le cloua dans la bière avec ses habits. A Guernesey les habits du supplicié sont la propriété du cadavre et non, comme à Londres, du bourreau.

A la nuit tombante, dix ou douze personnes seulement étant présentes, on porta « le coffre » au cimetière, où une fosse avait été creusée dès le matin.

— Il faut que vous voyiez tout, me dit le prévôt.

Et nous sortîmes de la baraque, puis du jardin. Je le suivis. Nous nous engageâmes dans des carrefours d'aspect indigent, et nous arrivâmes dans une rue étroite, montueuse, anguleuse, bordée de masures, et au coin de laquelle je lus : *Lemarchand street*. Le prévôt me quitta, entra dans une allée obscure et revint tenant à la main une clef, qui me parut plus massive encore que la clef du jardin. Un instant après, nous étions devant une grande porte noirâtre à deux battants. Le prévôt ouvrit cette porte et nous nous trouvâmes sous une espèce de hangar haut et obscur.

— Monsieur, me dit le prévôt, levez les yeux. Vous avez au-dessus de votre tête le gibet de Béasse.

Ce Béasse, qui fut pendu en 1830, était un Français. Il avait fait, comme sous-officier, la guerre d'Espagne en 1823 sous M. le duc d'Angoulême ; puis, enrichi par héritage ou autrement, il s'était retiré à Guernesey. Là, étant riche, une quinzaine de mille francs de rente, il fut un gentleman : il acheta une belle maison et devint un notable du pays. Il faisait le soir la partie du bailli, messire Daniel Le Brocq.

Quand on rendait visite à Béasse, on voyait quelquefois dans son jardin un homme qui travaillait à la terre, piquant les boutures, écussonnant les greffes, échenillant les arbres, redressant les espaliers. Ce jardinier était le bourreau. Ce bourreau de Guernesey était un horticulteur habile ; toujours isolé et rejeté de tous, l'homme lui étant sinistre, il s'était tourné vers la nature, et n'était pas moins habile en fleurs qu'en gibets. Béasse l'employait, n'ayant pas de préjugés.

Béasse donc était fort bien vu, attendu ses pounds,

même de l'aristocratie escarpée de Guernesey, même des *fourty*, même des *sixty*.

Un jour on s'aperçut que sa servante était grosse, puis qu'elle ne l'était plus. Qu'était devenu l'enfant ? Les voisins s'émurent ; les rumeurs circulèrent ; la police fit une descente chez Béasse ; deux constables vinrent avec un médecin. Le médecin visita la servante qui était au lit ; puis les deux constables dirent à Béasse : La femme est accouchée. Il y a un enfant. Il nous le faut. Béasse, qui jusque-là avait déclaré ne savoir ce qu'on lui voulait, prit une pelle, alla à un coin de son jardin, et se mit à bêcher la terre avec fureur. Un des constables, pensant qu'il voulait donner à quelque chose d'enterré un coup de bêche qui plus tard pût passer pour une blessure accidentelle, lui prit la pelle des mains et continua plus doucement la fosse commencée par Béasse. Au bout d'un instant l'enfant apparut. Le pauvre petit cadavre avait une lardoire enfoncée dans la bouche et une autre dans l'anus. Béasse nia être le père de l'enfant. Il fut jugé par les jurats, condamné au gibet, et ce fut son ami le bailli Daniel Le Brocq qui lui lut sa sentence de mort.

Ses biens furent confisqués.

Le prévôt, en me contant cette histoire horrible, me disait : — Béasse a manqué de sang-froid. En allant lui-même bêcher la terre là où était le cadavre, il s'est perdu. Il eût pu se sauver aisément. Il n'avait qu'à dire : — L'enfant était mort. Je l'ai remis pour l'enterrer à un mendiant qui passait, à qui j'ai donné un louis, que je ne connais pas, et que je n'ai plus revu. — On n'eût pu lui prouver le contraire. On n'eût su ce qu'était devenu l'enfant, et on n'eût pu le condamner, Guernesey étant encore, à l'heure qu'il est, régi par la coutume normande qui exige pour la condamnation la preuve matérielle, *corpus delicti*.

Le prévôt me demanda :

— Auriez-vous invoqué l'inviolabilité de la vie

humaine pour Béasse comme vous l'avez fait pour Tapner ?

— Sans doute, lui ai-je dit. Ce Tapner et ce Béasse sont des misérables ; mais les principes ne prouvent jamais mieux leur grandeur et leur beauté que lorsqu'ils défendent ceux-là mêmes que la pitié ne défend plus.

Au moment où Béasse fut condamné, la révolution de 1830 éclata. Il disait à ce même M. Martin, aujourd'hui prévôt : — J'aimerais mieux être en France à me faire mitrailler qu'à Guernesey à me faire pendre.

Ici un détail. Béasse avait eu pour ami le bailli, qui devait prononcer son arrêt de mort, et pour domestique le bourreau, qui devait l'exécuter. Le bailli n'hésita pas ; mais il y eut un homme dans le bourreau. Peut-être ce jardinier ne savait-il plus pendre ; peut-être ces mains, à force de toucher aux lys et aux roses, étaient-elles devenues incapables de nœuds coulants ; peut-être tout bonnement ce tueur de la façon de la loi valait-il mieux que la loi, et répugnait-il à tordre le cou de l'homme dont il avait mangé le pain. Le fait est que le lendemain de la prononciation de l'arrêt de mort, le bourreau de Guernesey s'évada. Il prit passage sur quelque cutter de smuggler et quitta Saint-Pierre. On le chercha. On fouilla l'île. On ne le revit plus.

Il fallait aviser.

Un homme, un Anglais, était en prison pour on ne sait quel méfait. On lui offrit « sa grâce » s'il voulait être bourreau, et pendre Béasse pour commencer. Les hommes appellent cela une grâce.

Le prisonnier accepta.

La justice respira. Elle avait vu le moment où sa tête de mort n'allait plus pouvoir rien dévorer, non que la mâchoire supérieure, le juge, eût bronché ; mais parce que la mâchoire inférieure, le bourreau, avait disparu.

Le jour de l'exécution vint.

On mena Béasse à la potence, la corde au cou, par les rues, sur la grève. Il fut le dernier qui subit ce cérémonial du gibet. Sur l'échafaud, et au moment où on lui rabattait sur les yeux le lugubre bonnet blanc, il se tourna vers la foule et, comme s'il eût voulu laisser une énigme derrière lui, il jeta aux assistants cette phrase, qui pourrait être dite par un criminel aussi bien que par un innocent : *Il n'y a que le crime qui déshonore.*

La plate-forme fut lente à tomber. Elle n'avait pas de trappe et devait s'abattre tout entière d'un seul morceau. Elle était liée à ses extrémités aux madriers de l'échafaud par des cordes qu'il fallait couper d'un côté pour qu'elle se dérobât en restant suspendue de l'autre. Le bourreau, le prisonnier « gracié », le même malheureux inexpérimenté qui, vingt-cinq ans plus tard, pendit Tapner, prit une hache de charpentier et coupa la corde ; mais, comme il tremblait, ce fut long. La foule murmura et ne songea pas à sauver le patient, mais faillit lapider le bourreau.

J'avais cet échafaud au-dessus de moi.

Je levai les yeux, comme le prévôt m'y invitait.

Le hangar où nous étions avait un toit aigu dont la charpente intérieure apparaissait à nu. Sur les poutres de cette charpente, et précisément au-dessus de nos fronts, étaient posées deux longues solives qui avaient été les montants du gibet de Béasse. A l'extrémité supérieure de ces solives on voyait des entailles dans lesquelles s'emboîtait la barre transversale où était nouée la corde. Cette barre avait été démontée et était couchée à côté des deux solives. Vers le milieu des deux solives étaient cloués deux espèces d'écussons de bois dont la saillie avait soutenu le tablier du gibet. Ces deux montants, supportés par la charpente du comble, supportaient eux-mêmes un plancher massif, long et étroit, aux deux extrémités duquel des cordes pendaient. Ce plancher était la plate-forme du gibet et ces cordes étaient celles que le bourreau avait été si long à couper. Derrière, on apercevait une espèce d'escalier-échelle à marches plates en bois, couché près de la plate-forme. Béasse avait monté ces marches. Toute cette hideuse machine, montants, traverses, plate-forme, échelle, était peinte en gris de fer et semblait avoir servi plus d'une fois. Des empreintes de corde étranglaient les poutres çà et là. Deux ou trois longues échelles de forme ordinaire étaient posées contre le mur.

Près de ces échelles, dans l'angle à notre droite, le prévôt me montra une espèce de treillis de bois composé de plusieurs panneaux démontés.

— Qu'est-ce que cela ? lui demandai-je. On dirait une cage.

— C'est une cage, en effet, me répondit-il. C'est la cage du pilori. Il y a quinze ou vingt ans encore, on dressait cela dans le marché et on y exposait les criminels. On y a renoncé. La cage est hors de service.

Comme la potence de Béasse, cette cage était peinte en gris noir. Autrefois la cage du carcan était en fer, puis on l'a faite en bois qu'on a peint en noir pour que ce bois ressemblât à du fer, puis elle a disparu. C'est l'histoire de toute la vieille pénalité, avenir compris.

La poussière et l'ombre couvrent maintenant cet appareil de terreur. Il pourrit dans un des coins ténébreux de l'oubli. Les araignées ont trouvé cette cage du pilori bonne à prendre les mouches et y font leur toile.

La plate-forme du vieux gibet ayant mal fait sa fonction pour Béasse, on fabriqua pour Tapner un gibet exprès. On adopta le système de la trappe anglaise, qui s'ouvre sous le patient. Un officier de la garnison inventa pour l'ouverture de cette trappe un mécanisme « fort ingénieux », me dit le prévôt, et qui fut exécuté.

J'étais revenu à l'échafaud de Béasse.

On voyait encore à un des bouts de la corde les entailles que la hache tremblante du bourreau y avait faites.

— Maintenant, Monsieur, me dit le prévôt, tournez-vous.

Et il me montrait du doigt dans l'autre compartiment du hangar, toujours sur les poutres du comble, un ensemble de charpentes ayant la couleur rougeâtre du sapin. C'était comme un faisceau de planches et de solives posées pêle-mêle les unes sur les autres, et parmi lesquelles on distinguait tout d'abord une longue et lourde échelle à marches plates comme l'autre et qui me parut énorme. Tout cela était propre, neuf, frais, sinistre.

C'était l'échafaud de Tapner.

On n'avait pas jugé à propos de le peindre couleur de fer.

On voyait les montants, on distinguait la traverse, on pouvait compter les planches de la plate-forme et les marches de l'échelle. Je considérais du même regard l'échelle qu'avait gravie Béasse et l'échelle qu'avait gravie Tapner ; mes yeux ne pouvaient se détacher de ces degrés qu'avaient montés des pas de spectres et auxquels s'ajoutaient à perte de vue, pour l'œil de mon esprit, les sombres marches de l'infini.

Le hangar où nous étions est composé de deux corps de bâtiments dont le plan géométral présente un angle droit, forme d'équerre ou de potence. L'ouverture de l'équerre est remplie par une petite cour triangulaire qui fait songer au couteau de la guillotine. L'herbe y pousse entre les pavés ; la pluie y tombait ; c'était formidable.

Ce hangar funèbre servait autrefois d'écurie aux magistrats campagnards quand ils venaient juger à la ville. On voit encore les numéros des box où ils attachaient leurs chevaux pendant les audiences. Je m'arrêtai entre les deux poteaux marqués 3 et 4. Un vieux panier défoncé gisait à terre au fond de la stalle que bornaient ces deux poteaux. C'est au-dessus de cette stalle qu'étaient emmagasinées les plus grosses solives du gibet.

— Pour qui garde-t-on cela ? dis-je au prévôt. Qu'est-ce qu'on en veut faire ? On chaufferait tout l'hiver une famille pauvre avec ce bois-là.

C'est entre ces chiffres 3 et 4 qu'on aperçoit, tout en haut, près du toit, une chose effroyable : la trappe qui s'ouvrit sous les pieds de Tapner. On en voit le dessous ; la serrure noire et massive, les gonds qui tournaient sur l'éternité, et deux forts madriers qui relient grossièrement les planches. On distingue aussi l'« ingénieux » mécanisme dont m'avait parlé le prévôt. C'est cette trappe trop étroite qui causa l'agonie. Le condamné put s'accrocher par les coudes et se suspendre aux bords. Elle n'a guère que trois pieds carrés, dimension qui ne suffit pas, à cause des balancements convulsifs de la corde. Pourtant le prévôt m'expliqua que Tapner avait été mal attaché, ce qui lui avait permis le mouvement des bras ; mieux lié, il fût tombé tout d'une pièce et n'eût plus bougé. Le gardien du hangar était entré et nous avait rejoints pendant que le prévôt parlait. Quand le prévôt eut fini, cet homme ajouta :

— Oui, c'est d'avoir mal cordé Tapner qui a fait tout le mal. Sans cela « c'eût été magnifique ».

Au sortir du hangar, le prévôt me demanda la permission de prendre congé de moi, et M. Tyrrell m'offrit de me conduire chez le plâtrier qui avait moulé Tapner mort. J'acceptai.

Je connaissais encore si peu les rues de la ville que tout m'y semblait labyrinthe.

Nous traversâmes plusieurs de ces rues hautes de Saint-Pierre-Port où l'herbe pousse et nous descendîmes une street assez large qui plonge dans un des quatre ou cinq ravins dont la ville est coupée. Vis-à-vis d'une maison devant laquelle se dressent deux cyprès taillés en cône, il y a un marbrier. Nous entrâmes dans la cour de ce marbrier. La vue y est frappée d'abord d'une foule de croix de cimetière et de pierres de sépulture debout sur le passage ou appuyées aux murs. Un ouvrier, seul sous un appentis, mastiquait des carreaux de faïence. M. Tyrrell lui dit quelques mots en anglais. — *Yes, sir*, répondit l'ouvrier, et il alla à des planches disposées en étagères au fond de l'appentis, y fouilla dans les plâtras et la poussière et rapporta d'une main un masque et de l'autre une tête. C'était le masque de Tapner et la tête de Tapner. On avait colorié le masque en rose ; le plâtre de la tête était resté blanc. Le masque avait été fait sur le visage ayant encore les favoris et les cheveux ; puis on avait rasé la tête et l'on avait moulé le crâne nu, la face nue et le cou. Tapner était célèbre à Guernesey comme Lacenaire [1] l'avait été à Paris.

Ainsi que me l'avait dit le prévôt, cette figure avait en effet un calme étrange. Elle me rappelait, par une ressemblance singulière, l'admirable violon hongrois Reméniy [2]. La physionomie était jeune et grave ; les yeux fermés dormaient ; seulement un peu d'écume, assez épaisse pour que le plâtre en eût gardé l'empreinte, soulevait un coin de la lèvre supérieure, ce qui finissait par donner à cette face, quand on la regardait longtemps, une sorte d'ironie sinistre. Quoique l'élasticité des chairs eût fait reprendre au cou, au moment du moulage, à peu près la grosseur

1. Né en 1800, guillotiné en 1836, Lacenaire aurait assez bien réalisé le personnage du *Dernier Jour* — surtout par cette passion d'écrire qui lui fit rédiger ses *Mémoires* à la Conciergerie, si une longue suite de délits n'avait précédé les deux crimes crapuleux pour lesquels il fut condamné. L'originalité du personnage, sa conduite au procès, ses *Mémoires*, en firent un être de légende.

2. Hôte et ami de Hugo à Jersey, voir *Le Journal d'Adèle Hugo, III — 1854*, ouvr. cité.

naturelle, l'empreinte de la corde y était marquée profondément, et le nœud coulant, distinctement imprimé sous l'oreille droite, y avait laissé un gonflement hideux.

Je voulus emporter cette tête. On me la vendit trois francs.

Il me restait à faire la dernière station de cette voie douloureuse, car le crime a la sienne comme la vertu.

— Où est la fosse de Tapner ? demandai-je à M. Tyrrell.

Il me fit un geste de la main, se remit en marche, et je le suivis.

A Guernesey, comme dans toutes les villes anglaises, les cimetières sont dans la ville, mêlés aux rues et aux passants. Derrière le collège, massive bâtisse en faux gothique anglais qui domine toute la ville, il y avait un de ces cimetières, le plus vaste peut-être de Saint-Pierre-Port. On a percé une rue tout au travers dans les premières années de ce siècle, et le cimetière est maintenant en deux morceaux. Dans le morceau de l'ouest, on met les Guernesiais ; dans le morceau de l'est, les étrangers.

Nous prîmes la rue qui sépare les deux cimetières. Cette rue, plantée d'arbres, n'a presque pas de maisons, et, par-dessus les murs assez bas qui la bordent, on voit des deux côtés les pierres des tombes, droites ou couchées.

M. Tyrrell me montra une porte ouverte à notre droite et me dit :

— C'est ici.

Nous passâmes cette porte, qui est celle du cimetière des étrangers.

Nous nous trouvâmes dans un long parallélogramme, enclos de murs, plein d'herbe, où des sépultures se dressaient çà et là. Il ne pleuvait plus. L'herbe était mouillée, de lourds nuages gris traversaient lentement le ciel.

Au moment où nous entrâmes, on entendait le bruit d'une pioche. Ce bruit cessa. Puis une sorte de buste vivant sortit de terre au fond du cimetière et nous regarda d'un air étonné.

C'était le fossoyeur qui creusait une fosse. Cet homme était dans son trou à mi-corps.

Il s'était interrompu en nous voyant, n'étant pas accoutumé à l'entrée des vivants, et n'étant l'hôte que de l'hôtellerie des morts.

Nous marchâmes vers lui à travers les tombes. C'était un homme assez jeune. Il avait derrière lui, au chevet même de la fosse qu'il ouvrait, une pierre tumulaire déjà moisie par la mousse et sur laquelle on lisait :

A ANDRÉ JASINSKI

16 juin 1844

Pendant que nous allions à lui, il s'était remis à creuser le trou. Au moment où nous arrivâmes au bord de la fosse, il leva la tête, nous vit, et frappa la terre de sa bêche. La terre sonna creux. L'homme nous dit : — Il y a là un mort qui me gêne.

Nous comprîmes qu'il venait de rencontrer un ancien cercueil en creusant la place du nouveau.

Cela dit, sans attendre notre réponse, et comme s'il eût parlé moins à nous qu'à lui-même, il se courba et recommença à bêcher, ne s'occupant plus de nous. On eût dit qu'il avait les yeux pleins des ombres de la fosse et qu'il ne nous voyait plus.

Je lui adressai la parole.

— Est-ce vous, lui demandai-je, qui avez enterré Tapner ?

Il se redressa et me regarda comme un homme qui cherche dans sa mémoire.

— Tapner ? dit-il.

— Oui.

— Celui qui a été pendu ?

— Oui. Est-ce vous qui l'avez enterré ?

— Non, répondit l'homme. C'est M. Morris, le directeur du cimetière. Je ne suis que l'ouvrier, moi.

Il y a une hiérarchie parmi les fossoyeurs.

Je repris :

— Pourriez-vous m'indiquer où est sa fosse ?

— A qui ?

— A Tapner.

L'homme me répondit :

— Près de l'autre qui a été pendu.

— Montrez-moi l'endroit, lui dis-je.

Il étendit le bras hors de la fosse et me montra, près de la porte par laquelle nous étions entrés, un coin de gazon vert d'environ quinze pas carrés où il n'y avait pas de tombeaux. Les pierres sépulcrales qui remplissaient le cimetière arrivaient jusqu'à la lisière de ce carré funèbre et s'y arrêtaient comme s'il y avait là une barrière infranchissable, même pour la tombe. La pierre la plus proche, adossée au mur de la rue, portait cette épitaphe, au-dessous de laquelle on pouvait lire quatre vers en anglais un peu cachés par des broussailles :

TO

MEMORY

of

AMELIA

daughter

of John and Mary Winnecombe

J'entrai dans le carré solitaire que le fossoyeur m'indiquait. J'y avançais à pas lents, le regard baissé à terre. Tout à coup je sentis sous mon pied une éminence que mes yeux n'auraient pas vue à cause de l'herbe haute. C'était là qu'était Tapner.

La fosse de Tapner est tout près de l'entrée du

cimetière, au pied d'une petite baraque fermée où les fossoyeurs mettent leurs pelles et leurs pioches. Cette baraque est adossée au pignon d'un grand bâtiment dont la porte très élevée s'ouvre tout à côté. Le mur qui longe le carré où est Tapner est bordé d'un auvent sous lequel sont suspendues quatre ou cinq échelles liées par des chaînes garnies de cadenas. A l'endroit où finissent les échelles commencent les tombes. La bénédiction et la malédiction sont côte à côte dans ce cimetière, mais ne se mêlent pas.

Près de la baraque, on distingue une autre éminence de forme allongée et beaucoup plus effacée encore que celle de Tapner. C'est là qu'est Béasse.

Je demandai au fossoyeur :

— Savez-vous où demeure le bourreau qui a pendu Tapner ?

Le fossoyeur me dit :

— Le bourreau est mort.

— Quand ?

— Trois mois après Tapner.

— Est-ce vous qui l'avez enterré ?

— Non.

— Est-il ici ?

— Je ne crois pas.

— Savez-vous où il est ?

— Je ne sais pas.

J'arrachai une poignée d'herbe de la fosse de Tapner, je la mis dans mon portefeuille, et je m'en allai.

COMMENTAIRES

par

Guy Rosa

Originalité de l'œuvre

L'invention du *Dernier Jour d'un condamné*

Faire écrire par un condamné le récit de ses derniers jours : opposer les minuties pénales à l'angoisse, mobiliser la terreur et la pitié, concentrer dans cette fiction les innombrables appréhensions par lesquelles chacun de nous explore, évite, apprivoise et déjoue l'idée de sa propre mort, placer le lecteur face à ce qui, dans la condition des hommes, est à la fois le plus intime en chacun et le plus universellement partagé, contribuer de la sorte à l'humanisation de la pénalité : on n'imagine guère pour une œuvre littéraire sujet plus émouvant et plus élevé. C'est à se demander comment personne n'y avait songé plus tôt.

Cette question conduit à une exacte appréciation du *Dernier Jour d'un condamné*. Si ce livre est un « scoop » en 1828 et semble encore si neuf, c'est que, aussi opposé soit-on à la peine de mort, on y acquiesce toujours assez pour l'entériner une fois prononcée, pour croire que la condamnation emporte la vie, pour voir dans un condamné un homme déjà mort. Savoir qu'il est vivant et appliquer son imagination à cette vie-là demandait plus qu'une opinion hostile à la peine capitale. Pour que la question de son bien-fondé pût disparaître devant sa réalité, il fallait une profonde résistance intérieure, une insurrection de la conscience capable de montrer dans la mise à mort légale un simple assassinat. L'invention du *Dernier Jour* n'est pas le fait d'une imagination plus hardie ni d'une conviction plus logique ou plus résolue, mais de cela seul qui permet de se mettre à la place du condamné : une vision du monde où la peine de mort n'est pas même pensable.

Aussi est-elle rejetée avant d'être discutée. Mais l'histoire éditoriale du *Dernier Jour* comporte une illusion d'optique. L'originale, en 1829, n'avait pas de *Préface* et n'était pas non plus signée ; tout ce qui maintenant précède le livre et le justifie par l'exposé de ses intentions est en réalité venu après. Il a fallu trois ans, une Révolution et un débat au Parlement sur la peine de mort, pour que *Le Dernier Jour d'un condamné* devienne « un plaidoyer pour l'abolition », plus exactement, pour qu'il s'assortisse d'un tel plaidoyer.

Hugo ne masque pourtant pas la vérité. L'idée du *Dernier Jour* ne lui est pas venue, à force de réflexions, en illustration pour ses convictions, mais, dit-il, sur la place des exécutions, la place de Grève. « C'est là qu'un jour en passant il a ramassé cette idée fatale, gisante dans une mare de sang, sous les rouges moignons de la guillotine. » La page qui suit ne rend pas compte de la genèse du texte par le devoir d'argumenter une hostilité ancienne à la peine de mort — qui, de fait, ne s'exprime pas avant ce livre — mais par le choc du spectacle des exécutions et par ce qu'avait d'insupportable la rumeur des jours de guillotine une fois « ramassée » l'idée du *Dernier Jour*.

> Chaque fois la douloureuse idée lui revenait, s'emparait de lui [...] l'investissait, l'obsédait, l'assiégeait. C'était un supplice, un supplice qui commençait avec le jour et qui durait, comme celui du misérable qu'on torturait au même moment, jusqu'à *quatre heures*.

Confidence modeste et qui conduit à un aveu : « Un jour enfin, [...] il se mit à écrire ce livre. Depuis lors il a été soulagé. » Maintenant seulement se forme le devoir de combattre la peine de mort, d'autant plus impératif qu'il est exigé par cette tranquillité vaguement coupable : « Se laver les mains est bien, empêcher le sang de couler serait mieux. »

Remplaçons donc le schéma d'une conviction qui s'exprimerait dans une œuvre puis se concrétiserait dans une action, par un autre, plus complexe et moins sage. Au commencement l'adoption, pourrait-on dire, du point de vue de la mort : la substitution imaginaire au condamné. L'idée est un peu folle ; sa mise en œuvre littéraire l'assimile aux entreprises raisonnées et semble la faire obéir à l'injonction morale qu'elle a, en réalité, déterminée — mais non sans lui laisser cette étrangeté irréductible que résume le mot « original ».

Des *Misérables*, il peut, il doit même, y en avoir plusieurs, autant que des pays et d'époques ; le plus sera le mieux : « des livres de la nature de celui-ci pourront ne pas être inutiles », dit la *Préface*. Le condamné emploie la même formule : « ce que j'écrirai ainsi ne sera peut-être pas inutile » — mais au singulier. Livre original et originel, *Le Dernier Jour* est unique dans son principe. Car son « idée » est exclusive de sa répétition. Que l'on fasse varier les paramètres — caractère du personnage ou mœurs judiciaires — ils resteront insignifiants parce qu'entre la position du condamné et les circonstances qui la réalisent existe ce rapport de l'absolu au relatif qui est le sujet même du livre. Une fois écrit, *Le Dernier Jour* ne pouvait être le modèle d'aucune autre œuvre, il en aurait été le moule.

On s'explique ainsi la place exceptionnelle qu'occupe ce livre dans l'œuvre de Hugo où il figure comme un « happax ». Contre ses habitudes, il en revendique dans la *Préface* l'idée originale parce qu'elle est une qualité de droit pour ce texte et peut-être avec d'autant plus de hauteur que, de fait, il avait moins lieu de s'en attribuer le mérite. Il n'a jamais songé non plus à insérer *Le Dernier Jour* dans une de ces architectures plus ou moins factices qui relient entre eux tous ses romans. Surtout, l'histoire matérielle de l'ouvrage lui conserve son originalité absolue.

Car ce livre, décidément étonnant, n'eut, malgré les apparences, qu'une seule édition, la première. Au-delà, la mention du nom de l'auteur et l'ajout des préfaces modifient son effet, sa nature littéraire et son sens : le texte reste identique mais dans un autre livre. Signé et complété, *Le Dernier Jour d'un condamné* entrait dans l'entreprise qu'il avait déclenchée et dont il avait fixé les caractères permanents.

Le combat contre la peine de mort

Celui d'abord d'un combat — et non d'une discussion, pas même d'une polémique. La *Chronologie* en résume les étapes ; le récit s'en trouve dans telle biographie, dans l'anthologie des *Écrits de Victor Hugo contre la peine de mort* procurée par Raymond Jean, ou mieux encore dans un chapitre que Hugo lui-même fit ajouter au *Victor Hugo raconté par un témoin de sa vie* rédigé par sa femme, sous le titre étrange de *Suite du Dernier Jour d'un condamné*. On en sait l'énergie et la constance. De 1832 à 1883 se succèdent les interventions où l'écriture se fait action et qui toujours répondent à une urgence : grâce à obtenir — pour

Barbès, Tapner, John Brown, les inculpés de Charleroi..., législation à corriger — sans succès en France en 1848, mais non pas en Suisse, en 1862 —, appui à donner à tel comité local militant en faveur de l'abolition. Ces textes furent recueillis dans les volumes d'*Actes et Paroles*, mais ils communiquent avec les nôtres. En 1832, la *Préface* du *Dernier Jour* détourne au profit du « roman » un discours écrit et offert à la publication indépendamment de lui. Presque en même temps — de la même plume ? — sont rédigées les pages qui formeront ensuite la conclusion à *Claude Gueux*. Mais le statut de ce récit est lui aussi ambigu. Quoique écrit deux ans après l'exécution de Claude Gueux, il rejoint les efforts de plusieurs personnes qui s'étaient intéressées à sa grâce et avaient mis à la disposition du poète tout ce qu'elles savaient de l'affaire. C'est même peut-être la raison pour laquelle, n'y voyant pas une œuvre de fiction, Hugo ne classa pas tout de suite *Claude Gueux* parmi ses romans.

Œuvres de combat, donc, et partiellement de circonstances, nos textes tendent à sortir du cadre de la littérature (im)proprement dite — ou à modifier ses limites. La cause qu'ils défendent, ils y ont été appelés par d'autres voix — celle des victimes d'abord, qui se mêle à celle de l'auteur ; ils la plaident devant un auditoire multiple : le public des romans et celui des « essais » sérieux, mais aussi chaque individu parce qu'il s'agit d'une question de conscience, et puis les instances et les institutions qui ont légalement à en connaître et, derrière elles, « la société qui est la grande cour de cassation » — au-delà l'humanité en tant que telle, seule juge en dernier ressort puisque la peine de mort est une exclusion du genre humain. Si bien que le mode de parole qu'adoptent ces textes est essentiellement ambigu, multiforme, on voudrait pouvoir dire « à géométrie variable ». La pluralité de leur énonciation fait leur originalité profonde ; elle explique aussi leur réunion dans la présente édition.

Une stratégie de la parole

Le Dernier Jour d'un condamné est un cri. L'anonymat du livre qui achève la stricte délégation de la parole au condamné, l'absence d'un chapitre dont les feuillets se seraient perdus, l'extraordinaire invention du fac-similé final — le « choc de la photo » : tout cela l'assimile à un document brut et met le texte aux limites du faux en écriture. Mais, dès la première édition, quelques lignes d'avertissement corrigent l'illusion, suggèrent la présence d'un auteur et doublent l'effet émotif du soupçon d'un sens volontaire. Fictive peut-être, la souffrance du condamné, déjà imaginairement éprouvée par l'auteur, est offerte à partager. Parole, et non plus cri, elle communique une vérité.

Pour le second tirage est ajoutée la *Comédie à propos d'une tragédie*. Avec son « Madame est servie » final qui semble apporter la tête du condamné à la Salomé collective des salons bien-pensants, cette sorte de préface est d'une surprenante violence polémique et Hugo la justifie ainsi. Elle n'entre pourtant dans le plaidoyer qu'à reculons. La défense du livre est prise par antiphrase dans une représentation de sa réception qui n'en dessine qu'en creux la bonne écoute. Déjà cependant la symétrie grinçante des paroles mises en scène — le caquet de la surdité mondaine face au monologue muet du condamné — provoque le lecteur à répondre. Hugo le fait pour lui et avec lui dans la *Préface* de l'édition suivante, en 1832. L'idée du livre, maintenant revendiquée par son auteur, est immédiatement partagée avec le lecteur : « L'auteur a pris l'idée du *Dernier Jour d'un condamné* non dans un livre [...], mais là où vous pouviez tous la prendre, où vous l'avez prise peut-être (car qui n'a fait ou rêvé dans son esprit *Le Dernier Jour d'un condamné* ?). » Lorsque enfin le préfacier entreprend d'exposer le thème de l'ouvrage, il cède la parole à l'avocat, renonce à se désigner par « il » et passe au « nous », entérinant ainsi l'effet d'identification du lecteur à l'orateur propre à la lecture d'un discours.

La disposition des textes voulue par Hugo modifie l'ordre de ces processus et leur donne sens. De l'identité la plus forte — la sienne et celle de Hugo fondues dans le « nous » — à l'impersonnalité du condamné anonyme, en passant par les « caractères » de la comédie sociale, le lecteur parcourt tout le registre des voix, toute la gamme descendante des manières de dire *Je*, jusqu'à celle qui consiste à ne plus pouvoir le dire, à ne plus savoir qui est qui, dans la triple écriture de cette chanson indécidable : publiée par Hugo, annotée de quelle main ? écrite on ne saura jamais par qui. Cette parole-là, venue de nulle part, reste dans la gorge.

Histoire vraie, *Claude Gueux* combine les mêmes variations d'énonciation, mais sans solution de continuité typographique et dans le cadre plus étroit des institutions réelles. Au début, un récit de chronique judiciaire, pris en charge par un narrateur « bien informé » et distinct du lecteur à qui est abandonnée l'appréciation des faits : « Je dis les choses comme elles sont, laissant le lecteur ramasser les moralités à mesure que les faits les sèment. » Progressivement, le texte se théâtralise : la narration se réduit à des indications scéniques seulement un peu développées ; le dialogue prend une place croissante, puis le monologue du discours de Claude Gueux adressé aux jurés — et à travers eux au lecteur. La sentence fait enfin de l'accusé le commentateur de son histoire maintenant achevée. « On lut son arrêt à Claude Gueux qui se contenta de dire : *C'est bien mais pourquoi cet homme a-t-il volé ? Pourquoi cet homme a-t-il tué ? Voilà deux questions auxquelles ils ne répondent pas.* » Aussi sont-elles reprises, après la mort du héros, par le narrateur désormais avocat dans un procès plus vaste plaidé devant le jury supérieur du public des lecteurs : « Cet homme, certes, était bien né, bien organisé, bien doué. Que lui a-t-il donc manqué ? [...] Qui est réellement coupable ? Est-ce lui ? Est-ce nous ? » Ces questions dépassent le cadre d'une réhabilitation ; elles se portent naturellement devant l'instance maîtresse de leur solution, devant le pouvoir que la société se donne sur elle-même : le Parlement qui la représente. Imposant silence aux bavardages des hommes d'État postiches, le texte investit alors le lieu de la souveraineté nationale. D'abord lecteur d'un fait divers, bientôt tour à tour spectateur, témoin, accusé et juré d'un procès d'assises, puis juge en cassation, le lecteur occupe maintenant les travées de la Chambre, et monte avec Hugo à la tribune : « Taisez-vous, Monsieur Thiers ! »

Il se trouva un citoyen, Charles Carlier, négociant, qui prit assez au sérieux cette mise en scène de la parole pour la reprendre à son compte et l'achever avec une sorte de génie en faisant imprimer et distribuer *Claude Gueux* à tous les députés de France. C'était authentifier et ratifier concrètement l'ambition même du texte. On s'explique que Hugo ait voulu non seulement remercier de cette initiative mais l'attacher définitivement à l'œuvre, comme sanction de son sens, en décidant qu'elle serait « désormais liée à toutes les réimpressions de *Claude Gueux* ».

Pour ce livre

Par de telles manœuvres le texte assume et transforme sa propre situation de communication de manière à intégrer la présence de son auteur et de son lecteur et à fixer leur statut. Cette stratégie de la parole n'est pas gratuite.

Elle opère, dans le processus de lecture, une manipulation de l'identité individuelle et comporte aussi une véritable pédagogie sociale. De ces deux manières elle effectue concrètement ce qui est, on le verra, au centre de ces textes : la confrontation de la société et du *je* avec la peine de mort.

Cela explique la composition de ce livre et fonde d'abord le rapprochement du *Dernier Jour* et de *Claude Gueux*, déjà associés par leur thème, par la simultanéité partielle de leur rédaction, par le témoignage du *Victor Hugo raconté* et par la tradition éditoriale. On y a joint, pour compléter ce volume, les trois textes de *L'Affaire Tapner* dont les deux premiers avaient été réédités par Hugo dans *Actes et Paroles* et le dernier laissé inédit dans les dossiers qui servirent, après sa mort, à former *Choses vues*. Ils ont été ici réunis et choisis de préférence à d'autres dans la masse des écrits de Hugo contre la peine de mort, parce qu'ils présentent chacun, et plus encore une fois ensemble, la même combinaison, seulement plus lâche et plus accidentelle que dans *Le Dernier Jour* et dans *Claude Gueux*, de deux modalités de la parole, l'éloquence agissante et l'écriture poétique, le même tourniquet entre le recueillement du *je* aux profondeurs de l'imaginaire ou du souvenir et son expansion hardie dans le plaidoyer.

Pour ouvrir ce livre, Hugo nous dictait un devoir. Puisqu'il avait lui-même préfacé *Claude Gueux* par le geste de cet homme de bien qui en avait posé les pages sur tous les pupitres de la Chambre, il fallait aussi faire entendre celui qui, pour notre génération, les a pour ainsi dire prononcées à la tribune ; et puisque Hugo avait toujours mis en première place les urgences de l'abolition de la peine de mort, il n'était que juste de faire commencer la lecture de son combat par le nom de celui qui, 150 ans plus tard, vient d'en signer la victoire.

Thèmes, significations et personnages

Si brillante et convaincante soit-elle, ces textes ne se réduisent pas à leur argumentation. La peine de mort est leur objet et son abolition leur fin, mais ils n'y trouvent ni leur raison dernière ni leur origine. Le parcours de leur genèse — tel, on l'a vu, que l'expérience imaginaire du *Dernier Jour* appelle la conviction et conduit à l'action —, ne ment pas ; il rend compte de leurs qualités esthétiques propres et correspond aussi à l'effort de pensée qui s'y accomplit.

La rencontre de la guillotine

Au commencement, la rencontre de la guillotine. Celle, selon le récit d'Adèle, dressée pour l'exécution d'un certain Jean Martin, vers laquelle Victor Hugo se laisse entraîner un jour de 1825, ou plus probablement de 1820 (voir la *Chronologie*), et qu'il ne peut regarder jusqu'au bout ; une autre fois — car on exécutait beaucoup en France sous la Restauration : une tête par semaine en moyenne — c'est la charrette d'un vieux bandit, Delaporte, dont « le crâne chauve éclatait au soleil » ; une autre encore, en 1826, pour deux assassins, « cette fois la guillotine faisait coup double ». Enfin, la veille peut-être du jour où il commence à écrire *Le Dernier Jour d'un condamné* qui recueillera ce souvenir, ce que Hugo voit n'est pas une exécution mais pire, la « répétition de la chose » et le graissage des rainures.

Ces spectacles ravivaient l'ancienne épouvante des premiers contacts avec la mort : une procession entourant le cadavre d'une femme au visage découvert, un échafaud où l'on allait garrotter un homme « hébété de terreur », environné de pénitents en cagoule ; un crucifix portant des morceaux sanglants à peu près rajustés en corps humains — représailles de l'armée française. C'était en Espagne, Hugo avait neuf ou dix ans ; il venait retrouver son père ou s'en retournait après l'avoir aperçu, aimé, subi et perdu. Peut-être ignorait-il quelle part indirecte ce père prenait dans ces horreurs ; il dut l'apprendre vite. Et de même, peu après, pour l'exécution de son parrain, Lahorie, l'homme aimé de sa mère.

Par quels détours ces impressions se nouèrent-elles dans l'esprit de Hugo à la mort de son père, survenue quelques mois avant qu'il n'entreprenne *Le Dernier Jour*, comment le dire ? Mais chacun a fait l'expérience de cette entrée de la mort dans sa vie par la porte d'un deuil et la substitution qui préside à l'écriture du *Dernier Jour* est trop étrange, sa mise en œuvre trop acharnée, l'angoisse dont elle se charge trop forte et les éléments autobiographiques qu'elle emploie trop nombreux pour qu'on n'entende pas dans ce livre le cri des souffrances enfantines répétées, libérées peut-être, par la mort du père. Ce pressentiment, s'il ne l'explique pas entièrement, désigne du moins l'essentiel :

que, pour l'expérience vécue vraisemblablement et pour la logique de l'œuvre à coup sûr, le *je* hugolien se constitue dans l'épreuve de sa destruction.

On comprend qu'avant toute réflexion, la peine de mort soit dans ces textes l'objet d'une répulsion fascinée devant la matérialité brute de son appareil. C'est évident du *Dernier Jour* dont l'idée tient à la priorité du contact, le plus étroit possible, avec la guillotine ; ce l'est aussi des autres dont une des qualités distinctives réside dans la force avec laquelle ils traînent le lecteur au pied de l'échafaud. Aussi font-ils par là tache dans la tradition des plaidoyers contre la peine de mort et la critique n'y a rien si constamment relevé, presque toujours pour le condamner, que le réalisme voire la crudité de la représentation du supplice. Il n'y aurait là que goût, déplacé, et aptitude, mal employée, pour le pittoresque de la « chose vue », ou encore une conséquence de ce « matérialisme » qui fut beaucoup reproché à l'auteur, si l'effet de cette proximité, presque tactile, de la guillotine n'était visiblement recherché par Hugo. Il l'a d'ailleurs explicitement théorisé, et de manière moins simple qu'il ne semble.

L'enseignement des supplices

Dans la série des expériences qui préparent Mgr Myriel à la rencontre de Jean Valjean, celle d'une exécution où il assiste le condamné est décisive :

> [...] avoir vu la guillotine fut pour lui un choc et il fut longtemps à s'en remettre.
>
> L'échafaud, en effet, quand il est là, dressé et debout, a quelque chose qui hallucine. On peut avoir une certaine indifférence sur la peine de mort, ne point se prononcer, dire oui et non, tant qu'on n'a pas vu de ses yeux une guillotine, mais si l'on en rencontre une, la secousse est violente, il faut se décider, et prendre parti pour ou contre. [...] elle n'est pas neutre. Qui l'aperçoit frissonne du plus mystérieux des frissons.

C'est avouer, il faut bien le dire, que le spectacle de l'exécution capitale n'en donne pas nécessairement l'horreur, qu'il ne conclut rien par lui-même et ne constitue pas à lui seul une pédagogie abolitionniste. N'est-ce pas même le plus souvent tout le contraire, comme le prouverait l'attitude ordinaire des foules autour des échafauds ? Hugo la connaît et y trouve, ces trois textes le disent énergiquement, un des motifs les plus forts de sa répulsion devant la peine de mort. Bien plus, ces lignes ne récusent pas le soupçon que la jouissance populacière au spectacle du sang légalement versé communique obscurément à la fascination horrifiée du penseur et que le même « mystérieux frisson », également partagé, soit seulement différemment ressenti. Cette inquiétante ambiguïté, le condamné lui-même la relève. Par deux fois.

L'une dit explicitement tout ce que l'exécration joyeuse qui entoure le supplice comporte de vertige et d'attirance suicidaire :

> [...] dans cette foule de têtes qui couvrira la place, il y aura plus d'une tête qui suivra la mienne tôt ou tard dans le panier rouge. Plus d'un qui y vient pour moi y viendra pour soi. Pour ces êtres fatals, il y a sur un certain point de la place de Grève un lieu fatal, un centre d'attraction, un piège. Ils tournent autour jusqu'à ce qu'ils y soient.

Or cela vaut aussi, d'abord peut-être, pour l'auteur lui-même, rôdeur de la place de Grève jusqu'à ce qu'il se place, imaginairement, sous le couperet.

L'autre, véritable explication de texte pour *Le Dernier Jour*, en donne la clef, mais secrètement et par allusion. Aux toutes premières pages, le condamné écrit : « *Les hommes*, je me rappelle l'avoir lu dans je ne sais quel livre où il n'y avait que cela de bon, *les hommes sont tous condamnés à mort avec des sursis indéfinis*. » Double ironie, car Hugo est l'auteur de ce livre — *Han d'Islande*, son premier roman — et l'autocitation est tronquée. Au-delà de la plate maxime retenue, le texte désignait le mobile même de la rédaction du *Dernier Jour* et le centre de son sens : « Condamnés tous à mort avec des sursis indéfinis, c'est pour nous un objet de curiosité étrange et douloureux que l'infortuné qui sait précisément à quelle heure son sursis doit être levé. » Encore n'est-ce là que la conclusion d'un long développement où s'exposent la situation et tous les principaux thèmes du *Dernier Jour* mais surtout le ressort de son intérêt pour le lecteur comme pour l'auteur :

> Il y a au fond des hommes un sentiment étrange qui les pousse, ainsi qu'à des plaisirs, au spectacle des supplices. Ils y cherchent, avec un horrible empressement, à saisir la pensée de la destruction sur les traits décomposés de celui qui va mourir, comme si quelque révélation du ciel ou de l'enfer devait apparaître, en ce moment solennel, dans les yeux du misérable ; comme pour voir quelle ombre jette l'aile de la mort planant sur une tête humaine ; comme pour examiner ce qui reste d'un homme quand l'espérance l'a quitté.

On ne saurait dire plus clairement qu'une semblable curiosité — celle de la mort et non le goût de la justice ni du sang — pousse du même mouvement les foules autour des échafauds et l'auteur du *Dernier Jour* à l'écrire ou son lecteur à le lire. Avilissement abject ici, épreuve douloureuse mais moralisatrice là, d'où vient la différence ? Pas de la nature ni de l'intensité d'un spectacle réel dans un cas, imaginaire dans l'autre — l'exemple de Hugo ou celui, quoique fictif, de Mgr Myriel le prouve ; ni du commentaire dont le texte assortit sa représentation de l'exécution — l'idée même du *Dernier Jour* consiste à le supprimer ; seulement donc de la position et de la qualité du spectateur : en foule ou seul.

L'interrogation qui les conduit ensemble place de Grève y reçoit des réponses contraires — ou plutôt la même, mais épouvantable et navrante pour l'individu, jubilatoire pour la foule. La raison s'en trouve dans leur nature respective : comment la foule n'applaudirait-elle pas le meurtre d'un homme tué par la société tout entière puisqu'il confirme et ratifie, en le répétant, le processus même d'abdication de l'individualité qui la constitue elle-même ? Réciproquement, toute conscience individuelle assiste à sa propre destruction en voyant l'être social s'emparer de la vie d'un individu. Aux exécutions capitales où elle est à bon droit convoquée, la foule n'approuve que le principe de sa propre existence. Principe odieux parce qu'il annule tous les progrès de l'humanité et la fait reculer jusque dans la nuit des temps en consacrant l'essence même de la barbarie : le règne de la force dans l'écrasement d'un seul par tous, l'éviction de la conscience individuelle hors des lieux dont elle a mis des millénaires à conquérir la juridiction : le Bien et Dieu, l'inarticulation enfin de la société redevenue tribu et horde.

L'individualité, c'est-à-dire la primauté de la conscience et, d'abord, l'existence même du sujet individuel, tel est le lieu du combat de Hugo contre la peine de mort. Il rend compte de ses enjeux — le *je*, qui seul connaît la mort car la foule ne meurt pas, la société, Dieu. Il détermine aussi la rigoureuse cohérence des moyens et des fins d'une stratégie tout entière fondée sur la réalité de l'acte de lecture.

Un réalisme expérimental

Son terrain est cet « horrible empressement » qui pousse les hommes « ainsi qu'à des plaisirs au spectacle des supplices » et qui, devant l'échafaud, aboutit inévitablement à la « prise » — comme un mortier — des individualités en « bloc humain ». Inutile de le combattre par des raisons abstraites : s'adressant à des consciences autonomes, elles supposent la question résolue et la laissent intacte. Il faudra employer l'énergie de cette « curiosité » et en détourner le cours : aller dans les prisons, place de Grève, sur les tombes et que tout soit « comme si on y était », faire voir — sans craindre le reproche de complaisance — le gibet vibrant et la guillotine toute nue. Rien de morbide ni de pervers dans cette initiation : sa forme garantit la rectitude de ses effets. Telle une exécution capitale qui n'aurait qu'un unique spectateur, le livre, parce que chacun le lit seul et que le lecteur y éprouve son individualité, ne lui offrira jamais que le spectacle indirect de sa propre mise à mort. Indirect ou, mieux encore, direct. *Le Dernier Jour* va jusqu'au bout de cette manœuvre ; il comble cette « curiosité étrange » pour le supplicié mais interdit qu'elle soit autre chose que « douloureuse » en mettant narrateur et lecteur à sa place.

Moins engagés qu'engageants, ces textes ne proposent donc pas tant à leur lecteur une réflexion convaincante qu'ils ne procèdent sur lui à une expérience probante. Ils emploient leur statut propre — celui du livre en général et, dans le détail, celui qu'ils s'attribuent dans les manipulations de leur énonciation — à conférer à la conscience lectrice des qualités telles qu'elle devienne incompatible avec l'acceptation et même avec la seule idée de la peine de mort. Il s'agit de la rendre irreprésentable au lecteur sollicité — et en quelque sorte contraint par la position d'écoute que le texte lui donne — d'adopter une vision du monde où la mort légale n'a pas cours.

Cela détermine la nature et l'organisation des significations que ces textes comportent. Ils visent la peine de mort, mais la combattent par exclusion plus que par discussion et elle n'est que leur objet second dans sa confrontation avec des vérités, elles, implicites, postulées et non démontrées, imposées sans être exposées puisqu'il suffit à leur mise en œuvre qu'elles soient solidaires de la position adoptée par le sujet d'émission du discours et de celle donné au lecteur. Quelles sont-elles ? Toutes celles que la peine capitale met logiquement en cause : le moi, le monde et Dieu, dirait-on, non sans rougir d'une commodité de dissertation s'il ne se trouvait qu'effectivement le principal champ de l'expérimentation du vrai soit, dans *Le Dernier Jour d'un condamné* celui du *je*, celui de la société dans *Claude Gueux*, de l'Infini dans *L'Affaire Tapner*.

Cette distribution, évidemment schématique car chaque

œuvre privilégie un secteur de signification sans ignorer les autres, correspond en effet exactement aux traits les plus évidents des trois protagonistes : un héros romantique, solitaire, naturellement poète et poète de l'expression de soi ; un « meneur », homme public doué de l'autorité naturelle aux « leaders » et fait pour la convivialité ; un être de l'ailleurs, perdu dans une folie probable et bientôt fondu dans la terre d'une sépulture sans tombeau. Mais ces caractères n'auraient valeur qu'anecdotique et n'offriraient qu'une commodité illustrative, s'ils ne rejoignaient les rôles chaque fois pris par l'auteur et affectés au lecteur — en sorte que la signification qu'ils soulignent puisse s'effectuer concrètement dans le processus même de la communication.

Analyse des œuvres

L'Affaire Tapner

Dès les premiers mots de la *Lettre aux habitants de Guernesey*, Hugo fonde son intervention sur la solidarité qui l'unit à son pareil, Tapner, fantôme d'outre-tombe comme lui : « L'homme qui est dans l'exil tend la main à l'homme qui est dans le sépulcre. » Mais cette proximité de l'infini qui autorise la parole associe également son destinateur au peuple de marins à qui elle s'adresse :

> N'oubliez pas, navigateurs, [...] n'oubliez pas qu'il n'y a qu'une planche entre vous et l'éternité [...] et que vous, hommes, qui savez si peu de chose et qui ne pouvez rien, vous êtes toujours face à face avec l'infini et avec l'inconnu.

Dès lors l'argument abstrait classique — « Dieu seul a le droit de retirer ce que Dieu seul a eu le pouvoir de donner » — prend force concrète et forme contraignante parce qu'une condamnation à mort, traite tirée sur l'Infini, est une malédiction, comme telle toujours réversible, et que celle de Tapner peut — qui sait ? — être renvoyée à ses auteurs par une autre parole :

> Est-ce que vous ne songerez pas en frémissant, j'y insiste, que ce vent qui viendra souffler dans vos agrès aura rencontré à son passage cette corde et ce cadavre, et que cette corde et ce cadavre lui auront parlé ?

Or ce qu'ils lui auront dit, le texte vient de l'écrire :

Dans la tempête, dans l'ouragan, [...] quand les brises de la nuit balanceront l'homme mort aux poutres du gibet, est-ce que ce ne sera pas une chose terrible que ce squelette maudissant cette île dans l'immensité ?

Sur un autre ton, car Tapner est mort la veille, la malédiction se répète dans la *Lettre à lord Palmerston* :

Monsieur, gardez vos étourderies pour la terre, ne les offrez pas à l'éternité. Croyez-moi, ne jouez pas avec ces profondeurs-là ; n'y jetez rien de vous. C'est une imprudence. Ces profondeurs-là, je suis plus près que vous, je les vois. Prenez garde. *Exsul sicut mortuus*. [L'exilé est comme un mort.] Je vous parle de dedans le tombeau.

Mais on ne peut être écouté d'un autre lieu que celui d'où l'on parle et voici l'admonestation ornée, non sans jubilation, d'une humiliation biblique :

Nous habitons, vous et moi, l'infiniment petit. Je ne suis qu'un proscrit et vous n'êtes qu'un ministre. Je suis de la cendre, vous êtes de la poussière. D'atome à atome on peut se parler. On peut d'un néant à l'autre se dire ses vérités.

Or ces lettres portent une adresse qui n'est pas celle de leur lecteur et tirent de cette bifurcation une force nouvelle. Elles convoquaient les contemporains en témoins et en juges ; elles ont maintenant le sombre éclat des textes prophétiques : obsolètes quoique toujours vrais et forts parce qu'ils ont été prononcés, hors des temps, au regard de l'éternité. De fait, maintenant que Tapner, Palmerston, tant de marins de Guernesey et Hugo sont morts, qui oserait dire que la justice exigeait cette pendaison ?

Ce point de vue est celui du troisième texte de *L'Affaire*, qui est aux deux premiers ce que *Les Contemplations* sont aux *Châtiments*. L'infini s'y révèle à nouveau, mais dans le contraste implicite entre la marche poursuivie du monde et les infimes détails — traces et souvenirs — qui ont fixé le moment de la mort et sur lesquels le regard s'attarde, comme pour y deviner l'énigme des destinées. Contraste aussi, cruel et feutré, entre la tranquillité presque détachée de l'évocation — le murmure des récits — et l'atrocité des souffrances — les cris du supplice. Maintenant, dans sa profondeur, la terre confond les sépultures encore distinctes à la surface :

Les pierres sépulcrales qui remplissaient le cimetière arrivaient jusqu'à la lisière de ce carré funèbre et s'y arrêtaient comme s'il y avait là une barrière infranchissable, même pour la tombe.

Mais une justice immanente a réparé le scandale dérisoire de cet ostracisme en voulant qu'un fossoyeur plus shakespearien que nature sache la tombe de Tapner et ignore celle de son bourreau, mort trois mois après lui. Moins empreint de foi que d'une religieuse perplexité, ce texte du repli et du souvenir, ce texte recueilli, n'est adressé à personne et Hugo ne l'a pas non plus publié de son vivant. On ne peut le lire, et en partager la sérénité inquiète, que sur le mode de la fraternité du combat — une fois encore perdu et à poursuivre, après Hugo — contre le mystère lugubre des supplices.

Claude Gueux

Claude Gueux noue de la même manière son objet — la société — aux caractères propres du héros et de son histoire et aux modalités, déjà analysées, de son énonciation. La présence de l'Infini rendait inconcevable la mort légale, ici c'est la pratique sociale — celle décrite par le texte et celle où le lecteur se trouve engagé par la forme du discours — qui se révèle incompatible avec l'exécution du héros. Curiosité pour un destin, exigence de justice, goût de la sociabilité, le texte mobilisc ces sentiments et ces valeurs au bénéfice d'un personnage qui les incarne de manière exemplaire — plus peut-être qu'il ne fit dans la réalité. Sa piété filiale, son amitié avec Albin, portée non sans courage de la part de Hugo, à une époque où il ne faisait pas bon « avoir des mœurs », jusqu'au dévouement et à la fidélité conjugale, son ascendant sur les autres détenus employé au profit de l'ordre, son scrupule de faire ratifier par la communauté la sentence que sa conscience a prononcée, sa question finale aux jurés : tout cela fait de Claude Gueux un héros et presque un martyr de la conscience sociale. Si bien que l'injustice de son sort ne dénonce pas la société mais, bien au contraire, l'inaptitude du monde où il a vécu, des responsables qui l'ont persécuté, des institutions qui l'ont jugé — et d'abord de la loi qui l'a tué — à former une société.

Ce que l'énoncé dit et condamne, l'énonciation le fait — et le répare. D'abord fait divers, mais extrait d'une presse sérieuse et libre, puis témoignage et plaidoirie devant un jury d'assises, enfin discours destiné à l'organe de la souveraineté nationale et adressé aux citoyens, le texte assigne progressivement à son lecteur les fonctions civiques essentielles, jusqu'aux plus hautes, et restaure ainsi sur la scène de son discours tout l'ordre social compromis.

Le Dernier Jour d'un condamné

A l'extrême sociabilité de Claude Gueux répond l'extrême solitude du condamné, à la question de la société celle de l'individu qui est au fondement et à l'origine de toutes les autres. Elle passe par une semblable mise en demeure faite à la pensée, placée devant le choix de concevoir soit la peine de mort soit l'individualité — ou plutôt forcée, par la même unité de la signification, des objets de la fiction et de la nature du discours, d'exclure de son champ la peine capitale comme impensable et monstrueuse.

Le Dernier Jour exerce sur son lecteur une violente contrainte, mentale plus encore que morale ou affective. Elle tient à ce qui est aussi l'origine de la foi en l'immortalité de l'âme : le sentiment de la permanence du *moi*, et plus exactement sa réciproque : l'impossibilité absolue pour la conscience d'identifier le *je* au cadavre, son incapacité à se représenter sa propre absence. Chacun peut en faire l'expérience, si désagréable soit-elle, et imaginer son corps raidi et son visage pâli par la mort ; mais l'œil, le *je* qui considère ce triste spectacle lui reste extérieur et demeure, lui, vivant. De l'un à l'autre la distance est faite de la durée qui sépare l'acte de représentation de son objet : celle de la vie, virtuellement infinie parce qu'elle est indéfinie. Chacun peut se dire *je* parce qu'il ignore la date de sa mort. Devenir un *il*, telle est l'angoisse de l'agonie, et celle du condamné est de se voir à la fois vivant et mort, *je* et *il*. La certitude de sa mort lui interdit la conscience de lui-même. Impossible pourtant de s'en défaire. C'est cette antinomie que le texte pratique par l'écriture.

Le coup de génie du *Dernier Jour* — faire écrire le condamné — ne se comprend donc pas par le surcroît d'émotion conféré de la sorte à l'évocation des ultimes moments d'un malheureux, mais par la contradiction crucifiante, réalisée au cœur du texte, vécue dans l'acte d'écriture et revécue dans celui de la lecture, entre la conscience de soi — le simple fait de dire *je* — et la certitude de la mort prochaine.

> Oh ! est-il bien vrai que je vais mourir avant la fin du jour ? Est-il bien vrai que c'est moi ?

Les principaux caractères du texte développent avec une parfaite rigueur ce principe de sa constitution. Les traits donnés au condamné — jeunesse, culture, absence de parenté, une distinction naturelle et personnelle, le goût d'écrire — le destinent à une affirmation toute romantique de l'individualité. D'autant plus sûrement qu'ils sont empruntés, avec bien d'autres plus secrets mais de même valeur, à la propre biographie de l'auteur. Ils s'apprécient dans la confrontation avec le friauche (XXIII), ce galérien de père en fils qui se montre indifférent à sa prochaine décapitation parce qu'elle ne lui apporte que la confirmation d'une appartenance : « Mon père a épousé la veuve, moi je me retire à l'Abbaye de Mont'-à-Regret. » Il ne mourra pas seul, ce n'est même pas lui qui meurt ou, pour mieux dire, il ne meurt pas du tout parce que sa vie n'a fait que participer à celle d'un être collectif et se poursuit d'autant mieux en lui qu'elle passe par la guillotine. Au contraire, la singularité morale et sociale du condamné est le cadre et la condition d'une souffrance prométhéenne, faite de l'incessante « destruction » de la conscience de soi, toujours renaissante, par l'idée de la mort.

Qu'est-ce en effet qu'un *je*, sinon une triple identification : celle qui m'assimile aux autres hommes et m'assure, par leur reconnaissance symétrique, l'objectivité de la conscience que je prends de moi-même (tu penses, donc je suis) ; celle qui m'identifie à moi-même dans la durée et prononce l'existence de mon être par sa permanence (non, je n'ai pas changé) ; celle qui m'identifie à moi dans l'instant — la conscience proprement dite —, me qualifie comme sujet de mes représentations, décide — avec ou sans Descartes — de mon existence effective et fonde par là la distinction du réel et de l'irréel. La condamnation à mort interdit ces trois gestes. Elle comporte par elle-même un déni d'appartenance à l'humanité ; elle mure l'avenir, brise la continuité du temps et du même coup érode la rétrospection du passé ; elle sidère la reconnaissance de soi et du réel en confondant dans un fantôme l'être vivant et le non-être. Triple séparation, triple clôture autour d'un « moi » évidé.

Celle qui éloigne le condamné de lui-même et anticipe dans l'âme la décollation est dite la première :

> Maintenant je suis captif. [...] mon esprit est en prison dans une idée ! [...] Je n'ai plus qu'une pensée [...] elle est toujours là [...] comme un spectre de plomb à mes côtés [...] Elle se glisse sous toutes les formes où mon esprit voudrait la fuir [...] une voix a murmuré à mon oreille : — Condamné à mort !

Dédoublement, obsession, terreur du rêve prolongé dans l'éveil, perte proprement dite de la conscience : le texte est d'autant plus saturé d'imaginaire qu'il en consigne froidement l'invasion. Mais cette aliénation se comprendrait à tort comme l'issue pathologique d'un excès de souffrance ; elle enregistre strictement l'incertitude des limites du réel une fois le sujet basculé dans la mort quoique vivant :

> [...] maintenant je distinguais clairement comme une clôture entre le monde et moi. [...] ce beau soleil, ce ciel pur, cette jolie fleur, tout cela était blanc et pâle, de la couleur d'un linceul. Ces hommes, ces femmes, ces enfants qui se pressaient sur mon passage, je leur trouvais des airs de fantômes.

Si bien que l'extrême réalisme du texte, qui en exalte la lourde fantasmatique et alterne avec elle, procède en fait de la même difficulté à régler le rapport à la réalité — trop proche et obsédante ou trop lointaine et chimérique — pour un sujet incapable de prononcer sa propre existence. De là un étrange détachement intérieur, qui ne doit rien — au contraire — à l'insensibilité ou à la sérénité, et résulte de l'impossibilité pour la conscience d'adhérer à aucun objet, sentiment ou impression, parce qu'elle ne peut plus adhérer à elle-même :

> Il y a comme un bruit de cloches qui ébranle les cavités de mon cerveau et autour de moi je n'aperçois plus cette vie plane et tranquille que j'ai quittée, et où les autres hommes cheminent encore, que de loin et à travers les crevasses d'un abîme.

Ici formulée, cette distance se concrétise partout dans le ton du texte. Ton extraordinaire parce qu'à force d'impersonnalité transparente il n'a plus rien d'exceptionnel et que pourtant personne n'a jamais écrit de la sorte, surtout pas Hugo qui semble s'être dépouillé de l'individualité de son style, devenu méconnaissable. Mais cette neutralité d'une voix sans timbre, blanche ou plutôt grise, ne vaut que par le contraste avec l'intensité des impressions. Le condamné sait les dire sans jamais parvenir à les exprimer. Non qu'elles soient hors de sa portée ; elles sont hors de son lieu. Clinicien minutieux, il note les souffrances d'un autre homme, d'autant plus éloigné de lui par la mort que c'est lui-même : au sens absolu, d'un étranger.

Camus retiendra cette leçon d'écriture, isolée du reste pour en trahir le sens. La peine de mort — et avec elle d'autres injustices — avait tout à gagner à se voir commuée en condition métaphysique, sans doute désespérante mais, somme toute, vivable. Ainsi certaines philosophies — « encorbellement bâti sur le mystère pour le regarder à son aise », selon le mot de Hugo — prétendent-elles échanger le malheur réel des uns contre une petite gêne de conscience pour tous, sans voir que l'humanité ne progresse guère en s'exonérant de ses vraies responsabilités par des peines conceptuelles.

Projetée dans la durée, cette étrangeté du condamné à lui-même détermine tout le rythme du texte. Déjà la phrase, par sa brièveté et l'emploi dominant du présent, enregistre la fracture du temps observée d'emblée par le condamné : « Autrefois, car il me semble qu'il y a plutôt des années que des semaines, j'étais un homme comme un autre homme. » Au-delà, la division du texte, comme tronqué en une cinquantaine de sections, trop brèves pour être des chapitres, trop longues pour former une collection de notes, aphorismes et pensées, figure dans la répétition de ces ruptures l'impossible réunification d'une subjectivité brisée. Le pire, ce sont donc ces blancs entre les chapitres, que ne motive pas toujours une intervention extérieure à l'écriture : silences énigmatiques, pires que celui de la dernière page, dont la plupart surviennent lorsque la pensée est renvoyée devant ce qu'on nomme « la fin » et qui est une interruption.

A la forclusion de l'avenir répond celle du passé. Non que le condamné n'ait pas de souvenirs, mais il en a peu, aléatoires et sans suite. Ce qu'il aurait pu, ce qu'il aurait dû écrire — selon toute la tradition littéraire des « derniers instants » — est précisément ce qui manque : le chapitre « Mon Histoire ». Défaut génial, et qui ne s'explique pas seulement par l'intérêt, dont parle la *Préface*, qu'il y avait à ne pas individualiser le condamné et à ne pas reconduire la rhétorique et l'idéologie judiciaires en satisfaisant la curiosité du crime commis. Coupé de son passé et de son avenir, le condamné est donc livré à son présent, lui-même haché en bribes éparses d'instants. Pourtant, par une antinomie comparable à celle qui associe le réalisme à la fantasmagorie et la décoloration de l'expression à la violence de la souffrance, le temps domine ce texte sans durée. D'un « Autrefois » tout proche à un « Quatre heures » sans date, il se défait, retardé par le condamné, hâté par la pitié et le malaise du lecteur, émietté dans le comput obsessionnel des jours et des heures.

Comment, enfin, reconnaître un autre moi-même dans qui veut ma mort ? Or — c'est la différence avec toute autre agonie — tous ici la veulent, du moins l'acceptent. De là ce cri :

> Voilà ce qu'ils vont faire [...] ces hommes dont aucun ne me hait, qui tous me plaignent et tous pourraient me sauver. Ils vont me tuer [...] me tuer de sang-froid, en cérémonie, pour le bien de la chose.

Cri partout répété — au chapitre XXXV par exemple, ou dans la méditation sur le Roi, l'Autre qui concentre en lui la volonté de tous.

De là surtout l'échec du dialogue, même lorsqu'il n'est pas anticipé et redoublé par ce condamné à mort du langage qu'est l'argot. L'impossible rencontre avec autrui offre la matière de nombreux épisodes dont l'identité de structure — illusion d'une relation humaine, désillusion, rupture — combinée au crescendo allant des interlocuteurs les plus indifférents et les plus vils, les galériens, aux meilleurs et aux plus capables d'amour, la petite fille du condamné, manifeste que les personnes ne sont pas en cause et qu'en voulant dénier à un seul la qualité d'homme, la peine de mort la retire en fait à tous.

Le monologue prend ici sa valeur, non pas monologue intérieur d'une pensée capable de se communiquer autrement, mais le monologue écrit, c'est-à-dire le texte lui-même. Car tout autre mode de représentation, le récit par exemple qui a un narrateur ou le théâtre qui se joue devant des spectateurs, introduirait un tiers et manquerait cette extraordinaire concrétisation du sens dans sa forme nécessaire.

Quelque chose pourtant demeure d'une communication. Le condamné, s'apprêtant à écrire, s'était fait l'objection : « Est-ce que je puis avoir quelque chose à dire, moi qui n'ai plus rien à faire dans ce monde ? » L'existence même du livre y répond, déniant à la peine de mort le pouvoir de l'emporter entièrement sur la mutuelle reconnaissance des consciences. En ceci aussi le sens s'effectue au lieu de se dire. Voilà pourquoi, chaque après-midi d'exécution, Hugo, à sa table, ne pouvait plus rien écrire et pourquoi ce livre était pour lui plus qu'un devoir : comment dire *je* après avoir refusé sa voix et son talent au condamné pour qu'il puisse le dire, lui aussi ?

Il s'en est pourtant fallu de peu et Hugo ne cède que le minimum à la conviction et à la foi. Il ne donne pas de nom au condamné, ni le sien au livre. L'irréalité d'un tel texte si l'art ne s'en était mêlé, est figurée par son sort : « A moins qu'après ma mort le vent ne joue dans le préau avec ces morceaux de papier souillés de boue, ou qu'ils aillent pourrir à la pluie, collés en étoiles à la vitre cassée d'un guichetier. » Mieux, elle est matérialisée. Le véritable *Dernier Jour d'un condamné*, l'écrit authentique sorti de la prison, c'est la mignonne et hideuse chanson argotique, sur son papier « jaune, sordide et rompu à ses plis ».

***

Qu'est-ce donc qui fait l'originalité de ces textes, leur qualité et leur force ? Qu'ils savent ne pas faire de l'abolition de la peine de mort à laquelle ils travaillent une question locale et technique, ne pas l'isoler des vérités et des aspirations qui l'exigent : la foi, ou du moins l'inquiétude devant une transcendance, nommée Dieu ou l'Infini, qui appelle l'humanité à se dépasser elle-même ; l'affirmation de la souveraineté — et plus encore : d'une sorte de divinité de l'individu ; le refus d'une vie sociale qui n'aurait pas pour loi le respect des individualités souveraines et l'organisation de leur progrès commun.

Ne pas isoler non plus la pénalité de l'expérience commune à chacun — celle de la mort, de l'Infini, des communautés humaines — qui, par exemple, donne tous ses sens, car il y en a plus d'un, à la formule du condamné : « La mort rend méchant. » Mais ces textes savent réciproquement ne pas abstraire le vrai des actes nécessaires à son accomplissement. Et cette loi de l'unité du véridique et de l'effectif, ils se l'appliquent à eux-mêmes : non seulement par l'action à laquelle ils appellent et que, pour certains, ils accomplissent, mais d'abord en pliant à leur sens leur propre mode d'existence littéraire.

Le travail de l'écrivain et l'accueil du public

Le Dernier Jour d'un condamné [1]

L'inspiration du *Dernier Jour* remonte, on l'a vu,

1. On n'envisage ici que ce seul texte. Pour *L'Affaire Tapner* l'information dont on dispose est trop mince, pléthorique au contraire pour *Claude Gueux* qu'il faudrait comparer, dans le détail, à la réalité des faits et aux informations communiquées à Hugo. Sur tout ceci on se reportera au travail magistral de J. Seebacher dans sa *Notice* de l'édition Laffont, coll. « Bouquins ».

jusqu'aux expériences enfantines ; si d'autre part rien ne confirme le projet que le *Victor Hugo raconté* prête à Hugo, dès 1825, d'écrire contre la peine de mort, rien ne l'infirme non plus ; *Han d'Islande* enfin atteste, en 1822-1823, une méditation précise sur les supplices et le retentissement de leur spectacle, sur leurs fondements politiques et leurs effets sociaux. A cette très longue maturation répond, comme souvent chez Hugo, la soudaineté d'une rédaction dont le motif déterminant demeure énigmatique — l'exécution de Louis Ulbach invoquée par la *Préface* est antérieure d'un an et non d'un jour — et dont la rapidité surprend : trois semaines au dire du *Victor Hugo raconté*. Ce témoignage est confirmé par les travaux récents de J. Seebacher, malgré les dates inscrites sur le manuscrit : 14 octobre 1828 à la première page, 5 novembre en tête du chapitre VI, 25 décembre à la fin.

Seuls en effet les cinq premiers chapitres peuvent être antérieurs au 5 décembre — et non au 5 novembre comme l'écrit Hugo par erreur, si bien que la quasi-totalité du texte fut effectivement écrite du 5 au 25 décembre 1828. Rédigé d'une haleine, *Le Dernier Jour* l'est aussi d'une traite, du premier chapitre au dernier. Avec cependant l'exception notable de quelques chapitres clefs insérés après coup et qui tous, dans l'univers clos du condamné, ouvrent des échappées sur l'extérieur : XII, la chanson et XVI : le catalogue halluciné des criminels ; IX : les trois femmes ; XXVII : la chose guillotine et XXVIII qui intègre la scène donnée pour l'origine de la rédaction ; XXXVI et XXXVII : Notre-Dame et l'Hôtel de Ville ; XL surtout, ajouté sur épreuves : le Roi.

Quant au lapsus qui substitue 5 novembre à 5 décembre, cette erreur commune en début de mois s'explique par une confusion entre la date de l'action et celle de la rédaction et rend compte du faux souvenir, enregistré dans la *Préface*, qui fixe le début du travail aux lendemains de la mort d'Ulbach, guillotiné le 10 septembre 1827. Non sans conséquences pour une lecture personnelle et historique du texte. Car c'est bien le 5 novembre 1827, lendemain de la fête du Roi, que sont publiées les ordonnances par lesquelles Charles X dissout la Chambre et nomme une « fournée » de pairs — 76, le chiffre joué par le gendarme superstitieux du chapitre XXXII. Tels sont les « événements du jour » dont parle le chapitre XXII. Ainsi les questions politiques qui préoccupent les bourgeois lecteurs de journaux s'opposent-elles aux questions sociales qu'elles masquent et que Hugo met en pleine lumière : celles de la pénalité et de la régression du peuple en populace. Mais aussi le télescopage des dates — 5 novembre 1827 sur 5 décembre 1828 — éclipse et projette sur *Le Dernier Jour* une année décisive pour Hugo : celle où il atteint sa majorité légale et publie *Cromwell* — l'entrée dans l'âge d'homme, celle de la mort de son père.

A la fin de l'année 1828 l'œuvre est donc achevée ; on pourrait dire que le livre commence. Car il se heurte, avant même sa publication, à une résistance qu'on s'explique mal aujourd'hui, maintenant que l'évolution de la littérature — où *Le Dernier Jour* a sa part — et celle des idées sur la peine de mort mais, plus encore, sur la primauté de l'individualité, ont acclimaté la scandaleuse modernité de ce livre. L'éditeur, Gosselin, tire le premier. On ignore les termes de sa lettre à Hugo mais la réponse vaut d'être connue. Elle trace presque tous les axes d'une polémique qui serait anecdotique si elle n'avait déterminé l'ajout successif des deux préfaces qui infléchissent la stratégie de l'œuvre originelle sans la détourner et corrigent ses effets en les accentuant.

D'abord l'appartenance littéraire de ce texte immédiatement reconnu pour inclassable. C'est un roman, se défend Hugo auprès de Gosselin, à ranger dans le sous-genre des « romans d'analyse » ou « drames intérieurs », donnant des « développements de pensée » à un fait « simple et nu ». Et d'évoquer les précédents — *René*, le *Voyage autour de ma chambre* de Xavier de Maistre... —, propres à justifier l'emploi exclusif du monologue intérieur. Ils le feraient à tort, on l'a vu, et sont démentis en même temps que posés : « Je vous [les] présenterais comme offrant une frappante analogie avec mon livre si son principal mérite à mes yeux n'était pas d'être sans modèle. » Bientôt, au lieu de faire amende honorable, la *Comédie à propos d'une tragédie* surenchérit. Non seulement en ironisant jusqu'à la parodie sur l'esthétique des genres, mais par sa propre existence de texte massivement hybride dès le titre et « jurant » horriblement avec ce qu'il commente. Elle-même composite, la *Préface* de 1832 achève la provocation et en rend compte : il faut être, dit-elle, procureur ou juge pour goûter la rhétorique des genres qui d'emblée et par nature est au mieux un travestissement, au pire un déni d'individualité, un carcan — au sens propre : une torture — du langage, l'argot des hautes classes.

A cette question se rattache celle, plus visible, de l'histoire manquante du condamné. Gosselin qui demande à l'auteur de l'ajouter se voit sèchement renvoyé à son métier : « Il serait beaucoup trop long de vous déduire dans une lettre pourquoi je ne suivrai pas votre conseil. » Mais, à la publication, les critiques les plus en vue — Nodier [1], Janin — reviennent à la charge :

> Ce criminel n'a pas de passé : il vient là, sans antécédents, sans souvenirs : on dirait qu'il n'a pas vécu avant d'être criminel. [...] C'est un être abstrait. [...] On est froid pour cet être qui ne ressemble à personne.

Et Nodier risque un « corrigé » : il fallait au condamné un nom « crié dans les rues de Paris » et un crime « dans un mouvement de frénésie » ; dans son cachot, sa douleur « sera de l'étourdissement stupide plutôt que de savants monologues », de sorte que « dans ses mouvements d'esprit lucide, il ramènera sa pensée en arrière, vers le temps où il était libre au lieu de la tenir toujours fixée sur sa mort prochaine ». Hugo fait trois réponses à ces suggestions bénignes : les reproduire, dans la bouche du « poète élégiaque », avec ce décalage infime qui découvre le bas conformisme de pensée et de style qu'elles cachent ; les réfuter en développant dans la *Préface* le mot du « philosophe » : « La particularité ne régit pas la généralité » ; s'appliquer enfin à mieux mériter leur critique par l'ajout des deux textes initiaux qui, en éloignant encore le personnage, achèvent d'arracher *Le Dernier Jour* à la sphère du romanesque.

Une dernière série d'objections ne visait plus les qualités esthétiques du texte mais son effet, brillamment stigmatisé. Nodier se dit « fatigué ou étourdi » par « cette débauche d'imagination, ce long rêve de crime, de sang, d'échafaud » et conclut : « Tout cela m'avait comme brisé et épuisé [...] Je ne relirai pas *Le Dernier Jour d'un condamné* : Dieu m'en garde ! C'est un mauvais rêve dont on n'ose pas se souvenir. » Janin, comme en écho :

> C'est à devenir fou. [...] Ce livre, tout étincelant d'une horrible et atroce vérité, doit mettre à bout le peu d'émotions qui nous restent. [...] Figurez-vous une agonie de trois cents pages. [...] De grâce ! vous me faites trop peur [...] ou bien mettez en tête de votre livre cette épigraphe qui l'expliquera très bien : *Aegri somnia* [les cauchemars d'un malade].

Ici encore, *Une comédie à propos d'une tragédie* ne prend

1. L'attribution de cet article n'est pas certaine ; J. Malavié (*R.H.L.F.*, 1983) y voit la main de Nisard.

d'autre peine que de retourner les critiques par leur mise en scène. La corpulence du « gros monsieur » qui les répète suffit à dénoncer la revendication dérisoire, et même un peu infâme, qu'elles contiennent : la revendication du confort.

Hugo n'ignore pourtant pas l'insuffisance de cette ironie. Car Janin et plus encore Nodier avaient condamné l'exclusivité de la « sensation » pour son inefficacité concrète dans le débat sur la peine de mort, accusant Hugo de l'avoir déplacée sur un mauvais terrain alors même que les dispositions de l'esprit public, préparé en ces années par de nombreuses initiatives (voir la *Chronologie*), étaient favorables à sa cause. Bref, Hugo était un ouvrier de la onzième heure — passe encore — et un mauvais ouvrier dont la bruyante originalité, sans doute destinée à compenser son retard, aurait défait, du moins laissé en plan l'ouvrage de ses devanciers au lieu de le faire avancer. Attaque particulièrement insidieuse et grave. La *Comédie* lui oppose un démenti et en dénonce la mauvaise foi :

> « Affreux, dit le "gros monsieur". On était tranquille, on ne pensait à rien. Il se coupait bien de temps en temps en France une tête par-ci par-là, deux tout au plus par semaine. Tout cela sans bruit, sans scandale. Ils ne disaient rien, personne n'y songeait. Pas du tout, voilà un livre... — Un livre qui vous donne un mal de tête horrible ! »

Mais la mauvaise foi d'un reproche n'en exclut pas le bien-fondé, celle d'une demande ne dispense pas de la satisfaire ; et comment savoir, pour Hugo, si les habitudes littéraires de ses lecteurs ne sont pas effectivement si violemment choquées et contredites que le livre manque son but ?

Si bien qu'on peut voir dans la *Préface* de 1832 une correction du *Dernier Jour*, sinon dans le sens souhaité par Nodier puisqu'elle aggrave encore les autres « défauts », du moins tenant compte de son appréciation des effets du livre. Deux raisons y conduisent. L'une est que Hugo ne craint pas de s'exposer à sa propre ironie en ajoutant ce que le « monsieur maigre » appelait des « déclamations » et en donnant satisfaction au « gros monsieur » — « Il y a à peine deux pages sur ce texte de la peine de mort. Tout le reste, ce sont des sensations. » — comme au « philosophe » : « Voilà le tort. Le sujet méritait le raisonnement. » L'autre est que, même à nos yeux de lecteurs modernes et citoyens d'une République où la peine de mort est abolie, seule cette *Préface* entre dans le cadre d'une intervention politique directe que pourtant Hugo visait dès l'édition originale du texte nu. Il lui fallait une singulière confiance dans les capacités de lecture de ses contemporains — ou une belle inconscience de son avance sur son temps — pour ajouter, avec la simplicité d'une évidence, ce post-scriptum à sa lettre à Gosselin : « Il importe de mettre vite *le Condamné* sous presse, si vous voulez qu'il paraisse avant la Chambre, ce qui est de la plus haute importance. » Cinq ans plus tard *Claude Gueux* profite de la leçon.

Depuis, la modernité du *Dernier Jour* a souvent été commentée. On citerait Beckett, Bataille ou Joyce, pour ne plus parler de Camus ; le cinéma serait peut-être invoqué à plus juste titre : Bresson et Becker. Tenons-nous-en au siècle de Hugo et, avec Pierre Pachet, admirons ceci. Lorsqu'en décembre 1849, juste après le simulacre d'exécution, Dostoïevski veut exprimer la souffrance que lui inflige l'interdiction d'écrire dont il est frappé et le goût de vivre qui l'emporte sur tout, il ne trouve rien de mieux, lui qui est Dostoïevski et qui a vécu ce que Hugo avait imaginé, que de citer *Le Dernier Jour d'un condamné* : « ... Mais il me reste le cœur, et il me reste cette chair et ce sang qui peuvent aussi aimer et souffrir, plaindre et se souvenir : et cela, c'est quand même la vie. *On voit le soleil.* »

Chronologie des rencontres de Victor Hugo avec la peine de mort [1]

1802. — Première traduction française du *Traité de*

1. Plutôt qu'à la biographie de Hugo et aux dates du reste de son œuvre — qu'on trouvera dans tel autre volume du Livre de Poche, on a préféré consacrer cette chronologie à une connaissance précise des réalités liées aux textes réunis dans ce livre. Les abréviations et les références sont les suivantes : *D.J.C.* : *Le Dernier Jour d'un condamné*, dans la présente édition ; *Mis. : Les Misérables*, cités dans l'édition du Livre de Poche ; *V.H.R.* : le *Victor Hugo raconté par un témoin de sa vie*, dans son édition originale de 1863 : le premier livre et jusqu'à *Actes et Paroles*, le seul qui ait tracé l'historique de l'action de Hugo contre la peine de mort et donné les textes correspondants ; *V.H.R.A.* : le *Victor Hugo raconté par Adèle Hugo* : édition du manuscrit d'Adèle, épouse Hugo, en vue de l'ouvrage précédent (Plon, « Les Mémorables », 1985) ; *A. et P. : Actes et Paroles*, recueil des discours et

législation civile et pénale de Bentham. 26 février : naissance de Victor Hugo.

18 mai 1804. — Naissance de Claude Gueux. Décembre 1807 — janvier 1808. — Voyage de Madame Hugo avec ses trois garçons pour rejoindre son mari en Italie. « [...] ils passaient, glacés de terreur, près de têtes coupées déjà desséchées ou saignant encore, de bras et de mains cloués à d'autres arbres, affreux épouvantails qui disaient aux tueurs de grandes routes : "Voilà ce que vous serez !" » (*V.H.R.A.*, I, 6 ; 123.)

1811. — Première traduction française de *Théorie des peines et des récompenses* de Bentham.

Mars 1811 — avril 1812. — Voyage et séjour en Espagne : Victor Hugo y voit tout à loisir les traces sanglantes de la guerre entre les patriotes espagnols et l'armée française d'occupation. (*V.H.R.A.*)

Octobre 1812. — Condamnation et exécution du général Lahorie, parrain de Victor Hugo, après le coup d'État avorté auquel il a participé avec les généraux Guidal et Malet. (*V.H.R.A.*, I, 8 ; 142 et II, 8 ; 245.)

1812. — Pour les parricides — meurtre ou tentative — auxquels restent assimilés les attentats sur la personne du Roi ou de l'Empereur, le code ajoute à la mort le tranchement du poing droit.

25 février 1815. — Condamnation à mort de Charles Dautun pour l'assassinat de son frère dont les membres avaient été retrouvés, dispersés aux quatre coins de Paris. (*D.J.C.*, XII ; 79 ; *Mis.*, I, 3, 1 ; t. 1, 121 et III, 1, 7 ; t. 2, 126.)

2 août 1817. — Exécution de Louis Poulain, auteur d'une tentative d'assassinat de sa femme. (*D.J.C.*, XII ; 79.)

1818 ou 1819. — Hugo assiste, devant le Palais de Justice à Paris, au supplice d'une femme, domestique condamnée pour vol : mise au caracan et marquée au fer rouge. (*A. et P.* ; 544.)

7 juin 1820. — Exécution de Louvel, assassin de l'héritier du trône, le duc de Berry. (*Odes et Ballades*, I, 7 ; 94 ; *Choses vues* ; 916-917 et 708 ; *Les Misérables*, III, 1, 7 ; t. 2, 126.)

6 décembre 1820. — Exécution de Pierre-Louis Martin (et non Jean) qui avait tiré en direction de son père sans l'atteindre. (*D.J.C.*, XII ; 79 ; *V.H.R.A.*, V, 1 ; 441 et *Mis.*, III, 1, 7 ; t. 2, 127.)

autres textes d'intervention publique, formé par Hugo à partir de 1875, cité ici, ainsi que tous ses autres livres, dans l'édition des *Œuvres complètes*, R. Laffont, coll. « Bouquins », 1985.

21 septembre 1822. — Exécution des « quatre sergents de la Rochelle », groupe dont Bories était le chef, pour complot républicain. Un ami d'enfance de Hugo, Édouard Delon — auquel il avait offert l'asile de sa maison —, est également condamné à mort, par contumace. Hugo assiste à quelques séances du procès. (*D.J.C.*, XII ; 79 ; *V.H.R.A.*, IV, 11 ; 376 et *Mis.*, III, 1, 7 ; t. 2, 126.)

1822. — Publication de *De la peine de mort en matière politique* de Guizot.

8 février 1823. — Annonce de la publication de *Han d'Islande*, commencé au printemps 1821.

6 décembre 1823. — Exécution du docteur Castaing, auteur d'un double assassinat, par empoisonnement, pour capter un héritage. (*D.J.C.*, XII ; 79 et *Mis.*, I, 3, 3 ; t. 1, 130 ainsi que III, 1, 7 ; t. 2, 126.)

20 avril 1824. — Exécution de Delaporte, détrousseur de grands chemins. (*V.H.R.*, LII ; 192 et *Mis.*, III, 1, 7 ; t. 2, 126.)

25 mars 1825. — Exécution de Papavoine. Il avait poignardé deux petits garçons, au bois de Vincennes, sous les yeux de leur mère. (*D.J.C.*, XI ; 78 et *Mis.*, III, 1, 7 ; t. 2, 126.)

20 avril 1825. — Rétablissement de la peine de mort pour les auteurs de sacrilèges, abolie par la Constituante ; peine des parricides pour la profanation des hosties.

Novembre 1825. — Création de la *Gazette des tribunaux*. Elle est d'orientation progressiste et soutient le mouvement en faveur de l'abolition de la peine de mort.

26 mai 1826. — Exécution de Malagutti et Ratta, meurtriers. (*V.H.R.*, LII ; 192 et un chapitre abandonné des *Misérables* : « Les Fleurs » ; éd. Laffont, vol. « Critique », 540.)

1826. — Visite à la Conciergerie, en compagnie de Rossini, Meyerbeer et David d'Angers. (*Choses vues* ; 926.)

10 septembre 1827. — Exécution de Louis Ulbach, vingt ans, meurtrier de celle qu'il aimait par désespoir d'en être séparé. C'est peut-être aux préparatifs de cette exécution que Hugo assista, un an — et non un jour — avant d'entreprendre le *D.J.C.* Plusieurs détails de l'histoire d'Ulbach avaient de quoi attirer l'attention de Hugo, en particulier l'information, donnée par la *Gazette des tribunaux*, que le condamné avait entrepris en prison d'écrire l'histoire de sa vie, sans aller plus loin que la première page. (*D.J.C.*, *Préface* et XXVIII ; 18 et 117 ; *V.H.R.A.*, V, 1 ; 443 et *Les Misérables*, II, 4, 1 ; t. 1, 442 et IV, 2, 1 ; t. 2, 432.)

24 octobre 1827. — Avec David d'Angers, le statuaire, Hugo se rend à Bicêtre, assister au ferrement des forçats. (*D.J.C.*, XIII et XIV ; 81 et suiv. et *Les Misérables*, « La Cadène », IV, 3, 8 ; t. 2, 477.)

5 novembre 1827. — Publication des ordonnances de dissolution de la Chambre des députés et de nomination d'une « fournée » de soixante-seize pairs à la Chambre haute.

4 octobre 1828. — La *Gazette des tribunaux* donne des extraits du rapport de Vivien au « Comité des prisons », association de bienfaisance ; il critique sévèrement l'état des prisons de la Force et de Bicêtre.

14 octobre 1828. — Le *Journal des débats* rend compte d'un ouvrage de Charles Lucas : *Du système pénitentiaire en Europe et aux États-Unis*. Début de la rédaction du *Dernier Jour d'un condamné*.

Octobre 1828. — Publication des deux premiers volumes des *Mémoires* de Vidocq, le célèbre policier ancien bagnard. Hugo s'en servira, dans *Le Dernier Jour*, en particulier pour le vocabulaire d'argot.

22 et 23 novembre 1828. — Hugo et David d'Angers assistent au ferrement des forçats à Bicêtre et y retournent le lendemain pour le départ de la chaîne. (*D.J.C.* et *Les Misérables*, déjà cités.)

5 décembre 1828. — Reprise de la rédaction du *Dernier Jour* à hauteur du chapitre VI.

25 décembre 1828. — Achèvement de la rédaction du *Dernier Jour*.

Janvier 1829. — Ajout sur épreuves du chapitre XL du *Dernier Jour*.

3 février 1829. — Publication du *Dernier Jour* (1re et 2e éditions, in-12) chez Gosselin et Bossange.

28 février 1829. — Publication du second tirage du *Dernier Jour* (3e et 4e éditions), précédé de *Une comédie à propos d'une tragédie*.

Décembre 1830. — Publication de l'ode de Lamartine : *Contre la peine de mort*. — Le père de Claude Gueux rejoint son fils à Clairvaux ; il y mourra le 2 mars 1831.

Juin 1831. — Article de Lamennais dans *L'Avenir* contre la peine de mort.

7 novembre 1831. — Claude Gueux, à Clairvaux où il purge, après d'autres, une condamnation de huit ans de réclusion, tue le gardien-chef Delacelle. Explosion de joie dans la Centrale.

Janvier — mars 1832. — Date probable de la rédaction du texte qui sera intégré à la conclusion de *Claude Gueux*. (Voir note 2, p. 183.)

15 mars 1832. — Date au bas du *Fragment sur la peine de mort*, réemployé pour la *Préface* au *Dernier Jour*. (Voir note 2, p. 19.)
16 mars 1832. — Début du procès de Claude Gueux à la cour d'assises de Troyes. Son exécution est retardée par un pourvoi et une demande en grâce adressée au Roi, sans doute à l'initiative des personnes qui s'étaient intéressées au condamné et qui alertèrent aussi Hugo, sans qu'on sache à quelle date ni dans quelles conditions.
31 mars 1832. — Annonce au *Journal de la librairie* de la 5e édition (in-8°) du *Dernier Jour*, précédé de *Une comédie...* et de la *Préface*.
1er juin 1832. — Claude Gueux est décapité à Troyes. La *Gazette des tribunaux* consacre trois articles à son procès et à son exécution.
20 juin 1834. — Reprise du manuscrit de *Claude Gueux* (peut-être commencé au début de l'année).
6 juillet 1834. — Publication de *Claude Gueux* dans la *Revue de Paris*.
6 septembre 1834. — Réimpression, en tiré à part à 500 exemplaires, du texte de *Claude Gueux*, précédé de la note initiale « désormais liée à toutes les réimpressions » du roman.
12 mai 1839. — Insurrection, vite réprimée, de la républicaine « Société des Saisons ». Barbès est pris et inculpé.
12 et 13 juillet 1839. — Condamnation à mort de Barbès ; intervention de Hugo auprès de Louis-Philippe pour sa grâce (*Les Rayons et les Ombres*, 3 ; 936 et *V.H.R.A.*, V, 2 ; 447). Manifestations à Paris dans le même sens. La peine est commuée par le Roi le 14 juillet.
17 novembre 1845. — Hugo commence la rédaction du roman qui sera *Les Misérables*.
Juin 1846. — Condamnation et exécution de Lecomte qui avait déchargé deux fusils sur la famille royale. A la Chambre des pairs, où il a été nommé par le Roi en avril 1845, Hugo est des trois pairs, sur deux cent-trente deux, qui votent la détention perpétuelle. (*Choses vues* ; 883.)
Août 1846. — Procès de Joseph Henri à la Chambre des pairs. Hugo intervient énergiquement dans le sens de l'indulgence. Henri, qui avait tiré deux coups de feu en direction du Roi, est condamné aux travaux forcés à perpétuité. (*Choses vues* ; 897.)
Septembre 1846. — Visite de Hugo à la Conciergerie. (*Choses vues* ; 912.)
5 avril 1847. — Visite du quartier des condamnés à mort à la prison de la Roquette. (*Choses vues* ; 703.)
3-10 mai 1847, puis 21 janvier 1848. — Rédaction d'un

projet de discours pour la discussion de la loi sur les prisons à la Chambre des pairs. La Révolution de février interrompt le débat avant que Hugo n'y intervienne. (*Choses vues* ; 942.)

24 août 1847. — Marquis, le condamné que Hugo avait rencontré à la Roquette, est exécuté. Le même jour, le duc de Choiseul-Praslin, qui avait tué sa femme et dont le procès venait de commencer à la Chambre des pairs, meurt du poison qu'il avait pris quelques jours auparavant. (*Choses vues* ; 978.)

26 février 1848. — Le gouvernement provisoire décrète l'abolition de la peine de mort en matière politique. Hugo en félicite Lamartine.

Juillet 1848 et mois suivants — Hugo, qui a combattu l'insurrection comme député, use de son influence en faveur de plusieurs prisonniers des journées de Juin.

15 septembre 1848. — A l'Assemblée, Hugo soutient l'amendement qui étendait à tous les cas l'abolition de la peine de mort en matière politique inscrite à l'article 5 de la Constitution. (*A. et P.* ; 180.)

17 mars 1849. — Exécution des assassins du général Bréa, tué en juin 1848. Hugo s'était joint aux démarches qui firent signer à Louis-Napoléon Bonaparte la grâce de trois des cinq condamnés. (*V.H.R.*, LIII ; 207 et *Choses vues* ; 1198.)

5 avril 1850. — Discours de Hugo à l'Assemblée législative contre la création d'une peine de déportation — la « guillotine sèche » — destinée à compenser l'abolition de la peine de mort en matière politique. (*A. et P.* ; 228.)

11 juin 1851. — Devant la cour d'assises de Paris, Hugo plaide pour son fils Charles, inculpé d'atteinte au respect dû aux lois. Dans un article de *L'Événement*, Charles n'avait rien caché des circonstances atroces de l'exécution, dans la Nièvre, d'un braconnier meurtrier d'un garde-chasse. Charles est condamné à six mois de prison ferme. (*V.H.R.*, LIII ; 209 et *A. et P.* ; 309.)

20 novembre 1853. — Dans une longue et dramatique réunion nocturne des proscrits de Jersey, Hugo, ses fils et quelques autres font obstacle à l'exécution immédiate d'un mouchard démasqué, un certain Hubert, responsable de nombreuses arrestations en France. (*Choses vues* ; 1261.)

3 janvier 1854. — Condamnation à mort de Tapner à Guernesey, île toute voisine où Hugo se réfugiera lorsqu'il sera chassé de Jersey, en octobre 1855.

10 janvier 1854. — Publication de *Aux habitants de Guernesey*. Tapner bénéficie d'un sursis.

10 février 1854. — Exécution de Tapner sur intervention de Palmerston, ministre de l'Intérieur.

11 février 1854. — Publication de la lettre *A lord Palmerston*.

31 octobre 1859. — Condamnation à mort de John Brown. Né en 1800, ce héros du combat contre l'esclavage joue, à partir de 1854, un rôle important dans la lutte armée contre les esclavagistes, également armés, du Kansas et du Missouri. Dans une ferme près de Harper's Ferry, il avait réuni tout un petit arsenal dont il comptait armer les esclaves noirs eux-mêmes. Ce soulèvement échoua ; Brown soutint un siège de deux jours où ses fils moururent. Un texte public de Hugo — *Aux États-Unis d'Amérique (V.H.R.*, LIII ; 246 et *A. et P.* ; 512) participe au mouvement d'opinion mondial qui s'éleva, en vain, pour obtenir la grâce de John Brown, mais aussi, déjà, pour soutenir l'action des États du Nord. L'œuvre de Hugo fera désormais très souvent référence au martyre de John Brown assimilé à ceux de Socrate, de Jan Hus et du Christ. (Voir, par exemple, *Mis.*, III, 1, 11 ; t. 2, 133 et V, 1, 20 ; t. 3, 292.)

21 janvier 1862. — Des journaux belges lui ayant attribué des vers adressés au Roi pour la grâce de neuf condamnés à mort, Hugo dément dans la presse en être l'auteur et invite la nation belge à la clémence. Sept des « condamnés de Charleroi » furent graciés. (*V.H.R.*, LIII ; 251 et *A. et P.* ; 529.)

30 mars 1862. — Publication des *Misérables*.

16 novembre — 11 décembre 1862. — Dans leur campagne du référendum sur la peine capitale organisé à Genève, les républicains progressistes diffusent le texte que le pasteur Bost a obtenu pour eux de Hugo. (*V.H.R.*, LIII ; 251 et *A. et P.* ; 541.)

2 décembre 1862. — Intervention dans l'affaire Doise : erreur judiciaire doublée de tortures pour extorquer des aveux. (*A. et P.* ; 551 et *Les Années funestes*, 33 ; 750.)

4 et 12 février 1865. — Lettres d'appui aux comités italien et anglais contre la peine de mort. (*A. et P.* ; 677.)

4 mars 1865. — Hugo remercie de sa désignation à la commission du monument à Beccaria. (*A. et P.* ; 567.)

8 août 1866. — Publication d'un court article de Hugo en faveur de Bradley, condamné à mort de droit commun à Jersey. (*A. et P.* ; 575.)

28 mai 1867. — Protestation publique en faveur des militants irlandais arrêtés et condamnés à mort. (*A. et P.* ; 583.)

21 juin 1867. — Une lettre ouverte de V. Hugo au président

Juarez demande la grâce de Maximilien, l'empereur fantoche du Mexique, installé, et bientôt abandonné, par les troupes de Napoléon III. Ce dernier avait très officieusement sollicité le concours de Hugo. La lettre est écrite le 20, Maximilien avait été fusillé la veille. (*A. et P.* ; 586.)

Juin 1867. — Abolition de la peine de mort au Portugal. Les militants remercient Hugo de l'aide trouvée dans ses œuvres. (*A. et P.* ; 591.)

25 mai 1871. — Devant l'intention du gouvernement belge d'interdire l'accès du pays aux communards en fuite, Hugo fait publier sa *Lettre au rédacteur de l'Indépendance belge* où il offre aux proscrits de la Commune l'asile de son propre domicile. Cette initiative lui vaut l'attaque de sa maison, à coups de pierres, par une bande de voyous bien-pensants, puis son expulsion du territoire belge. Il ne cessera désormais d'agir pour obtenir la grâce des communards condamnés ou poursuivis, soit individuellement — Rochefort, Maroteau... —, soit collectivement par l'amnistie. (*A. et P.* ; 795-813 et 933 ; *Choses vues*, « Carnets de la guerre et de la Commune » ; 1135.)

4 mars 1875. — Mise en vente — la publication dans la presse étant interdite par l'état de siège — du texte *Pour un soldat*. Au nom du précédent fait pour le maréchal Bazaine, Hugo demandait — et obtint — la vie sauve de ce soldat condamné à mort pour « insulte grave envers son supérieur ». (*A. et P.* ; 889.)

7 février 1876. — Tout nouvellement nommé sénateur, Hugo demande, sans succès, au président de la République, Mac-Mahon, qu'il sursoie au départ pour la Nouvelle-Calédonie d'un convoi de communards condamnés. (*A. et P.*, « Le condamné Simbozel » ; 905.)

22 mai 1876. — Discours de Hugo au Sénat et proposition de loi pour l'amnistie des communards. (*A. et P.* ; 917.)

28 février 1879. — Deuxième discours au Sénat pour défendre la même proposition d'amnistie. Les républicains sont au pouvoir depuis le 4 février : une amnistie partielle sera votée le 3 mars. (*A. et P.* ; 1007.)

29 février 1880. — Hugo se joint à la campagne des républicains auprès du gouvernement pour que soit refusée — elle le sera — l'extradition du nihiliste Hartmann, demandée par le gouvernement russe. (*A. et P.* ; 1042.)

27 juin 1880. — Lettre de demande en grâce — non publiée et dont le destinataire n'est pas identifié — pour treize « prisonniers de la dernière révolte dans les montagnes de l'Aurès ». (*A. et P.* ; 1066.)

3 juillet 1880. — Troisième discours au Sénat pour une loi

d'amnistie complète. Elle est adoptée le 11 juillet. (*A. et P.* ; 1017.)

8 mars 1882. — Article de Hugo dans *Le Rappel* s'élevant contre dix condamnations à mort prononcées, en Russie, dans la vague de répression succédant à l'attentat qui avait mis fin au règne d'Alexandre II. (*A. et P.* ; 1069.)

17 octobre 1882. — Demande en grâce, dans la presse, du colonel Arabi, chef militaire égyptien dissident du gouvernement turc, battu et fait prisonnier par les armées anglaises. (*A. et P.* ; 1071.)

15 et 21 décembre 1882. — Demande en grâce publique pour le terroriste Oberdank, condamné à mort et bientôt exécuté par le gouvernement autrichien à Trieste. (*A. et P.* ; 1072.)

14 décembre 1883. — Une très brève lettre de Hugo, publiée par la presse, demande, en vain, à la reine d'Angleterre, Victoria, la grâce du militant irlandais O'Donnell. (*A. et P.* ; 1044.)

Bibliographie

Œuvres

Il existe diverses éditions séparées de *Claude Gueux* et du *Dernier Jour d'un condamné*, mais l'ensemble des textes réunis ici ne se trouve que dans les collections des *Œuvres complètes* de Victor Hugo :

En bibliothèque : *Édition chronologique publiée sous la direction de Jean Massin*, Le Club Français du Livre, 1967-1970.

En librairie : *Œuvres complètes*, Robert Laffont, coll. « Bouquins », 1985..., 15 vol. parus.

Dans chacune de ces deux éditions, les textes du présent volume sont accompagnés d'excellentes présentations ou notices, celles en particulier dues à J. Massin et à J. Seebacher.

Biographies

Guillemin, Henri, *Victor Hugo par lui-même*, Le Seuil, « Écrivains de toujours », 1978.

Decaux, Alain, *Victor Hugo*, Perrin, 1985.

Hugo, Adèle, *Victor Hugo raconté par Adèle Hugo*, Plon, « Les Mémorables », 1985.

ROSA, Annette, *Victor Hugo, l'éclat d'un siècle*, Messidor/La Farandole, 1985 (destiné particulièrement aux lycéens).

Ouvrages critiques sur l'œuvre de Hugo

ALBOUY, Pierre, *La Création mythologique chez Vitor Hugo*, J. Corti, 1963.
ALBOUY, Pierre, *Mythographies*, J. Corti, 1976.
GOHIN, Yves, *Victor Hugo*, P.U.F., « Que sais-je ? », 1987.
Hugo le fabuleux, ouvrage collectif sous la direction de J. SEEBACHER et A. UBERSFELD, Seghers, 1985.
MAUREL, Jean, *Victor Hugo philosophe*, P.U.F., « Philosophies », 1985.
UBERSFELD, Anne, *Paroles de Hugo*, Messidor/Éd. sociales, 1985.

Travaux critiques sur les romans de Hugo

BROMBERT, Victor, *Victor Hugo et le roman visionnaire*, P.U.F., 1985.
BUTOR, Michel, « Victor Hugo romancier », dans *Tel Quel*, nº 16.
Lire « Les Misérables », ouvrage collectif sous la direction de Guy ROSA et Anne UBERSFELD, J. Corti, 1985.
L'Homme qui rit ou la parole monstre de V. Hugo, ouvrage collectif de la Société des Études romantiques, sous la direction de M. CROUZET, S.E.D.E.S., 1985.
MESCHONNIC, Henri, « Vers le roman poème — Les romans de Hugo avant *Les Misérables* », dans Victor Hugo, *Œuvres complètes*, Éd. J. Massin, ouvr. cité, t. 3.

Travaux critiques sur les textes contenus dans ce livre

GOHIN, Yves, « Les réalités du crime et de la justice pour Hugo avant 1829 », dans Victor Hugo, *Œuvres complètes, ibid.*
ROUSSET, Jean, « *Le Dernier Jour d'un condamné* ou l'invention d'un genre littéraire », dans *Hugo dans les marges*, ouvrage collectif sous la direction de L. DÄLLENBACH et L. JENNY, Éd. Zoé, Genève, 1985.
SEEBACHER, Jacques, « Sur la datation du *Dernier Jour...* », *R.H.L.F.*, 1/1982.
VERNIER, France, « Cela "fait mal et ne touche pas" », dans *La Pensée*, mai-juin 1985.

Table

COMMENTAIRES

Les Classiques
du Livre de Poche
(extraits du catalogue)

XIXe siècle

Andersen *Hans Christian*
Contes (choix)

Balzac
La Rabouilleuse
Les Chouans
Le Père Goriot
Illusions perdues
La Cousine Bette
Le Cousin Pons
Eugénie Grandet
Le Lys dans la vallée
César Birotteau
La Peau de chagrin
La Femme de trente ans
Le Colonel Chabert *suivi de*
Le Contrat de mariage
HISTOIRE DES TREIZE :
La Duchesse de Langeais
précédé de Ferragus *et suivi de*
La Fille aux yeux d'or
La Vieille Fille
Splendeurs et misères des
courtisanes

Barbey d'Aurevilly
Les Diaboliques
Le Chevalier des Touches

Baudelaire
Les Fleurs du mal
Le Spleen de Paris
Les Paradis artificiels
Écrits sur l'art

Beecher-Stowe *Harriet*
La Case de l'oncle Tom

Brontë *Charlotte*
Jane Eyre

Bulwer-Lytton
Les Derniers Jours de Pompéi (choix)

Chateaubriand
Mémoires d'outre-tombe, *tomes 1 et 2*
Atala - René - Les Natchez
Mémoires de ma vie

Constant *Benjamin*
Adolphe *suivi de*
Le Cahier rouge

Daudet *Alphonse*
Lettres de mon moulin
Le Petit Chose
Contes du lundi
Tartarin de Tarascon

Dostoïevski
L'Éternel Mari
Le Joueur
Les Possédés
Les Frères Karamazov, *tomes 1 et 2*
L'idiot, *tomes 1 et 2*
Crime et Châtiment, *tomes 1 et 2*

Dumas *Alexandre*
Les Trois Mousquetaires
Vingt Ans après
Le Comte de Monte-Cristo, *tomes 1, 2, 3*
La Comtesse de Charny
La Reine Margot

Dumas *Alexandre (Fils)*
La Dame aux camélias

Erckmann-Chatrian
L'Ami Fritz
Histoire d'un conscrit de 1813

Feydeau *Georges*
Le Dindon

Flaubert
Madame Bovary
La Première Éducation sentimentale
L'Éducation sentimentale
Trois Contes

France *Anatole*
Les dieux ont soif

Gautier *Théophile*
Le Roman de la momie
Le Capitaine Fracasse
Contes et Récits fantastiques
Mademoiselle de Maupin

Goncourt *Jules et Edmond de*
Germine Lacerteux

Grimm *Jacob et Wilhelm*
Contes merveilleux (choix)

Hawthorne *Nathaniel*
La Fille de Rappaccini et autres contes fantastiques

Hugo
Les Misérables, *tomes 1, 2, 3*
Les Châtiments
Les Contemplations
Notre-Dame de Paris
Le Dernier Jour d'un condamné
Hernani
Ruy Blas

Huysmans *Joris-Karl*
Là-bas

Ibsen *Henrik*
Une maison de poupée

Jarry *Alfred*
Tout Ubu

Jerome *Jerome K.*
Trois hommes dans un bateau

Labiche *Eugène*
Le Voyage de M. Perrichon

Lautréamont
Les Chants de Maldoror

Marx et **Engels**
Manifeste du Parti communiste *suivi de* Critique du Programme de Gotha

Maupassant *Guy de*
Une vie
Mademoiselle Fifi
Bel-Ami
Boule de Suif
La Maison Tellier
Le Horla
Le Rosier de Mme Husson
Fort comme la mort
La Petite Roque
Contes de la Bécasse
Miss Harriet
Pierre et Jean
Les Sœurs Rondoli
Mont-Oriol
Contes du jour et de la nuit
Choses et autres (chroniques)
Notre cœur
Mouche

Mérimée
Colomba et autres nouvelles
Carmen et autres nouvelles
Michelet *Jules*
La Révolution française :
Les Grandes Journées
Portraits de la Révolution française
Mirbeau *Octave*
Journal d'une femme de chambre
Musset *Alfred de*
Lorenzaccio
Fantasio, suivi de *Aldo le Rimeur de* de George Sand et de *Léonce et Léna* de Georg Büchner
Nerval *Gérard de*
Aurélia *suivi de* Lettres à Jenny Colon, *de* La Pandora *et de* Les Chimères
Les Filles du feu *suivi de* Petits Châteaux de Bohème
Nietzsche *Friedrich*
Ainsi parlait Zarathoustra
Pour une généalogie de la morale
Par-delà le bien et le mal
La Volonté de puissance
Le Gai Savoir
Naissance de la tragédie
Poe *Edgar*
Histoires extraordinaires
Nouvelles Histoires extraordinaires
Histoires grotesques et sérieuses
Pouchkine
La Dame de pique
La Fille du capitaine (choix)
Renan *Ernest*
Marc Aurèle ou la fin du monde antique
Souvenirs d'enfance et de jeunesse
Rimbaud *Arthur*
Poésies complètes
Sand *George*
La Petite Fadette
La Mare au diable
François le Champi
Un hiver à Majorque
Aldo le Rimeur (voir Musset)
Schopenhauer *Arthur*
Le Fondement de la morale

Stendhal
Le Rouge et le Noir
La Chartreuse de Parme
Lucien Leuwen
L'Abbesse de Castro et autres Chroniques italiennes
Stevenson *Robert Louis*
L'Ile au trésor
Dr Jekyll et Mr Hyde
Tchekhov *Anton*
La Mouette
Oncle Vania
La Cerisaie
Les Trois Sœurs
Nouvelles (La Pochothèque)
Tolstoï *Léon*
Anna Karénine, *tomes 1 et 2*
Guerre et Paix *tomes 1 et 2*
La Mort d'Ivan Illitch
Tourgueniev
Premier Amour - L'Auberge de Grand Chemin - L'Antchar
Vallès *Jules*
JACQUES VINGTRAS :
1. L'Enfant
2. Le Bachelier
3. L'Insurgé
Verlaine *Paul*
Poèmes saturniens *suivi de* Fêtes galantes
La Bonne Chanson *suivi de* Romances sans paroles *et de* Sagesse
Verne *Jules*
Le Tour du monde en 80 jours
De la Terre à la Lune
Robur le Conquérant
Cinq semaines en ballon
Voyage au centre de la Terre
Les Tribulations d'un Chinois en Chine
Le Château des Carpathes
Les 500 Millions de la Bégum
Vingt mille lieues sous les mers
Michel Strogoff
Autour de la Lune
Les Enfants du capitaine Grant, *tomes 1 et 2*
L'Ile mystérieuse, *tomes 1 et 2*
Les Indes noires
Deux ans de vacances
Le Sphinx des glaces

Vigny *Alfred de*
Servitude et grandeur militaires (choix)

Villiers de L'Isle-Adam
Contes cruels

Wilde *Oscar*
Le Portrait de Dorian Gray
La Ballade de la geôle de Reading
suivi de De Profundis
Le Fantôme de Canterville

Zola *Émile*
Thérèse Raquin
LES ROUGON-MACQUART :
1. La Fortune des Rougon
2. La Curée
3. Le Ventre de Paris
4. La Conquête de Plassans
5. La Faute de l'abbé Mouret
6. Son excellence Eugène Rougon
7. L'Assommoir
8. Une page d'amour
9. Nana
10. Pot-Bouille
11. Au Bonheur des Dames
12. La Joie de vivre
13. Germinal
14. L'Œuvre
15. La Terre
16. Le Rêve
17. La Bête humaine
18. L'Argent
19. La Débâcle
20. Le Docteur Pascal

XXX
Philosophie, France, XIXe siècle.
Écrits et opuscules
Anthologie de la littérature française au XIXe siècle

Ouvrages généraux
(dictionnaires, anthologies)

Fourastié *Jean et Françoise*
Les Écrivains témoins du peuple

Gaffiot *Félix*
Dictionnaire latin-français

Imbert *Jacques*
Anthologie des poètes français

Littré *Émile*
Le Petit Littré
(La Pochothèque)

Mairet *Gérard*
Les Grandes Œuvres politiques

Pompidou *Georges*
Anthologie de la poésie française

XXX
La Bibliothèque idéale
(La Pochothèque)
Dictionnaire des lettres françaises :
Le Moyen Age (La Pochothèque)
Poètes français
des XIXe et XXe siècles
Le Théâtre en France (La Pochothèque)
Atlas de la philosophie (La Pochothèque)

Composition réalisée par EURONUMÉRIQUE

IMPRIMÉ EN FRANCE PAR BRODARD ET TAUPIN
Usine de La Flèche (Sarthe).
LIBRAIRIE GÉNÉRALE FRANÇAISE - 43, quai de Grenelle - 75015 Paris.

ISBN : 2 - 253 - 05006 - 7 30/6646/1